ESPIÃS
SEXUAIS
NAZISTAS

ESPIÃS SEXUAIS NAZISTAS

HISTÓRIAS VERDADEIRAS DE SEDUÇÃO, SUBTERFÚGIO E SEGREDOS DE ESTADO

AL CIMINO

Nazi Sex Spies - True stories of seduction, subterfuge and state secrets
Copyright © Arcturus Holdings Limited

Os direitos desta edição pertencem à
Pé da Letra Editora
Rua Coimbra, 255 - Jd. Colibri - Cotia, SP, Brasil
Tel.(11) 3733-0404
vendas@editorapedaletra.com.br / www.editorapedaletra.com.br

Esse livro foi elaborado e produzido pelo

Tradução Flávio Furieri
Design e diagramação Adriana Oshiro
Revisão Larissa Bernardi e Thaís Coimbra
Coordenação Fabiano Flaminio
☎ (11) 93020-0036

Impresso no Brasil, 2020

Dados Internacionais de Catalogação na Publicação (CIP)
Câmara Brasileira do Livro, SP, Brasil
Angélica Ilacqua - CRB-8/7057

Cimino, Al

Espiãs sexuais nazistas : histórias verdadeiras de sedução, subterfúgio e segredos de estado / Al Cimino ; tradução de Flávio Furieri. -- Brasil : Pé da Letra, 2020.

ISBN: 978-65-86181-94-4.

Título original: Nazi sex spies

1. Espiãs - Nazistas – História 2. Guerra Mundial, 1939-1945 – História 3. Nazismo – História I. Título. II. Furieri, Flávio

20-3204   CDD-940.5487

Índices para catálogo sistemático:
1. Nazismo – História

Créditos de imagem
Getty Images: páginas 8, 12, 14, 20, 26, 31, 58, 70, 72, 82, 96, 122, 128, 130, 133, 138, 141, 164, 170, 178, 200, 208, 225, 236
Shutterstock Editorial: 94, 118

Todos os direitos reservados. Nenhuma parte desta publicação pode ser reproduzida, armazenada num sistema de recuperação, ou transmitida, de qualquer forma ou por qualquer meio, eletrônico, mecânico, fotocopiador, de gravação ou outro, sem autorização prévia por escrito, de acordo com as disposições da Lei 9.610/98. Qualquer pessoa ou pessoas que pratiquem qualquer ato não autorizado em relação a esta publicação podem ser responsáveis por processos criminais e reclamações cíveis por danos. Esta editora empenhou-se em contatar os responsáveis pelos direitos autorais de todas as imagens e de outros materiais utilizados neste livro. Se, porventura, for constatada a omissão involuntária ou equívocos na identificação de algum deles, dispomo-nos a efetuar, futuramente, as correções em edições futuras.

SUMÁRIO

Introdução	O Batalhão Louro	7
Capítulo 1	Salon Kitty	11
Capítulo 2	Princesa Espiã de Hitler	25
Capítulo 3	Segredos do *Russian Tea Room*	73
Capítulo 4	Algum Tipo de Perversidade	89
Capítulo 5	Um Casamento de Conveniência	97
Capítulo 6	A Bela Espiã	103
Capítulo 7	A Dançarina Exótica	117
Capítulo 8	A Querida de Il Duce	121
Capítulo 9	A Beldade de Pearl Harbor	125
Capítulo 10	A Filha do Embaixador	131
Capítulo 11	A Colunista Dinamarquesa	141
Capítulo 12	A Mata Hari Alemã	157
Capítulo 13	O Caso Espanhol	161
Capítulo 14	A Prostituta de Vienna	167
Capítulo 15	A Espiã Colegial	175
Capítulo 16	Swastika Swichery	185
Capítulo 17	A Gata	191
Capítulo 18	Loura Venenosa	205
Capítulo 19	Nazista Chique	213
Capítulo 20	A Espiã Que Seria Rainha	231
Bibliografia		261
Índice Remissivo		265

INTRODUÇÃO

O BATALHÃO LOURO

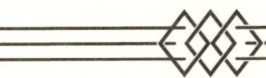

Tudo é justo no amor e na guerra. Pelo menos, é o que os nazistas pensavam: eles usavam o sexo como uma arma para tentar alcançar seu objetivo de dominar o mundo. Havia até uma escola de espionagem na Alemanha onde as prostitutas eram ensinadas a usar seus truques de negócio. Outras espiãs do sexo eram amadoras entusiasmadas, enquanto um número surpreendente era de jovens judias atraentes que se disfarçaram para os nazistas - traindo até outros judeus - para salvar suas próprias vidas.

STRIPTEASE

Uma das primeiras vítimas da Segunda Guerra Mundial foi uma mulher preparada para usar sua atração a serviço do Terceiro Reich. A dançarina e atriz austro-alemã La Jana, nascida Henriette Niederauer, era famosa por seu striptease cômico que dava vida a um cavaleiro de armadura no filme *Es leuchten die Sterne (The Stars Shine)*. Embora tivesse a pele marrom--oliva, era vista, frequentemente, na companhia do ditador nazista Adolf Hitler e mantinha relações amistosas com o chefe da *Luftwaffe*, Hermann

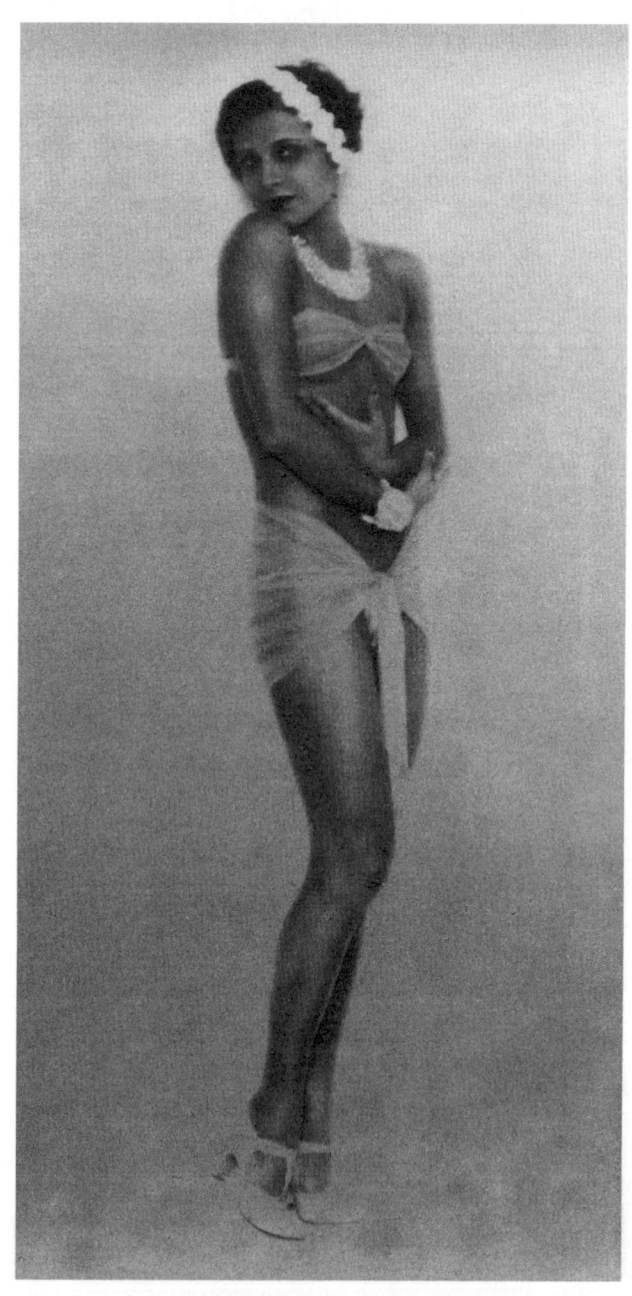

Nascida em Viena, em 1905, La Jana foi uma dançarina e atriz que liderou as tentativas dos nazistas de reproduzir os musicais de Hollywood.

Göring, e com o ministro da propaganda, Joseph Goebbels. Sua beleza morena significava que ela era considerada uma mistura exótica e atípica da feminilidade alemã. Ela passou a assumir os papéis de palco "primitivos", desempenhados por dançarinas afro-americanas como Josephine Baker, depois de serem removidas à força quando os nazistas tomaram o poder.

Em 1938, La Jana visitou Londres para conhecer o empresário Charles B. Cochran. Depois de assistir a uma partida de Test críquete na Lord's, ela convidou Cochran para ficar com ela na Alemanha, onde o apresentaria a Hitler.

"Você deve ensinar a ele o jogo de críquete", disse ela. "Ele adora esportes."

Ela adoeceu e morreu em 1940, aos 35 anos, em uma missão para Goebbels, na Polônia.

Outra das favoritas de Hitler, a princesa Stephanie Juliane von Hohenlohe, era judia, embora o chefe da SS, Heinrich Himmler, considerasse-a uma 'ariana honorária'. Na Inglaterra, ela usou seu relacionamento íntimo com lord Rothermere para incentivar o jornal *Daily Mail* a apoiar os nazistas. Em 1937, ela organizou uma visita a Alemanha para Lord Halifax, futuro secretário de Relações Exteriores. Ela também ajudou a organizar a visita do duque de Windsor e sua esposa Wallis Simpson naquele ano. Agora duquesa de Windsor, Wallis parece ter sido a fonte de muitos segredos aliados que chegaram a Berlim antes e durante a Guerra.

SEGREDOS E SEDUÇÃO

Para fins de espionagem, os nazistas dirigiam um bordel de luxo em Berlim chamado *Salon Kitty*. Dignitários alemães, diplomatas estrangeiros e outros clientes importantes foram incentivados a visitá-lo enquanto meninas altamente treinadas os convenciam a revelar segredos ou a expressar opiniões comprometedoras. Enquanto isso, em Nova York, havia uma 'casa de missão' homossexual no Brooklyn, onde espiões alemães contratavam militares americanos com a esperança de colher conversas de alcova indiscretas de clientes ricos. Um de seus visitantes foi um senador dos EUA que tinha se oposto à entrada da América na Segunda Guerra Mundial.

INTRODUÇÃO

Os nazistas enviaram mulheres alemãs atraentes para espionar os Estados Unidos e a Grã-Bretanha. Havia, também, espiões americanos nativos cuja lealdade ao regime nazista estava enraizada no Bund americano-alemão, uma liga pró-nazista de americanos de origem alemã. No Reino Unido, alguns membros da União Britânica Fascista estavam dispostos a fazer o possível para trair seu país na busca de uma vitória alemã. E havia, é claro, agentes duplas que estavam preparadas para usar seus encantos para trabalhar para ambos os lados.

Claramente, os membros deste batalhão de agentes secretos não eram todos loiros. Mas, foi assim que os filhos e filhas da raça pura, que deram suas vidas - ou apenas se 'deitaram'- para o Führer, foram retratados. Por mais que possamos julgá-los, depois de todos esses anos, é difícil adivinhar as decisões que as pessoas tomam em momentos de revolução política sanguinária ou de uma guerra destruidora. Aqueles foram tempos muito diferentes.

CAPÍTULO 1

SALON KITTY

O mestre de espionagem de Hitler, Walter Schellenberg, e seu chefe, Reinhard Heydrich, foram dois dos oficiais nazistas mais notórios. Como chefe do *Sicherheitsdienst* ou SD - Serviço de Inteligência do Reich - *SS-Obersturmführer* Schellenberg foi condenado por crimes de guerra nos Julgamentos de Nuremberg, enquanto *SS-Gruppenführer* Heydrich foi um dos arquitetos do Holocausto. Ele foi o chefe infame do Gabinete Central de Segurança do Reich, que controlava a Gestapo, o Serviço de Inteligência da SS e a Polícia Criminal, e era vice-chefe da SS sob o comando de *Reichsführer* Heinrich Himmler.

Os dois homens tinham uma parceria complexa. Em 1931, Heydrich se casou com a bela nórdica Lina von Osten. Ela tinha aspirações culturais. O intelectual Schellenberg deu a Lina a chance de entrar na sociedade refinada que ela tanto ansiava; os três foram a concertos e ao teatro juntos. Enquanto Heydrich era flagrantemente infiel a sua esposa com inúmeras amantes e prostitutas, Schellenberg tornou-se amante discreto de Lina.

Eles passavam a tarde ou a noite jogando *Bridge* no que Heydrich chamava de 'intimidade do círculo familiar', na qual representaria 'a parte do marido dedicado'. No entanto, de acordo com Schellenberg: "Na noite seguinte, recebi um telefonema dele - sua voz assumindo um tom de des-

Reinhard Heydrich fez o papel de marido dedicado, mas ele foi infiel à sua esposa com inúmeras amantes e prostitutas e visitava regularmente o bordel de Kitty Schmidt.

dém - dizendo: 'Nesta noite, devemos sair juntos - à paisana. Vamos jantar em algum lugar e depois 'ir a lugares'.'"

INSPIRAÇÃO DE HEYDRICH

Heydrich já era patrono do estabelecimento então conhecido como *Pension Kitty*. A senhora deste bordel de classe alta, Kitty Schmidt, mantinha quatro ou cinco prostitutas no local. Os clientes também podiam selecionar uma acompanhante em vários álbuns fotográficos e ter sua escolha para a noite providenciada por táxi.

"Durante o jantar, sua conversa se tornaria obscena", disse Schellenberg. "Ele tentava me deixar bêbado enquanto andávamos de bar em bar, mas eu sempre me desculpava com o argumento de não me sentir bem naquele momento, e ele nunca o conseguiu".

Parece que Schellenberg se esforçou para ser fiel à sua amante, a esposa de Heydrich, um favor que ele não fez a nenhuma de suas próprias esposas. Ele se divorciou da primeira depois de um ano, em 1939. Casou-se novamente pouco depois, embora essa união não tenha tido muito mais sucesso.

Em 1939, Heydrich estava investigando a fonte de um vazamento de alto nível que ameaçava dar aos Aliados um aviso prévio do plano da Alemanha de atacar através das Ardenas para tomar a Bélgica, a Holanda e a França. Qualquer fortalecimento das defesas nesse ponto vulnerável poderia ser desastroso para a invasão.

Durante uma de suas peregrinações noturnas com Schellenberg, Heydrich teve a ideia de infiltrar um bordel patrocinado por oficiais, funcionários do governo e outros do alto escalão, onde mulheres bonitas e álcool poderiam afrouxar a língua de um informante. Schellenberg recebeu ordens para colocar esse plano em ação. Como resultado, ele assumiu uma tarefa incomum.

Os SS - *Schutzstaffel* ou 'Esquadrão de Proteção' - com seus uniformes pretos desenhados por Hugo Boss, começaram como guarda-costas de Hitler e se tornaram uma classe assassina dentro de um estado. Mas, eles tinham pouca experiência em administrar bordéis. Felizmente, alguém que já a tinha, havia caído nas mãos de Schellenberg - era Kitty Schmidt.

Pension Schmidt, na Giesebrechtstrasse, em Charlottenburg, uma parte rica de Berlim, tornou-se Salon Kitty. A ideia do Heydrich era assumir este bordel de alta classe e instalar dispositivos de escuta. Ele próprio fez várias "visitas de inspeção" ao local durante as quais os microfones foram discretamente desligados.

MADAME

Nascida como Katherina Zammit, em um bairro operário de Berlim, em 1882, Kitty mudou seu nome para Schmidt, largou o emprego de assistente de cabeleireira e tornou-se prostituta. Ela se saiu bem, foi vista na ópera e jantando em restaurantes da moda. Um breve casamento resultou no nascimento de uma filha.

Em 1922, aos 40 anos, ela abriu seu primeiro bordel. A conselhos de clientes ricos, ela apostou seus lucros em Londres, escapando dos piores efeitos da hiperinflação sob a República de Weimar e da Depressão. O desemprego em massa que varreu a Alemanha durante a década de 1920 facilitou o recrutamento para seu estabelecimento e, como especialista em seu comércio, Kitty treinou bem suas garotas.

Após algumas mudanças de endereço, a Pension Kitty se estabeleceu em uma casa grande na 11 *Giesebrechtstrasse*, no influente distrito de Charlottenburg, onde se tornou o prostíbulo de maior sucesso em Berlim. Kitty se interessou pouco quando Hitler chegou ao poder em 1933 e os negócios continuaram como de costume, embora vários de seus amigos judeus tivessem fugido para Londres. Ela os visitava já que eles administravam seus negócios financeiros lá, enquanto ela continuava enviando grandes somas de dinheiro da Alemanha para a Inglaterra.

Em 1937, as autoridades nazistas começaram a reprimir as transferências de dinheiro para fora do país e Kitty recorreu ao envio de garotas com compromissos em Londres com dinheiro costurado em seus espartilhos. Embora não estivesse interessada em política, ela se informou sobre a piora da situação com seus clientes e, em março de 1939, decidiu deixar o país.

Antes do seu voo, ela teve uma visita da polícia que queria usar seu bordel como fachada para a vigilância de sua clientela. Mas, os telegramas que ela enviara para providenciar sua viagem foram interceptados pelos correios e ela foi presa na fronteira com a Holanda. Depois de duas semanas em uma cela da polícia, ela foi entregue à SS e levada ao escritório de Schellenberg. Ele ressaltou que ela havia adquirido moeda estrangeira ilegalmente, enviado dinheiro para fora do país e ajudado judeus a escapar. No mínimo, ela estava olhando para um longo período em um campo de concentração.

CAPÍTULO 1

Para evitar esse destino, ela concordou em fazer o que Schellenberg quisesse e foi forçada a assinar um acordo de sigilo.

Kitty foi libertada e retornou à *Giesebrechtstrasse* em 14 de julho de 1939, oito semanas antes do início da Segunda Guerra Mundial. Em 27 de julho, Schellenberg pôs em prática sua operação mais secreta. Ele assumiria o controle da *Pension Kitty* e a transformaria no bordel mais notório de Berlim - *Salon Kitty*.

ESPIONANDO O PROSTÍBULO

Untersturmführer Karl Schwarz foi encarregado do funcionamento diário da Operação *Salon Kitty* e, junto com Schellenberg, visitava a *Giesebrechtstrasse* para inspecionar as instalações. Schellenberg, então, comprou o prédio através de um empresário aparentemente inofensivo e contratou um arquiteto para supervisionar as alterações. O local foi fechado por dez dias, ostensivamente para reforma, enquanto os microfones eram escondidos atrás de paredes duplas. Os fios foram levados para o porão, onde uma estação de escuta foi instalada com equipamento de gravação usando discos de cera.

Em seguida, os nazistas tiveram que recrutar garotas de confiança. Em 16 de novembro de 1939, oficiais superiores da SS e da polícia receberam um memorando ultrassecreto solicitando: *'Frauen und Mädchen, die intelligent, mehrsprachig, nationalistisch gesinnt und ferner mannstoll sind'* - 'Mulheres e garotas inteligentes, multilíngues, com mentalidade nacional e, além disso, loucas por homens'. Como isso foi improdutivo, Schellenberg abordou Arthur Nebe, chefe de polícia. Por muitos anos, Nebe trabalhou investigando prostituição e conheceu um grande número de garotas trabalhadoras.

"De todas as grandes cidades da Europa, ele recrutou as damas mais qualificadas e cultas do *demi-monde*", disse Schellenberg, "e lamento dizer que algumas damas da alta classe da sociedade alemã estavam dispostas a servir seu país dessa maneira".

O júri consistiu em psicólogos e psiquiatras, médicos, professores universitários e intérpretes. As recrutas tinham que ser solteiras, independentes, com poucos laços familiares, entre 20 e 30 anos e leais ao nacional-socialismo.

Inicialmente, 20 foram selecionadas e introduzidas na SS, onde foram obrigadas a fazer uma promessa de sigilo, juntamente com um juramento de lealdade a Hitler. Em seguida, elas foram enviadas para a escola de cadetes em Ordensburg, para treinamento, onde receberam palestras sobre contracepção, doenças sexualmente transmissíveis, cabeleireiro, cosméticos, etiqueta social e arte da conversa, além de aprenderem manuseio de armas de fogo, combate desarmado, primeiros socorros, línguas estrangeiras e o reconhecimento de uniformes. Também houve cursos sobre técnicas de inteligência, incluindo codificação e decodificação. Todo o treinamento foi ministrado dentro da estrutura da ideologia nazista e da opinião do partido sobre a economia em tempo de guerra.

"EU VENHO DE ROTHENBURG"

De volta a Berlim, as garotas não foram informadas de que os quartos em que estariam trabalhando estavam com escutas. Em vez disso, elas foram instruídas a fazer um relatório por escrito após cada encontro com um indivíduo de interesse. Dessa forma, sua confiabilidade poderia ser avaliada.

Novos álbuns de fotos foram produzidos mostrando as recrutas em poses provocantes. Clientes especiais enviados pela SS receberam uma senha. Se um cliente dissesse: 'Eu venho de Rothenburg', os álbuns eram mostrados para que eles pudessem escolher (o que acreditavam ser) o melhor em oferta. A notícia desse serviço especializado espalhou-se nos círculos diplomático e em outros círculos oficiais.

Os SS mantiveram o recém-reaberto *Salon Kitty* bem abastecido com comida e bebidas, apesar da escassez dos tempos de guerra. No início de abril de 1940, a operação de inteligência foi posta à prova. A cobaia foi *Obersturmführer* Wolfgang Reichert, que havia se destacado na Polônia pelo *Waffen*-SS. Schwarz o conheceu em uma função social e lhe deu uma dica sobre *Salon Kitty*, dizendo-lhe para mencionar que era de Rothenburg.

Quando Reichert fez isso, mostraram-lhe os álbuns e ele fez sua seleção; a garota foi chamada e chegou logo depois. Schwarz estava presente no porão para ouvir a conversa deles. Reichert deixou escapar que estava sendo

CAPÍTULO 1

enviado para Flensburg, na fronteira com a Dinamarca. Em 9 de abril, a Alemanha invadiu a Dinamarca e a Noruega.

Logo depois, o embaixador italiano e um alto funcionário do Ministério das Relações Exteriores alemão foram gravados na sala de estar de *Salon Kitty* discutindo sobre o conde Gian Galeazzo Ciano, ministro das Relações Exteriores da Itália e genro do ditador italiano Benito Mussolini, que estava visitando Berlim e poderia ter interesse em visitar o salão. Depois de participar de reuniões com Hitler, Himmler e o ministro das Relações Exteriores da Alemanha, Joachim von Ribbentrop, Ciano visitou *Salon Kitty* e foi gravado criticando Hitler. Claramente, *Salon Kitty* seria uma fonte inestimável de inteligência – ou, pelo menos, de contrainteligência. Em 20 de abril - aniversário de Hitler - Schellenberg foi promovido a *Sturmbannführer* (major).

A operação foi ampliada com duas dúzias de homens da SS ouvindo o tempo todo. Eles foram proibidos de discutir qualquer coisa que escutassem. As garotas foram proibidas de entrar em contato fora do *Salon Kitty*. Elas recebiam um exame médico uma vez por semana e instruções uma vez por mês. Elas também receberam treinamento adicional em idiomas e política nazista, e o conteúdo de seus relatórios era comparado com as gravações, à procura de discrepâncias. As garotas sabiam que, se errassem, enfrentariam terríveis consequências, pois tinham acesso a informações extremamente secretas.

Heydrich continuou fazendo suas visitas, insistindo na desativação do equipamento de escuta quando ele estivesse presente. Nas suas memórias, Schellenberg registra: "Após uma dessas inspeções, ele me chamou e me acusou de não cumprir sua diretriz. Ele já havia reclamado com Himmler sobre isso. O *Reichsführer* ficou extremamente irritado e queria que eu enviasse uma explicação por escrito. Eu, imediatamente, senti que Heydrich estava tramando uma conspiração contra mim - possivelmente porque ele suspeitava que eu tivesse um caso ilícito com sua esposa. Ele se recusou a aceitar minha explicação de que o aparelho não poderia ser desligado naquela noite porque os cabos elétricos estavam sendo transferidos, enquanto Himmler, imediatamente, se declarou satisfeito".

Heydrich ordenou que Schellenberg mudasse o posto de escuta para a sede da SD, na Prinz Albrechtstrasse, onde ele tinha seu escritório. Isso levou a uma chocante quebra de segurança.

LJUBO KOLCHEV

Outro visitante do *Salon Kitty* foi o agente britânico Roger Wilson, que havia se infiltrado na Alemanha nazista como adido de imprensa na embaixada romena. Ele costumava usar o nome de Ljubo Kolchev, emprestado de um refugiado romeno no exílio em Londres, mas no *Salon Kitty* ele usava o nome de barão Baron von Itty. Em suas visitas iniciais como cliente regular, suas suspeitas foram despertas quando ele percebeu que as garotas eram todas linguistas notáveis e versadas nos assuntos atuais. Ele, então, observou que novos cabos estavam sendo colocados na rua do lado de fora, enquanto o posto de escuta no porão estava sendo movido por ordem de Heydrich. Wilson relatou a situação para Londres e lhe disseram para continuar sua investigação para ver o que mais ele poderia descobrir.

Para se aprofundar, Wilson decidiu se aproximar de uma das garotas e começou a favorecer uma jovem chamada Brigitta. Sob sua gentil sugestão, ele admitiu que não era realmente um barão e que seu verdadeiro nome era Ljubo Kolchev. A SS rapidamente verificou isso e descobriu que as credenciais diplomáticas de Kolchev estavam registradas no Ministério das Relações Exteriores da Alemanha. O embaixador romeno foi contatado e ele confirmou seu adido de imprensa. Convocado pelo embaixador, Wilson explicou a situação. A garota que ele encontrou no *Salon Kitty* deve ter sido um agente da SD, disse ele. Enquanto um aviso era enviado a outra equipe diplomática, Wilson convenceu seu chefe a permitir que ele continuasse frequentando o *Salon Kitty*, argumentou, senão os alemães perceberiam que seu segredo havia sido descoberto.

Ao estudar os quartos do *Salon Kitty*, Wilson encontrou depressões circulares no alto do papel de parede. Estes, ele concluiu, ocultavam micro-

Sepp Dietrich era um velho amigo de Adolf Hitler, que desempenhou um papel de destaque na Noite das Facas Longas e, mais tarde, foi sentenciado pelos Aliados a 25 anos de prisão por seu papel no massacre de Malmedy.

fones. Os novos cabos que ele viu serem colocados na rua do lado de fora, ele percebeu, transmitiam os sinais elétricos desses microfones para um posto de escuta externo. Ele relatou isso aos seus superiores em Londres e foram enviados técnicos que, na escuridão, conseguiram mexer em alguns circuitos. Ou seja, os britânicos haviam criado um posto de escuta próprio.

ESCUTANDO

Joseph 'Sepp' Dietrich, o oficial de mais alta patente da *Waffen*-SS, visitava o *Salon Kitty*, mas falava pouco. O ministro da propaganda de Hitler, Goebbels, também revelou pouco quando apareceu para assistir a duas garotas de Rothenburg em uma exibição lésbica. No entanto, as gravações estavam se acumulando. No devido tempo, o posto de escuta foi atualizado quando foram utilizadas gravação de fio e subsequentes fitas magnéticas para substituir os discos de cera.

Quando o ministro das Relações Exteriores espanhol, Ramón Serrano Suñer, visitou Berlim para conversar com Hitler, em setembro de 1940, Ribbentrop o levou ao *Salon Kitty*. (Serrano Suñer era cunhado do ditador General Francisco Franco.) Os dois homens discutiram planos de tirar Gibraltar dos britânicos; isso daria às potências do Eixo domínio sobre o Mediterrâneo e das operações ocidentais da Grã-Bretanha. A ação secreta recebeu o nome de Operação Felix, mas foi cancelada quando Franco, temendo que os britânicos tomassem as Ilhas Canárias em retaliação, pediu um preço exagerado por sua cooperação.

Quando um diplomata japonês fez uma visita ao *Salon Kitty*, Frau Schmidt entrou em pânico, temendo que pudesse infringir as leis de pureza racial nazista se admitisse o homem. Ela telefonou para Schwarz pedindo conselhos e ele deu permissão ao diplomata para escolher uma das meninas de Rothenburg. Embora estivesse em Berlim como parte da delegação para negociar um pacto tripartido, selando uma aliança militar entre Alemanha, Itália e Japão, o diplomata guardou seus segredos para si.

Em fevereiro de 1941, um funcionário da embaixada italiana confidenciou a uma das garotas que ele temia que a guerra arruinasse a Itália, pois

CAPÍTULO 1

Mussolini havia sido atormentado e subornado para tomar partido contra a Grã-Bretanha. O avanço italiano na Grécia estava indo particularmente mal e a Alemanha foi forçada a ir em seu auxílio, adiando um ataque planejado à Rússia. O funcionário também revelou a extensão dos reveses italianos no norte da África; novamente, a Alemanha enviou o Afrika Korps no mesmo mês.

Schellenberg observou que nem diplomatas soviéticos, nem norte-americanos eram clientes do *Salon Kitty*. Isso estava prestes a se tornar um problema, pois as duas nações logo estariam em guerra com a Alemanha. Após o ataque da Alemanha à União Soviética, em junho de 1941, o *Salon Kitty* estava cheio de oficiais e diplomatas nazistas jubilosos. À medida que mais indiscrições surgiam, Schellenberg foi promovido a SS-*Standartenführer*, ou coronel, e chefe do Departamento VI, o serviço de inteligência estrangeira da SD. Dessa vez, ele próprio fez uma inspeção pessoal da operação, fazendo Schwarz informar Frau Schmidt de sua chegada. Mais uma vez, o equipamento de monitoramento foi desligado. Depois de duas horas no bordel, ele saiu.

Quando a garota com quem Schellenberg estava se relacionando engravidou, Kitty relatou o problema a Schwarz. Ele providenciou que ela fosse transferida para o *Lebensborn* - uma associação dedicada a um programa de criação de filhos 'arianos', que incentivava os homens da SS a engravidar mulheres solteiras 'racialmente puras'.

Em novembro de 1940, a Romênia juntou-se à aliança militar criada com a assinatura do Pacto Tripartite. O agente britânico Roger Wilson temia que as informações que ele estava vazando para se manter em boa posição no *Salon Kitty* pudessem retornar para Bucareste através do Ministério das Relações Exteriores da Alemanha. Ele foi ver Schellenberg e disse que sabia que suas indiscrições anteriores no bordel haviam sido ouvidas e que isso havia sido deliberado. Wilson confessou sua admiração por Hitler e pelos nazistas e pediu a Schellenberg proteção para si e para a garota que estava vendo. Mas, nesse momento, a SS descobriu que o verdadeiro Ljubo Kolchev estava em Londres. Wilson foi preso, interrogado e torturado, depois enviado ao campo de concentração de Sachsenhausen.

BOMBA PÕE FIM À DIVERSÃO

Enquanto a guerra se arrastava, a clientela de *Salon Kitty* diminuía. À medida que mais e mais homens eram transferidos para o *front*, havia menos clientes em Berlim. As mulheres que deixaram para trás estavam mais dispostas a levar os homens restantes para a cama de graça, apenas para dissipar sua solidão, pois poucos queriam arriscar sair à noite por causa dos ataques aéreos aliados.

Em 17 de julho de 1942, uma bomba atingiu a 11 Giesebrechtstrasse, destruindo os andares superiores. Schwarz rapidamente ordenou que o *Salon Kitty* fosse selado e os microfones removidos. Dois dias depois, a casa foi reaberta, mas as atividades estavam confinadas ao térreo, o que significava que o DS tinha que depender de relatórios verbais apresentados pelas garotas. A equipe de escuta jurou sigilo, dispersou e seus integrantes foram vigiados em busca de qualquer violação de segurança.

Embora a maré da guerra estivesse virando contra a Alemanha, houve um aumento no negócio do *Salon Kitty*, em grande parte como resultado do retorno de homens do *front*. Ribbentrop e o almirante Wilhelm Canaris, chefe do *Abwehr* ou serviço de inteligência militar, ouviram que o DS estava coletando informações do bordel, então, homens de seus ministérios evitavam o local e o fluxo de informações começou a secar. Schellenberg começou a confiar mais em sua rede de agentes espalhados pela Europa, enquanto Schwarz, privado de transcrições das gravações, começou a desconfiar dos relatos das garotas. À medida que a disciplina diminuía, elas começaram a dar festas a noite toda.

Como o *Salon Kitty* não era mais um recurso valioso de inteligência, Schellenberg decidiu encerrar a operação. Kitty Schmidt teve que voltar a ganhar dinheiro com clientes regulares e não mais com o orçamento da SS. Por questões de segurança, as garotas foram mantidas e obrigadas a continuar fornecendo relatórios regulares. As gravações e transcrições foram arquivadas. Kitty foi forçada a assinar outro acordo de sigilo e ordenada a informar se alguma das garotas desaparecesse.

Com o fechamento da operação *Salon Kitty*, Schellenberg começou a fazer propostas de paz aos Aliados em nome de Himmler. Isso incluía um plano de usar a estilista Coco Chanel, que se dizia ser uma espiã nazista, para entrar em contato com Winston Churchill.

Quando Berlim foi invadida pelos soviéticos, eles tentaram usar o *Salon Kitty* em benefício próprio, assim como os britânicos e americanos quando chegaram à sua zona de ocupação. Mas, Kitty Schmidt manteve seu voto de silêncio, morrendo aos 71 anos, em 1954.

Schellenberg foi capturado na Dinamarca e enviado para julgamento em Nuremberg, onde foi condenado por pertencer à DS - declarada organização criminosa pelo tribunal de Nuremberg - e considerado culpado de envolvimento no assassinato de prisioneiros de guerra soviéticos. Ele foi condenado a seis anos de prisão, mas libertado após dois anos por problemas de saúde. Ele morreu na Itália, em 1952, depois de escrever suas memórias (consideradas não confiáveis). Mais tarde, foi revelado que outro estabelecimento na mesma linha do *Salon Kitty* fora administrado pela Gestapo, em Viena.

CAPÍTULO 2

PRINCESA ESPIÃ DE HITLER

A princesa Stephanie Juliane von Hohenlohe nasceu em 1891, em Viena, filha ilegítima de Ludmilla Kuranda, uma judia de Praga. Seu pai era Max Wiener, um agiota judeu que estava tendo um caso com Ludmilla enquanto seu marido, o advogado Johann Richter, estava na prisão por peculato. É claro que não foi isso que a princesa Stephanie disse a Hitler - ela insistiu que nenhum dos pais era judeu (sua mãe se converteu ao catolicismo antes do casamento e Richter aceitou Stephanie como sua própria filha).

Embora não fosse de uma família rica, Stephanie nasceu com grandes aspirações. Seu primeiro nome foi tirado da princesa Stephanie da Bélgica, consorte do príncipe herdeiro Rudolf da Áustria, herdeira do trono dos Habsburgos, que havia morrido em um pacto de assassinato e suicídio com sua amante em Mayerling, sua cabana de caça, em 1886.

Stephanie se saiu mal na escola, mas seus pais a enviaram para a faculdade em Eastbourne, na costa sul da Inglaterra, para aprender inglês, uma das muitas línguas em que ela se tornou fluente. Sua mãe queria que ela fosse uma pianista de concertos, mas suas mãos eram muito estreitas para abranger uma oitava corretamente. Ela gostava de esportes, principalmente de patinação no gelo - atraindo namorados no clube de patinação de Viena.

A princesa Stephanie Juliane von Hohenlohe foi uma pessoa carismática que usou seu encanto para entrar para a alta sociedade, encontrando membros da hierarquia nazista ao longo do processo. Ela costumava fumar charutos de Havana, acendendo os fósforos nas solas dos sapatos. Seu carisma fazia com que ninguém jamais a esquecesse.

Aos 14 anos, Stephanie venceu um concurso de beleza no resort à beira do lago de Gmunden, na região austríaca de Salzkammergut. Sua reputação devido à sua beleza cresceu e outras garotas começaram a copiar os penteados e roupas usadas por 'Steffi de Viena'. Enquanto estudava balé na *Vienna Court Opera*, com 16 anos, ela já ambicionava casar-se com um príncipe.

ALMEJANDO O ALTO

Uma das clientes do pai de Stephanie, a princesa Franziska von Metternich, tomou a menina sob seus cuidados, ensinou-lhe etiqueta e boas maneiras e a apresentou à alta sociedade. - "Lembro-me dela como a grande dama que costumava me tratar como uma garotinha" - lembrou Stephanie – "e, depois, levava-me para festas e bailes em que eu flertava escandalosamente com jovens elegíveis".

Stephanie também flertava com homens mais velhos, chegando a atrair uma proposta de casamento do conde polonês Josef Gizycki. Playboy notório, o conde tinha se divorciado recentemente de uma herdeira americana que havia retornado aos EUA com sua filha. Stephanie rejeitou a proposta desse homem charmoso porque ele tinha idade suficiente para ser seu avô. O conde Rudolf Colloredo-Mansfeld também foi rejeitado por ser mesquinho. Além disso, nenhum dos homens eram príncipes.

Johann Richter morreu deixando sua família na pobreza. A situação foi salva pelo tio de Stephanie, Robert Kuranda, que havia retornado à Áustria depois de fazer fortuna na África do Sul. Ele fez uma poupança considerável para sua irmã e sobrinha. Com seus problemas financeiros resolvidos, a mãe de Stephanie iniciou um novo relacionamento com um rico empresário.

Stephanie continuou sua carreira na sociedade, graças a sua tia, Clothilde, que havia sido brevemente casada com o correspondente do *The Times* em Viena e possuía uma casa em Kensington, oeste de Londres, e uma mansão às margens do lago Wannsee, perto de Berlim. Clothilde era famosa por suas festas e ela e Stephanie viajaram juntas para os centros da moda da Europa.

Segundo Stephanie, durante um jantar de caça da princesa Metternich, em 1914, ela foi convidada a tocar algo no piano. Ela foi acompanhada pelo Prince Friedrich Franz von Hohenlohe-Waldenburg-Schillingsfürst. No dia seguinte, ele se ofereceu para levá-la para casa, mas ela foi acompanhada por uma governanta (Stephanie estava fingindo ter 17 anos, mas, na verdade, tinha 23). Stephanie afirmou que conquistou seu príncipe organizando três encontros secretos.

"Dentro de duas semanas, ele me pediu em casamento", disse ela.

Mas, ela já estava grávida do arquiduque Franz Salvator da Áustria, príncipe da Toscana, que ela conhecia desde 1911. Ele era genro do imperador Franz Joseph, e teve dez filhos com a arquiduquesa Marie Valerie, sua filha favorita. Ansioso para evitar um escândalo, o imperador austro-húngaro instou Friedrich Franz e Stephanie a se casarem rapidamente.

Para manter o assunto fora da imprensa, o casal viajou para Londres, onde se casaram na Catedral de Westminster, em 12 de maio de 1914, com apenas a mãe de Stephanie presente. Embora os recém-casados nem sequer compartilhassem o mesmo hotel na noite de núpcias, Stephanie havia cumprido sua ambição juvenil e agora era uma princesa, um título que ela ostentaria feliz pelo resto da vida. Eles passaram a lua de mel em Berlim, com a intenção de seguir para a Índia, porém, a eclosão da guerra os impediu.

CASAMENTO E GUERRA

O casamento deu a Stephanie sua primeira introdução à espionagem. Durante a Primeira Guerra Mundial, Friedrich Franz se tornou o chefe de propaganda alemã e diretor de espionagem alemã na Suíça. Enquanto isso, Stephanie teve um caso com o arquiduque Maximiliano Eugen Ludwig, irmão mais novo do imperador Karl, que sucedeu a Franz Joseph no trono em 1916. O arquiduque Maximilian se casou com a princesa Franziska Maria Anna von Hohenlohe-Waldenburg-Schillingsfürst - mantendo os assuntos na família.

Quando Stephanie deu à luz um filho, em 5 de dezembro de 1914, ela o nomeou Franz Joseph em homenagem ao seu benfeitor. Ela também incluiu em sua longa lista de nomes o do seu verdadeiro pai, Max, e o nome de seu pai adotivo, Hans.

Ansiosa por fazer sua parte na guerra, Stephanie se voltou para o arquiduque Franz Salvator para pedir conselhos. No cargo de chefe da Cruz Vermelha Austríaca, ela foi trabalhar como enfermeira na frente russa, levando consigo um mordomo, uma camareira e uma banheira de borracha. Para combater o fedor dos hospitais de campanha, ela começou a fumar charutos de Havana. Mais tarde, serviu com a mesma comitiva na frente italiana.

Após a derrota das Potências do Eixo, em 1918, o império austro-húngaro entrou em colapso. Como todos os outros cidadãos, a princesa Stephanie e seu marido tiveram que escolher entre assumir a nacionalidade austríaca ou húngara. Ambos optaram pela húngara e Stephanie manteve o passaporte húngaro pelo resto da vida. O casal se divorciou em 1920. Friedrich Franz se casou logo depois e emigrou com sua nova esposa para o Brasil nos últimos dias da Segunda Guerra Mundial.

Em Viena, no meio da agitação social que se seguiu à Primeira Guerra Mundial, Stephanie disse que não fazia "nada, exceto entreter os diplomatas e ministros cansados, em cujos colos sobrecarregados estão essas responsabilidades. Eles sempre gostam de conversar com uma mulher após um dia difícil assinando tratados". Ela frequentava círculos fascinantes, passando algum tempo em salas de jantar privadas e pousadas de caças com homens ricos e aristocráticos.

Quando o pagamento das reparações de guerra começou a causar inflação na Alemanha e na Áustria, Stephanie colocou dinheiro em malas e seguiu para Nice com sua comitiva, onde, de acordo com o filho, visitou o cassino "sem sutiã sob o vestido transparente de musselina". Ela atraiu admiradores ricos, incluindo o grão-duque Dmitri Pavlovich e o 2º duque de Westminster, que se tornaram seus amantes, compartilhando-os com Coco Chanel.

AMIGOS PODEROSOS

Enquanto viajava pela Europa, sua lista de conhecidos se tornou um Quem é Quem dos ricos e famosos - Aga Khan, rei Gustav da Suécia, rei Manuel de Portugal, David Lloyd George, Georges Clemenceau, Margot Asquith, regente da Hungria Almirante Horthy, Papas Pio XI e Pio XII, o marajá de Baroda, Leopold Stokowski, Sir Thomas Beecham, Arturo Toscanini, Sir Malcolm Sargent, editor do Times Geoffrey Dawson, Lady Cunard, Lady Londonderry, Lord Rothschild, Lord Brocket, Lord Carisbrooke, e o duque e a duquesa de Windsor.

Seus ricos cavalheiros admiradores estavam mais do que dispostos a financiar seu estilo de vida luxuoso. E, embora tenha rejeitado a proposta de casamento de Anastasios Damianos Vorres, descendente de uma família rica que fora cônsul-geral da Grécia em Viena, ela ficou feliz em passar um ano viajando com ele.

O rico americano John Murton Gundy também ficou feliz em satisfazê-la, assim como Her Bernstiehl, um milionário casado que se tornou seu "escravo dedicado". John Warden, da Filadélfia, apresentou-a aos mistérios do mercado de ações, onde ela lucrou. Em 1925, ela se mudou para um apartamento de luxo na Avenue Georges V, em Paris, onde foi sustentada pelo vizinho Sir William Garthwaite, um magnata de seguros britânico. Em Deauville, conheceu Solly Joel, principal acionista da mineradora sul-africana De Beers e, em 1928, percorreu o continente com a herdeira Kathy Vanderbilt. Além do mais, havia lorde Rothermere.

O MAGNATA DA MÍDIA

Harold Sidney Harmsworth, nomeado Baron Rothermere em 1914, era o proprietário do jornal Daily Mail. Ele e Stephanie se conheceram em 1925, em Monte Carlo, onde, segundo a história, ele estava tendo azar nas mesas e ela o ajudou com 40.000 francos. Depois de uma bebida juntos, ele a convidou para voltar para sua casa. O companheiro de 57 anos tinha uma fraqueza pelas mulheres mais jovens, principalmente as bailarinas indicadas pelo diretor de balé russo Sergei Diaghilev. No entanto, de acordo com seu arquivo do MI5, uma história diferente descreve Stephanie sendo apresentada a Lord Rothermere por um tal de Andre Rostin, um indivíduo de "má reputação e fortemente suspeito de ser um agente alemão".

Adolf Hitler recebe o magnata do jornal britânico Harold Sidney Harmsworth (Lord Rothermere) como visitante de seu retiro em Berchtesgaden.

Rothermere assumira o controle da Associated Newspapers após a morte de seu irmão, Lord Northcliffe, em 1922. Até então, os jornais eram ferozmente antialemães, mas, sob a influência de Stephanie isso começou a mudar. Em 1927, enquanto estava com Rothermere em Monte Carlo, ela sugeriu que ele publicasse um artigo sobre a restauração da monarquia na Hungria. Ele fez isso e o artigo foi amplamente lido - um grupo de monarquistas húngaros chegou a oferecer o trono a Rothermere, que apresentou seu filho, Esmond Harmsworth (Stephanie queria que a coroa fosse entregue a seu filho Franz Joseph). Esmond foi para a Hungria, onde foi recebido cordialmente. No entanto, a situação foi complicada pelo fato de o primeiro-ministro, conde Bethlen, favorecer uma sucessão em Habsburgo, enquanto o regente almirante Horthy, secretamente, queria o trono para si.

CAPÍTULO 2

Em 1928, a inteligência britânica informou que Stephanie estava "exercendo considerável influência sobre o lorde Rothermere". Na época, a França tinha uma aliança com a Iugoslávia, a Romênia e a Tchecoslováquia, que se opunham a uma Hungria ressurgente. Os franceses acusaram Stephanie de espionagem e, em 1932, ela deixou Paris e foi à Londres em meio a rumores de que fora expulsa da França. A fofoca foi agravada por seu contato regular com Otto Abetz, um defensor de Hitler, que acabou sendo expulso da França, em 1939, como agente nazista.

Stephanie estava com pouco dinheiro e Rothermere a empregou como colunista da sociedade com um salário generoso. Ela ficou no Dorchester Hotel, então administrado por um homem que conhecia de Biarritz, antes de se mudar para seu próprio apartamento na 14 Bryanston Square, onde era vizinha de Wallis Simpson, a consorte de Edward VIII, e a mulher pela qual ele renunciara o trono em 1936. O MI5 manteve os dois sob vigilância.

PROPAGANDA NAZISTA

O apartamento em Dorchester continuava sendo a sede da propaganda nazista e, possivelmente, de espionagem também, e a princesa Stephanie era a parte central. O diplomata Sir Walford Selby, que acompanhou de perto a carreira da mulher que chamou de "aventureira internacional", disse: "Não há dúvida de que a propaganda alemã foi muito ativa em Londres durante esses anos. O governo austríaco assistia a essas manobras com a mais profunda inquietação, especialmente as da princesa Stephanie von Hohenlohe, que eles sabiam ser uma agente de Hitler".

O governo de Viena estava certo em se preocupar. Alguns anos depois, a Áustria, terra natal de Hitler, foi anexada pela Alemanha nazista no *Anschluss* de 1938, enquanto os britânicos observavam e não faziam nada. Até o *The Times* concordou, argumentando que não poderia ser tão ruim, porque a Inglaterra e a Escócia também haviam se unido 300 anos atrás.

Ainda ostensivamente avançando na causa da Hungria, Stephanie foi enviada à Bélgica para entrevistar a viúva exilada de Karl, o último imperador austro-húngaro, e para oferecer o apoio financeiro de Rothermere.

Em seguida, Stephanie foi despachada para a Hungria, onde aconselhou o primeiro-ministro geral, Gyula Gömbös, a seguir o exemplo de Benito Mussolini, o ditador fascista que chegou ao poder na Itália em 1922.

O interesse de Rothermere virou-se para a Alemanha e Stephanie foi enviada à Holanda para visitar o então exilado Kaiser Wilhelm II. Como o irmão de Rothermere, Northcliffe havia anunciado o slogan 'Enforque o Kaiser' durante a Primeira Guerra Mundial, o Kaiser estava cético. O filho do Kaiser, príncipe herdeiro Wilhelm - carinhosamente conhecido como 'Little Willie' - era um membro do Partido Nazista que, em 1933, se tornou um soldado da tropa dos camisas-marrom. Stephanie flertava com ele escandalosamente, visitando-o regularmente em Berlim e intercedia entre ele e Rothermere. Embora tenha recebido com agrado a oferta de assistência de Rothermere, o príncipe insistiu que Adolf Hitler havia sido escolhido para ser o salvador da Alemanha, não ele. Na época, Hitler estava interessado na restauração da monarquia na Alemanha, embora seu entusiasmo tenha diminuído quando ele próprio ganhou poder.

Hitler tornou-se chanceler da Alemanha em janeiro de 1933. Em março, conquistou poderes ditatoriais e, em julho, Rothermere o elogiou no *Daily Mail*. Stephanie foi enviada a Berlim para abrir um canal de comunicação entre o barão da imprensa e o Führer. Em busca desse objetivo, ela iniciou um relacionamento sexual com o ajudante pessoal de Hitler, Fritz Wiedemann, um homem casado e com três filhos. Ele havia sido superior imediato de Hitler na Primeira Guerra Mundial e Hitler continuou a se referir a ele como 'Kapitän'.

Como prova de sua afeição, ela convenceu Rothermere a enviar a Wiedemann uma cigarreira de ouro Cartier e ele se tornou um visitante constante de sua suíte quando ela ficava no Hotel Adlon, em Berlim, a uma curta distância da Chancelaria do Reich. Wiedemann era charmoso e educado; mas Martha Dodd, filha do embaixador americano, elogiou seu 'erotismo'. "Alto, moreno, musculoso, ele certamente tinha uma grande força física e a aparência de bravura", disse ela. "O rosto pesado de Wiedemann, com sobrancelhas salientes, era bastante atraente... Mas, tive a impressão de ser uma mente primitiva e inculta, com a astúcia e artimanha de um animal e completamente sem delicadeza ou sutileza".

AS MÃOS DE UM ARTISTA

Em dezembro de 1933, um carro foi enviado da Chancelaria do Reich para apanhar a princesa Stephanie no Adlon. Hitler não aprovava mulheres na política, mas a cumprimentou com um beijo na mão. Ela o achava feio, embora dissesse que teria achado seus pálidos olhos azuis lindos se eles não fossem tão protuberantes. Eles tinham uma "expressão um pouco distante", ela disse. Ela achava que a melhor característica dele eram as mãos: 'verdadeiramente as mãos sensíveis de um artista', mas não gostava do sotaque austríaco de classe baixa. Ela foi embora com uma carta de Hitler endereçada a Rothermere, agradecendo-lhe por seu apoio.

Quando voltou a Berlim, no final daquele mês, trouxe uma fotografia de Rothermere em uma moldura de ouro maciço feita por Cartier. No verso, havia uma reimpressão de um artigo do *Daily Mail* de 24 de setembro de 1930 que promoveu o Partido Nazista, o próprio Hitler e apoiou a remoção de uma cláusula no Tratado de Versalhes que restringia o tamanho do exército alemão. O assistente de campo de Hitler, Hans-Heinrich Lammers, ficou chocado quando a saia de Stephanie subiu quando ela se afundou em uma poltrona macia para traduzir o artigo para Hitler. Mas, Hitler estava emocionado.

À medida que a relação entre a princesa e o *Führer* se desenvolvia, o porta-voz da imprensa estrangeira, Ernst 'Putzi' von Hanfstaengl, expressou sua desaprovação, alertando Hitler que a princesa Stephanie era uma 'chantagista profissional e judia de sangue'. Mas, Hitler estava tão apaixonado por ela que não prestou atenção, dizendo a Hanfstaengl que ele havia verificado a árvore genealógica de sua família pela Gestapo. Agora, quando Hitler beijava a mão dela, ele a segurava por um longo tempo. Stephanie disse sobre Hitler: "Suas maneiras são extremamente corteses, especialmente com as mulheres. Pelo menos é assim que ele sempre foi comigo. Sempre que eu chegava ou saía, ele sempre beijava minha mão, muitas vezes, pegando uma das minhas e apertando-a por um tempo para enfatizar a sinceridade do prazer que lhe dava me ver, ao mesmo tempo olhando profundamente nos meus olhos". Hitler forneceu a Wiedemann um orçamento de 20.000 marcos do Reich (em torno de £105.000 / hoje em dia $ 135,00) para atender a seus caprichos.

Rothermere havia sido um fervoroso defensor de Oswald Mosley, líder do movimento fascista de camisa-preta na Grã-Bretanha. No entanto, depois de um tumulto em uma manifestação no Olympia, de Londres, em junho de 1934, e da Noite das Facas Longas na Alemanha, quando Hitler ordenou o assassinato de 77 apoiadores de longa data que ele via como uma ameaça em potencial, os anunciantes judeus começaram a retirar seu apoio aos jornais de Rothermere, forçando-o a se retratar. Então, em agosto de 1934, ele recebeu uma carta da princesa Stephanie dizendo: "Por favor, deixe-me insistir que você deva ver H[itler] agora. Eu sei que ele já tem algumas dúvidas quanto à sua sinceridade... Ele pretende discutir seus planos presentes e futuros com você, e acho que, pela primeira vez, é mais do seu interesse do que dele que você o veja".

A essa altura, sua carta estava sendo interceptada, aberta e lida. No ano seguinte, o Ministério das Relações Exteriores pediu que suas visitas à Grã-Bretanha fossem restringidas, mas o Ministério do Interior previa "dificuldades consideráveis em tomar essa decisão devido ao meio social no qual a princesa se movimentava dentro do país".

Em novembro de 1934, Ribbentrop visitou Londres. Ex-consultor de política externa de Hitler, na época, era comissário especial para o desarmamento. Através da princesa Stephanie e Lord Rothermere, ele foi apresentado ao ex-secretário de Relações Exteriores, Sir Austen Chamberlain, ao dramaturgo George Bernard Shaw e ao arcebispo de Canterbury. Stephanie também teve conexões como membro do influente grupo de Cliveden.

O APOIO BRITÂNICO À CAUSA NAZISTA

Cliveden House, em Berkshire, ocupa um lugar especial na história da espionagem. Foi lá, em 1961, que o secretário de Estado conservador de guerra, John Profumo, conheceu a garota de programa Christine Keeler. Ela também era a amante do adido naval soviético Yevgeny Ivanov, suspeito de ser um espião. O escândalo que se seguiu forçou a demissão de Profumo e levou, finalmente, à queda do governo conservador.

Na década de 1930, Cliveden foi o ponto de encontro regular de pessoas influentes que defendiam a política de conciliação com a Alemanha nazis-

CAPÍTULO 2

ta. Foi lá e nas reuniões da Irmandade Anglo-Alemã de Rothermere que a princesa Stephanie conheceu políticos importantes que a mantiveram informada sobre as mudanças nas políticas e sentimentos dentro do governo britânico. O MI5 observou que ela era particularmente próxima de Sir Barry Domvile, fundador do The Link, uma organização abertamente pró-nazista. Em julho de 1940, Domvile foi considerado por Churchill como uma ameaça à segurança nacional.

Cliveden era de propriedade do lorde americano e lady Astor. Um dos homens mais ricos do mundo, Waldorf Astor era proprietário do jornal Observer; Nancy Astor foi a primeira mulher deputada no cargo. Convidou os grandes e famosos para Cliveden, incluindo a rainha da Romênia, o rei Gustav da Suécia, Henry Ford, Charlie Chaplin, os dramaturgos irlandeses George Bernard Shaw e Sean O'Casey, o rei George V e a rainha Mary e o príncipe de Gales, eventualmente Edward VIII, com quem ela costumava jogar golfe. As figuras políticas que se reuniam lá incluíam: Lord Lothian, Lord Halifax, William Montagu (9º Duque de Manchester), Geoffrey Dawson (editor do *The Times*) e o funcionário e empresário Robert Brand, que era visto como líder de um '*Foreign Office*' paralelo que defendia políticas pró-alemãs. Foi em Cliveden que a princesa Stephanie conheceu Winston Churchill.

A deputada conservadora Lady Astor foi uma admiradora de Hitler (como ele, ela não bebia álcool nem fumava). O Partido Trabalhista a acusou de "lutar bravamente por Hitler e Mussolini". Naturalmente, ela recebeu Ribbentrop como convidado.

Foi, também, através de Lady Astor que a princesa Stephanie conheceu Margot Asquith, Lady Oxford, viúva do ex-primeiro-ministro H. H. Asquith, que passou os meses de verão no Schloss Fuschl, um castelo perto de Salzburgo alugado pela princesa. Lady Asquith era famosa por seus jantares políticos e, através da princesa Stephanie, conheceu inúmeras pessoas influentes. O MI5 observou: "Ela conseguiu, com a ajuda de Lady Oxford, Lady Cunard e outros, se inserir em certos círculos da sociedade onde ela fala favoravelmente do atual regime na Alemanha... O trabalho difícil de escolher entre "neutros" britânicos, possíveis futuros amigos de Hitler e da Alemanha nazista, foi dado a alguns dos amigos mais confiáveis de Hitler neste país. Hitler conta com a ajuda da princesa Hohenlohe, sua amiga nascida em Viena e observadora de talentos. Ele aprecia a inteligência e os conselhos dela".

Também nos Estados Unidos, a princesa Stephanie se misturou com agitadores, incluindo sua velha amiga Kathleen Vanderbilt, o executivo da indústria automotiva Walter P. Chrysler, o empresário teatral Rudolf Kommer e o diretor de cinema Max Reinhardt (mais tarde o escritor fantasma das memórias de Stephanie), e seu primo por casamento, o príncipe Alfred Konstantin Chlodwig von Hohenlohe-Waldenburg-Schillingsfürst. Eles se reuniam em seu apartamento no Hotel Ambassador, em Nova York, onde, apesar da proibição, o álcool fluía livremente. Stephanie passou o Natal de 1932 em Wedgwood, Pensilvânia, com Alice e John C. Martin, proprietário do Saturday Evening Post, Ladies 'Home Journal e Public Ledger (um jornal diário da Filadélfia); mais tarde, ela escreveria para as publicações de Martin.

OUTROS BOATOS

Quando Stephanie voltou a Southampton, no MS Europa, em 2 de janeiro de 1933, foi recebida por sua mãe em um Rolls-Royce. Frau Richter teve notícias surpreendentes. Em 24 de dezembro de 1932, o jornal alemão *Neue Freie Presse* publicou uma manchete intitulada "Princesa Hohenlohe presa em Biarritz como espiã". O jornal francês *Liberté* informou que "uma certa princesa von H foi presa em Biarritz pela polícia política francesa, sob acusação de espionagem e propaganda antifrancesa. Alega-se que a princesa esteve envolvida em intensa correspondência com lorde Rothermere. Essas cartas foram confiscadas. Fontes oficiais em Paris, o Ministério do Interior e a embaixada alemã se recusam a dar mais detalhes. As autoridades locais de Biarritz negaram imediatamente o relatório. No entanto, *Liberté* afirma que pode confirmar a prisão misteriosa. O jornal afirma até saber que um pedido de fiança foi recusado".

A história não tinha fundamento. Em 1932, Stephanie não passou um único dia em Biarritz. Em 3 de janeiro, a imprensa alemã imprimiu uma correção, acrescentando: "O caso todo parece ser uma trama projetada pelos

CAPÍTULO 2

poloneses contra a princesa. A princesa é culpada pela política de publicação de lorde Rothermere que, em uma série de artigos no *Daily Mail*, defende a volta do Corredor Polonês à Alemanha". O Corredor Polonês era uma faixa de terra entre a Alemanha e a Prússia Oriental, tirada da Alemanha sob os termos do Tratado de Versalhes e estabelecida como o acesso da Polônia ao mar Báltico.

"A princesa Hohenlohe, que é amiga de lorde Rothermere, frequentemente o acompanhava durante suas estadias em Berlim para reuniões com políticos alemães", continuou a história. Em dezembro de 1934, Stephanie acompanhou Rothermere e seu filho Esmond à uma audiência com Hitler e participou do primeiro grande jantar oferecido a convidados estrangeiros em sua residência oficial, desde que ele se tornara chanceler. Ela também organizou um jantar para Hitler e outros nazistas no hotel de Rothermere. Ela teve que traduzir para Hitler quando ele se lançou em um longo monólogo sobre seu tempo na prisão de Landsberg, após o Munich Beer Hall Putsch, 11 anos antes. O jantar não foi um sucesso. Hitler não comeu nada, pois não parava de falar. Quando Rothermere se levantou para propor um brinde, um vaso de flores foi derrubado. O acidente levou os guardas da SS a invadir a sala brandindo armas. Sem demora, levaram Hitler embora.

Em 1935, Hitler enviou a Stephanie um convite pessoal ao Rally de Nuremberg, onde anunciou as infames Leis de Nuremberg, tirando os direitos humanos dos judeus alemães. Unity Mitford, uma das seis filhas de Lord Redesdale, era obcecada por Hitler e invejava sua afeição por Stephanie: "Aqui está você, um antissemita, e ainda tem uma mulher judia, a princesa Hohenlohe, ao seu redor, o tempo todo", ela provocou. Hitler não reagiu: quaisquer que fossem suas origens étnicas, Stephanie era útil para ele. Unity se referia a sua rival como uma *rusée* - uma pessoa astuta - e ficou furiosa quando descobriu que Hitler havia dado a Stephanie uma grande fotografia assinada, dedicada "À minha querida princesa", que ela mantinha na mesa de cabeceira.

Enquanto Unity foi descrita pela inteligência britânica como "mais nazista que os nazistas", Himmler a manteve sob vigilância. Mas, a SS não se interessou por Stephanie, apesar de sua formação judaica, pois ela era uma 'ariana honorária'. Ela continuou a receber convites para os comícios anuais de Nuremberg, embora estivesse chateada por descobrir que teria que dividir o palco do Congresso do Partido do Reich para a Grande Alemanha, em 1938, com os pais de Unity, Lord e Lady Redesdale.

Enquanto a troca de cartas entre Rothermere e Hitler continuava até 1935, Stephanie foi mais do que uma mensageira, explicando ao seu empregador, muitas vezes, o modo de pensar de Hitler sobre vários assuntos. Rothermere, então, daria à princesa uma lista de perguntas que ele queria que ela fizesse a Hitler na próxima reunião.

Rothermere encontrou Hitler, novamente, em setembro de 1936 e no Natal enviou Stephanie para apresentar ao Führer uma tapeçaria francesa cara. Em janeiro de 1937, ela acompanhou Rothermere em uma visita ao Berghof, o retiro na montanha bávara de Hitler, em Berchtesgaden. O trem pessoal de Hitler foi enviado para buscá-los na fronteira austríaca e eles puderam ficar na casa, uma honra nunca concedida a nenhum visitante anteriormente. Nas refeições, Stephanie se sentava ao lado de Hitler e traduzia para ele. Embora Eva Braun estivesse em casa, ela não tinha permissão para se juntar aos convidados durante as refeições.

Goebbels disse que achou Stephanie agressiva. Ela chorou quando ele mostrou o filme *Stosstrupp* [Shock Troops] 1917. Durante a exibição, Hitler acariciou seus cabelos e, depois, deu-lhe um beliscão afetuoso na bochecha. Como lembrança da visita, ele lhe enviou outra fotografia assinada, mostrando-os juntos no Berghof. Estava em uma moldura prateada e a dedicação dizia: "Em memória de uma visita a Berchtesgaden".

Antes de retornar a Londres, Stephanie ficou no Hotel Vier Jahreszeiten, em Munique, onde Hitler enviou a ela um grande buquê de rosas e um filhote de cachorro pastor que ela chamou de Wolf, assim como o cachorro alsaciano de Hitler. Ao retornar a Londres, ela escreveu uma carta de agradecimento dizendo: "Você é um anfitrião encantador. Sua linda e bem cuidada casa, naquela vista magnífica, deixou-me com uma impressão maravilhosa e duradoura. Não é uma frase vazia quando digo, Senhor Chanceler *Reich*, que aproveitei cada minuto da minha estadia com você".

Quanto ao cachorro: "Ele me deu um grande prazer, não apenas porque eu amo cães – mas, também, porque, para mim, os cães simbolizam lealdade e amizade - o que, neste caso, me agrada ainda mais". No entanto, ela deixou o cachorro em Munique.

Enquanto em Munique, ela conheceu um velho amigo de Deauville, o rei exilado Alfonso XIII da Espanha. Juntos, eles visitaram a exposição de "Arte Decadente" que os nazistas haviam montado para desacreditar os artistas modernos, principalmente os judeus.

EDUARDO VIII

Em 10 de dezembro de 1936, depois de reinar por menos de um mês, Eduardo VIII foi forçado a abdicar, dizendo que não poderia ser rei sem o apoio da mulher que amava - a divorciada americana Wallis Simpson. Durante a crise de abdicação, Hitler enviou o primo de Edward, Carl Eduard, duque de Saxe-Coburg e Gotha, para a Inglaterra como apoio. Uma aliança entre o Reino Unido e a Alemanha era vital, disse Hitler, e ele queria falar pessoalmente com o ex-monarca, na Grã-Bretanha ou na Alemanha.

A princesa Stephanie conhecia Edward de suas visitas a Cliveden, era vizinha de Wallis Simpson e estava bem posicionada para cultivar suas simpatias nazistas. Ela também estava perto do irmão de Edward, o príncipe George, duque de Kent, e defendeu a causa do rei durante a crise de abdicação, assim como Rothermere e Lord Beaverbrook, proprietário do *Daily Express*, que tinha, então, a maior circulação de todos os jornais do mundo.

Para contornar a objeção do governo britânico a uma divorciada americana como rainha, Stephanie sugeriu um casamento morganático, no qual a esposa e seus herdeiros são impedidos de receber títulos e privilégios de seu marido. O casamento entre o príncipe herdeiro Franz Ferdinand da Áustria-Hungria e a condessa Sophie Chotek, uma plebeia, fora morganático. O casal foi assassinado em Sarajevo, em 1914, desencadeando o início da Primeira Guerra Mundial.

O filho de Rothermere, Esmond, convidou Wallis Simpson para jantar e sugeriu isso, mas como não havia tradição de casamento morganático no direito comum inglês, uma lei especial do Parlamento teria que ser aprovada. O primeiro-ministro Stanley Baldwin consultou o gabinete britânico e os primeiros-ministros dos domínios, mas eles se recusaram a consentir. Nancy Astor, então, implorou ao rei que desistisse de Wallis, mas ele recusou. Então, o arcebispo de Canterbury insistiu que Edward abdicasse em favor de seu irmão mais novo, Bertie, que reinaria como rei George VI.

Quando a declaração de abdicação foi lida na Câmara dos Lordes, Unity Mitford estava na galeria. "Hitler ficará terrivelmente chateado com isso", disse ela, "Ele queria que Edward ficasse no trono". Falando no debate sobre a abdicação, o deputado comunista e fervoroso antimonarquista, Willie Gallacher, disse: "O rei e a Sra. Simpson não vivem no vácuo. Processos ocultos estão continuamente sendo planejados. O primeiro-ministro nos disse que foi abordado sobre um casamento morganático, mas não nos disse quem o abordou. É óbvio que forças estavam encorajando o que estava acontecendo... Quero chamar sua atenção para o fato de a Sra. Simpson participar de um grupo social, e todos os membros do gabinete sabem que esse grupo social da Sra. Simpson está intimamente identificado com um certo governo estrangeiro e com o embaixador desse governo estrangeiro".

Ouviram-se gritos da Câmara quando Gallacher se referiu claramente a Ribbentrop, que se tornara embaixador alemão na corte de St. James, em agosto de 1936. "É do conhecimento geral", insistiu Gallacher sobre o tumulto. Ele continuou dizendo que a única resposta era a abolição total da monarquia.

Quando Ribbentrop se tornou embaixador alemão, ele convocou Albert Speer para Londres para ajeitar a embaixada alemã a tempo da coroação de George VI, em maio de 1937. Speer foi o arquiteto de Hitler e, depois, ministro de armamentos e produção de guerra. Nessa época, Ribbentrop havia brigado com a princesa Stephanie depois que descobriu que ela estava usando sua influência para tentar fazer com que Fritz Wiedemann fosse nomeado ministro das Relações Exteriores do Reich, um papel que o próprio Ribbentrop cobiçava. A empregada de Stephanie, Wally Oeler, também estava a par de seus planos: "Ela, agora, sempre dorme com o capitão Wiedemann, por isso não confio nele", disse Oeler. "Ela quer fazer dele um ministro, seja no inferno ou no céu... Se ele for ministro, terá que fazer algo especial. Então, milady está arrumando isso para ele".

Como resultado, Ribbentrop não convidou a princesa para ser membro da delegação oficial alemã no partido de coroação. Quando descobriu isso, Stephanie pediu a Wiedemann que falasse com Hitler; ele ordenou que Ribbentrop a convidasse e pedisse desculpas à princesa von Hohenlohe. A desculpa de Ribbentrop por não a convidar era que, como judia, ela seria evitada pelos outros convidados. Pelo contrário, ela se mostrou popular, até mesmo envolvendo o duque de Kent em conversas. Também estiveram presentes o irmão do imperador do Japão, o chefe do estado-maior do exército francês, o chanceler do Tesouro (que em breve seria o primeiro-ministro) Neville Chamberlain, o secretário de Relações Exteriores Anthony Eden (que renunciaria pela questão do apaziguamento) e aquele problemático secretário Winston Churchill. Também estavam presentes os onipresentes pais de Unity Mitford, Lord e Lady Redesdale. A música foi fornecida por músicos aprovados pelos nazistas.

HONRAS NAZISTAS

Em maio de 1937, a princesa Stephanie entregou a Hitler uma valiosa tigela de jade, que ele exibiu em um lugar de destaque no Berghof. Hitler concedeu a ela a Cruz Honorária da Cruz Vermelha Alemã, que Wiedemann entregou pessoalmente a Stephanie no Ritz, em Paris. Ela foi a Berlim em junho de 1938 para se tornar "uma noiva do Partido Nacional Socialista dos Trabalhadores" e o próprio *Führer* prendeu a Medalha de Honra do Partido Nazista em seu peito "pelos serviços que prestou ao *Führer*, mostrando que ela era uma verdadeira patriota". A medalha tinha sua assinatura nas costas. Sua audiência com Hitler durou quatro horas, irritando o embaixador alemão da União Soviética, a quem foi negada uma entrevista pessoal. Até Göring reclamou que Hitler não disponibilizou uma hora sequer para ele; ninguém sabia o que acontecia entre Stephanie e Hitler quando estavam sozinhos.

Essas audiências privadas se tornaram eventos regulares. Stephanie começou a chamar Hitler de 'Adolf' e se dirigiu a ele com o íntimo 'du'. Claramente, ele confiava nela. Em janeiro de 1939, em discurso no

Reichstag, ele disse: "Profetizo uma longa paz". Isso foi veiculado em jornais de todo o mundo. Em particular, ele disse a Stephanie: "Este foi o melhor blefe que falei há muito tempo".

Certamente, desde aquele momento, ficou claro que ela não era mais a embaixadora de Rothermere - sua lealdade agora pertencia a Hitler. Mas, Rothermere parecia alheio ao jogo duplo que Stephanie estava fazendo; através dela, Hitler e seu amante Wiedemann estavam manipulando o barão do jornal.

Após sua abdicação, Eduardo VIII tornou-se duque de Windsor, deixou a Grã-Bretanha e casou-se com Wallis Simpson, na França. Em outubro de 1937, o casal visitou a Alemanha nazista contra o conselho dado pelo governo britânico. Eles conheceram Hitler em sua residência particular, o Berghof, em vez da Chancelaria do Reich em Berlim - novamente, Eva Braun foi mantida fora de vista. Stephanie estava presente quando Wiedemann tomou as providências. Wally Oeler disse a um amigo: "Foi ele quem convidou, oficialmente, o duque de Windsor para a Alemanha assim que soube que ele queria vir fazer uma visita... De qualquer forma, cartas de correio aéreo expresso, escritas a lápis, iam e vinham e havia conversas telefônicas quase todos os dias".

Durante a estada de 12 dias dos Windsors na Alemanha, a imprensa nazista cantou seus louvores e o duque e a duquesa jantaram com figurões nazistas, incluindo Göring e Goebbels. Ficou claro que o Alto Comando Alemão esperava que o ex-rei voltasse ao trono em algum momento no futuro - com a ajuda deles.

Quando a princesa Stephanie conheceu Hitler, ela perguntou sobre a impressão que a duquesa havia causado nele. "Devo dizer que ela era muito elegante", disse ele. A visita foi realizada com sua completa satisfação.

NAVEGANDO

No outono de 1937, Stephanie convenceu Wiedemann a visitar os Estados Unidos com ela. Hitler aprovou, embora não tenha dado a Wiedemann nenhuma missão específica. No entanto, o embaixador americano em

CAPÍTULO 2

Berlim, William E. Dodd, telegrafou ao Departamento de Estado em 16 de novembro, dizendo: 'Wiedemann... viaja para Washington com o objetivo de consultar a Embaixada da Alemanha sobre questões relativas ao Reich".

Wiedemann trouxe com ele sua esposa Anna-Luise, enquanto Stephanie levou sua empregada Wally Oeler, cujo visto de saída Wiedemann havia organizado. Suas passagens foram pagas pelo fundo criado por Hitler para cuidar da princesa. A bordo do navio, a princesa Stephanie passou seu tempo com outro companheiro, um charmoso barítono americano de 41 anos de idade, chamado Lawrence Tibbett. Eles se conheceram em seu camarim, depois de uma apresentação na *Royal Opera House* e combinaram de viajar para a América no mesmo navio. Eles passaram o resto dos cinco dias juntos - a última noite na cabine de Stephanie, disse Oeler.

Quando o grupo de Stephanie chegou a Nova York, eles foram recebidos pelo cônsul-geral alemão, a imprensa, uma grande multidão de manifestantes e 75 policiais, alguns a cavalo. A multidão carregava cartazes proclamando: "Fora com Wiedemann, o espião nazista" e "Sou Wiedemann, agente de Hitler, e vim destruir a democracia".

O grupo foi levado de táxi ao Waldorf Astoria, onde Lawrence Tibbett também estava hospedado. No dia seguinte, pegaram o trem para Washington DC, onde ficaram na embaixada alemã. Os Wiedemann continuaram em Chicago para monitorar as atividades do Bund Alemão-Americano, uma organização pró-nazista composta por cidadãos americanos de ascendência alemã. Wiedemann disse a seus membros: "Vocês são cidadãos dos Estados Unidos que se aliaram a um inimigo da nação alemã. Chegará o momento em que vocês poderão decidir qual lado tomar. Devo advertir que não posso aconselhá-los sobre o que fazer, mas vocês devem ser governados por sua consciência. Um dever está para com o país de origem, o outro para com o país adotado. O sangue é mais grosso que a tinta... A Alemanha é a terra de seus pais e, independentemente das consequências, vocês não devem desprezar a herança tradicional que é sua".

Wiedemann seguiu para São Francisco, enquanto Stephanie acompanhou Tibbett em uma turnê pela Filadélfia e Chicago. Lá, ela contraiu pneumonia dupla, enfrentando o frio do inverno em um vestido de festa com uma echarpe de pelo nos ombros. Wally Oeler também sofreu, pois nem Stephanie, nem Wiedemann se preocuparam em pagá-la e ela não podia comprar um casaco.

De volta a Nova York, pronta para voltar à Europa, Oeler testemunhou a aproximação de sua patroa e Wiedemann. Ela disse a um amigo: "Um dia, às três horas da tarde, queríamos entrar em nosso quarto. A camareira, garçom e eu chegamos ao quarto e a porta estava aberta. O capitão Wiedemann estava com ela e eles nem perceberam nós três. Os outros alemães no hotel ficaram tão indignados com isso que disseram que o sujeito deveria ser denunciado por desonra racial, porque sabiam perfeitamente bem que a princesa nasceu judia. Eu acho que um deles foi e disse à capitá Frau [esposa de Wiedemann], mas ela não fez nada. Eu agi como se não soubesse de nada. Aquele homem se comporta tão mal e ainda assim afirma ser o braço direito de Hitler".

Nos Estados Unidos, Stephanie comprou vários livros luxuosos sobre arquitetura americana, os quais enviou a Hitler no Natal. A carta de agradecimento, enviada de Berghof, em 28 de dezembro dizia o seguinte:

> Minha querida princesa!
> Gostaria de agradecer muito calorosamente pelos livros sobre arranha-céus e construções de pontes americanas que você me enviou como presente de Natal. Você sabe o quanto estou interessado em arquitetura e áreas afins e, portanto, pode imaginar que prazer seu presente me deu. Foi-me dito como você falou com firmeza e cordialidade em seus círculos em nome da nova Alemanha e de suas necessidades vitais, no ano passado. Estou ciente de que isso lhe causou uma série de experiências desagradáveis e, portanto, gostaria de expressar a você, princesa altamente estimada, meus sinceros agradecimentos pela enorme compreensão que você demonstrou pela Alemanha como um todo e pelo meu trabalho em particular. Acrescento a esses agradecimentos meus mais calorosos votos de felicitações para o ano novo e contínuo, com saudações dedicadas,
> Seu,
> Adolf Hitler

No dia 31 de dezembro, de Obersalzberg, Wiedemann enviou um telegrama à princesa Hohenlohe, no Dorchester Hotel, em Londres, dizendo: "Um feliz Ano-Novo e meu amor. Fr.". Enquanto Stephanie passava o Ano-Novo sozinha, ele se consolava com a irmã mais nova de Eva Braun, Gretl.

A princesa Stephanie voltou aos Estados Unidos em fevereiro de 1938, novamente às custas do Terceiro Reich. Desta vez, ela estava em uma missão. A bordo do MS *Europa* estava Ralph Ingersoll, editor da revista *Time*. Sua tarefa era fazer com que Ingersoll publicasse um artigo pró-nazista que Wiedemann lhe dera, chamado "Hitler, o Arquiteto", escrito por um membro da equipe de Goebbels. Stephanie não conseguiu publicar o artigo, mas a revista *Time* nomeou Hitler como o homem do ano em 1938.

Stephanie utilizou seu tempo nos EUA seguindo Lawrence Tibbett em uma turnê. Enquanto ela estava fora, em 12 de março de 1938, a *Wehrmacht* alemã atravessou a fronteira para a Áustria e o país se tornou parte do Reich alemão em uma anexação conhecida como *Anschluss*.

ABERTURA PARA A GRÃ-BRETANHA

Logo depois, Hitler exigiu a aquisição dos territórios de língua alemã ocidental da Tchecoslováquia. Durante a crise de Sudetenland, o chanceler do Reich deu à princesa Stephanie uma tarefa delicada. Ela foi enviada como "amiga íntima" para a Grã-Bretanha para descobrir se o governo aceitaria uma visita do Alto Comando nazista.

Através de sua amiga Ethel Snowden, com quem havia participado de comícios nazistas e que havia escrito artigos para o *Daily Mail* apoiando o nacional-socialismo, Stephanie se aproximou do secretário de Relações Exteriores britânico, Lord Halifax.

Halifax registrou em seu diário: "Na quarta-feira, 6 de julho, Lady Snowden veio me ver de manhã cedo. Ela me informou que, através de alguém mais próximo de Hitler - entendi isso como a princesa Hohenlohe - ela havia recebido uma mensagem com o seguinte ônus: Hitler queria descobrir se o governo de H.M. (britânico) aceitaria se ele enviasse um dos seus confidentes mais próximos, como eu entendi, da Inglaterra com o objetivo de conduzir conversações não oficiais".

Hitler queria enviar Göring como seu plenipotenciário. Stephanie explicou: "Não há outro homem de quem o Führer fale com tanto respeito, admiração e gratidão".

Como ministro das Relações Exteriores alemão, Ribbentrop deveria ser mantido fora do circuito. Halifax desconfiava dessa abordagem não convencional e da princesa Stephanie, que não era a intermediária que ele teria escolhido. Repudiando-a como uma "aventureira conhecida, para não dizer chantagista", Halifax disse que uma visita de Göring seria problemática, pois não poderia ser mantida em segredo, mas ele estava disposto a conhecer Wiedemann. Ele escreveu: "A princesa H. disse que W[iedemann] ficaria muito feliz em passar o sábado e o domingo, 16 e 17, em particular, e só me ver na segunda de manhã. Portanto, combinamos às 10 horas da manhã, na 88 Eaton Square".

Stephanie participou da reunião na residência particular de Halifax, em Belgravia, e atuou como intérprete. O objetivo de Wiedemann ainda era o de marcar uma reunião entre Halifax e Göring, mas os britânicos recusaram, pois, o problema do Sudetenland não havia sido resolvido.

Pior ainda, a reunião não permaneceu secreta. Enquanto Wiedemann voltava para o aeroporto de Croydon, o *Daily Herald* publicou a manchete: "ASSISTENTE DE HITLER EM LONDRES - VISITOU SECRETÁRIO DO EXTERIOR".

O embaixador francês em Berlim, André François-Poncet, disse: "A ideia de que o capitão Wiedemann deveria ser recebido por Lord Halifax foi elaborada pela princesa Hohenlohe, que é extremamente conhecida pelos serviços secretos de todas as grandes potências e que, no momento, parece estar servindo aos interesses da Grã-Bretanha, embora o capitão Wiedemann, que desfruta de relações mais íntimas com ela e a visite frequentemente em Londres, seja da opinião de que ela se sinta comprometida, principalmente, com os interesses da Alemanha".

O embaixador tcheco em Londres, Jan Masaryk, escreveu a Praga dizendo: "Se ainda houver decência neste mundo, um dia desses haverá um grande escândalo quando for revelado o papel da visita de Wiedmann por Steffi Hohenlohe, conhecida por Richter. Esta agente secreta de renome mundial, espiã e trapaceira de confiança, que é totalmente judia, hoje, fornece o foco da propaganda de Hitler em Londres. Wiedemann vive com ela. Na mesa dela está uma fotografia de Hitler, assinada 'À minha querida princesa Hohenlohe - Adolf Hitler' e ao lado dela, uma fotografia de Horthy, dedicada a 'uma grande estadista'".

O novo embaixador alemão na Grã-Bretanha, Herbert von Dirksen, observou o que chamou de "iniciativa paralela de uma mulher inteligente". Em sua autobiografia, ele escreveu: "Esta mulher, a princesa Hohenlohe, húngara de nascimento, divorciada de seu marido, que viveu anos em Londres, conseguiu, em razão de seu conhecimento de Wiedemann, obter acesso a Göring e até a Hitler. Este último a recebeu para uma conversa que durou várias horas, uma distinção que ele notoriamente negou aos representantes oficiais do Reich no exterior. Mas, como a princesa Hohenlohe era uma mulher inteligente, que trabalhava pela paz, essa oportunidade de exercer influência sobre o Führer era considerada bem-vinda. Sob sua orientação, Wiedemann pisou no chão polido do *parquet* de Londres".

Ribbentrop, que não havia sido informado da missão de Wiedemann, ficou furioso quando descobriu; ele alertou Dirksen para ser cauteloso em suas negociações com a princesa Stephanie. "Respondi que a considerava acima de qualquer suspeita", disse Dirksen, "já que o *Führer* havia concedido a ela a honra de uma audiência para ouvir suas opiniões sobre a Grã-Bretanha. Assim, essa tentativa amadora de chegar a um acordo com a Grã-Bretanha, feita sob a mais alta autoridade da Alemanha, terminou em um emaranhado de intrigas pessoais".

Rothermere também ficou sabendo que a princesa estava, agora, trabalhando em nome de outras pessoas. Ele a chamou de "uma mulher muito indiscreta" e rompeu relações com ela.

Quando Wiedemann foi ao Berghof para informar Hitler, esperou por várias horas enquanto o *Führer* entretinha Unity Mitford. Ele teve apenas cinco minutos na presença de Hitler, durante os quais Hitler descartou uma visita de Göring e se recusou a falar sobre o assunto novamente. Wiedemann teve que se relatar a Ribbentrop, dizendo-lhe que Halifax havia dito que esperava ver Hitler "cavalgando em triunfo pelas ruas de Londres, na carruagem real, junto com o rei George VI".

A MISTERIOSA MENSAGEIRA DE HITLER

Em 1º de julho de 1938, o *Daily Herald* publicou uma história sobre a princesa Stephanie von Hohenlohe-Waldenburg-Schillingsfürst e de um processo judicial sobre a contestação de uma conta de lavanderia. Mencionou, também, que ela tinha um retrato de Hitler em sua luxuosa casa em Mayfair, dedicada à sua "querida amiga, a princesa". A história continuou: "Descrita na lista [da corte] como 'Sua Alteza Serena', a princesa é uma das líderes mais poderosos da colônia nazista aqui. É ela quem fornece a plataforma social para os enviados de Hitler - não apenas neste país, mas também nos Estados Unidos... Sua sincera admiração por Hitler levou a uma amizade bem próxima entre os dois e o *Führer* deu a ela uma das mais altas decorações da Alemanha nazista".

No tribunal, o veredicto foi contra Stephanie e ela teve que pagar a conta de lavanderia de 46 libras.

Naquele ano, o *American International News Service* nomeou a princesa "diplomata secreta número um da Europa, a misteriosa mensageira de Hitler". A história dizia que ela tinha uma influência enorme sobre o *Führer* e que ele dependia dela. O *New York Mirror* concordou, dizendo: "Seu apartamento, em Mayfair, tornou-se o foco para os aristocratas britânicos que têm uma posição amigável em relação à Alemanha nazista. Seus saraus são o assunto da cidade. Proeminentemente exibido em sua sala de estar, há um enorme retrato de Hitler. Portanto, era natural que seus esforços em nome do *Führer* também a colocassem em contato com o 'Cliveden Set', cujos membros incluem alguns dos estadistas mais importantes do Império Britânico".

Em 21 de julho de 1938, a princesa estava na imprensa novamente. O *Evening Standard,* de Londres, publicou uma história na coluna '*Londoner's Diary*' sob o título "Amiga de Hitler", que dizia: "Princess Hohenlohe-Waldenburg-Schillingsfürst, quem se acredita ter organizado o encontro entre o capitão Wiedemann e o Lord Halifax, e que atuou como a anfitriã de Wiedemann em Londres, planeja adquirir a Schloss Leopoldskron perto de Salzburgo, como uma casa de férias. A mansão foi requisitada após a anexação da Áustria".

Hitler havia lhe dado o castelo para usar como um local de encontro de artistas e escritores nazistas de destaque. Ficava a apenas 16 km do Berghof. A inteligência britânica observou: "Schloss Leopoldskron fica a apenas uma hora de carro da casa de Hitler e ela é frequentemente convocada pelo *Führer*, que aprecia sua inteligência e bons conselhos. Talvez, a única mulher a exercer alguma influência sobre ele".

O MI5 tinha um mandado do Ministério do Interior permitindo que abrissem qualquer correspondência que chegasse à casa de Stephanie em Londres, bem como cartas da Inglaterra endereçadas ao Schloss. Justificando isso, seu arquivo dizia: "Suas conexões com membros altamente colocados do Partido Nazista e o fato de procurações anteriores terem rendido resultados de considerável interesse".

A jornalista e escritora judia, Bella Fromm, que fugiu da Alemanha para os Estados Unidos em setembro de 1938, escreveu: "Romper o casamento de Wiedemann era uma mera bagatela em comparação com o trabalho da equipe de Stephanie-Wiedemann em nome dos nacional-socialistas. Foi difícil para Frau Wiedemann que ela sofresse vexames e estivesse inconsolável. Por esses serviços excepcionais, Stephanie foi recompensada por Hitler com Schloss Leopoldskron, perto de Salzburgo, que já foi o lar do gênio mundialmente famoso do teatro, Max Reinhardt".

O PALÁCIO ARIANIZADO

O diretor de teatro e cinema Max Reinhardt fugiu da Áustria após o *Anschluss*. O palácio rococó que ele passara 20 anos restaurando havia sido confiscado pela Gestapo porque era "de propriedade de uma pessoa hostil ao estado" - isto é, ele era judeu. Um dos biógrafos da princesa Stephanie observou com ironia que "uma mulher judia foi recompensada por seus serviços ao nacional-socialismo com a propriedade de um judeu privado de cidadania".

A segunda esposa de Reinhardt, a atriz Helene Thimig, disse: "Que piada macabra: a criação de Reinhardt – agora, um palácio para os nazistas! E este palácio arianizado foi colocado sob a administração da princesa judia von Hohenlohe".

Reinhardt comprou o castelo em 1918 e fundou o Festival de Salzburgo logo depois. Ele recusou a oferta de "Arianismo honorário". Quando ele estava na América, uma bomba foi lançada no salão do Schloss. Rudolf Kommer, que também morava lá, apoiou a aquisição do castelo por Stephanie - caso contrário, ele teria sido entregue aos militares e destruído. Ela resgatou muitos bens de Kommer, junto com alguns de Reinhardt.

Com a aprovação de Hitler, Stephanie fez alterações no Schloss Leopoldskron e em seu terreno às custas da Alemanha. Como se tratava de propriedade estatal, argumentou-se que ela estava aumentando seu valor. Sua extravagância atraiu críticas, mas Wiedemann a defendeu em um memorando dizendo: "A princesa Stephanie von Hohenlohe é pessoalmente conhecida pelo *Führer*. Ela sempre defendeu a nova Alemanha no exterior de uma maneira digna de reconhecimento. Peço, portanto, a todas as autoridades alemãs envolvidas em assuntos internos e externos que aproveitem todas as oportunidades para mostrar a ela o reconhecimento especial que devemos aos estrangeiros que falam tão enfaticamente pela Alemanha de hoje".

A princesa convidou pessoas importantes da Grã-Bretanha, França e Estados Unidos para ficar lá enquanto participava do Festival de Salzburgo; ela também discutiu a instalação de óperas ao ar livre com o condutor Leopold Stokowski. Outro visitante foi o embaixador Herbert von Dirksen, cuja madrasta, Viktoria von Dirksen, havia sido uma das primeiras apoiadoras de Hitler. Como o Berghof estava do outro lado da fronteira, Stephanie ficou desapontada pelo próprio Hitler não a ter visitado.

Wiedemann compareceu, às vezes, com sua resignada esposa e filhos. Ele estava ajudando o filho de Stephanie, Franzi, a conseguir um emprego no serviço público e se ofereceu para lidar com os documentos problemáticos necessários para provar sua ascendência ariana. Franzi acabou encontrando um emprego na IG Farben, a empresa química que usava trabalho escravo dos campos de concentração e fabricava o Zyklon B, o veneno usado nas câmaras de gás. O relacionamento íntimo de Wiedemann com a esposa de um dos diretores significava que ele poderia usar suas influências por lá.

Stephanie tinha suas próprias conexões com ricos amantes da arte e sugeriu que os objetos de arte adquiridos com a anexação da Áustria

CAPÍTULO 2

fossem vendidos pela tão necessária moeda estrangeira. Ela também participou da crise de Sudetenland. A pedido dos nazistas, convidou o armador britânico e político liberal Lord Runciman, mediador oficial da Grã-Bretanha entre o governo tcheco e o Partido Alemão Sudeten, para ficar no Schloss Leopoldskron.

A revista *Time* observou as contribuições de Stephanie dizendo: "A princesa Hohenlohe-Waldenburg-Schillingsfürst, confidente do *Führer* e amiga de metade dos grandes europeus, programou-se para viajar da Inglaterra para os EUA esta semana. Desde o outono da Áustria, a princesa Stephanie, que já foi o 'brinde de Viena', emprestou seus encantos para o avanço da causa nazista em círculos onde seria mais benéfico. Como recompensa, o governo nazista 'permitiu que ela fizesse um arrendamento' do suntuoso Schloss Leopoldskron, perto de Salzburgo, tomado do judeu Max Reinhardt depois de *Anschluss*. Durante a crise tcheco-eslovaca, ela prestou serviço militar à campanha nazista. Quando o Sr. Chamberlain enviou lorde Runciman para reunir impressões das condições na Tchecoslováquia, a princesa Stephanie correu para o castelo de Prince Max Hohenlohe, em Sudetenland, onde o mediador britânico se divertia".

Runciman foi criticado por passar muito tempo com Stephanie em vez de resolver a crise. Quando foi chamado de volta a Londres, ele relatou: "Sudetenland está ansioso para ser dominado pela Alemanha e os alemães de Sudeten querem voltar para sua terra natal". Claramente, Stephanie havia feito um excelente trabalho.

O resultado do relatório de Runciman foi a Conferência de Munique, onde Grã-Bretanha, França, Itália e Alemanha concordaram que a Tchecoslováquia deveria entregar a Sudetenland. Wiedemann escreveu a Rothermere sobre o papel da princesa Stephanie: "Foi a preparação do terreno que tornou possível o Acordo de Munique", disse ele. Mais tarde, isso foi lido no Supremo Tribunal, no processo entre a princesa e Rothermere.

A imprensa também elogiou seu papel. Stephanie estava nas nuvens. Ela escreveu a Hitler dizendo: "Há momentos na vida que são tão bons, quero dizer, quando uma pessoa sente tão profundamente, que é quase impossível encontrar as palavras certas para expressar seus sentimentos. Sr.

Reich Chanceler, acredite que compartilhei com você toda a experiência e a emoção de todas as fases dos eventos dessas últimas semanas. O que nenhum dos seus súditos, nos seus sonhos mais loucos, ousava ter esperança - você tornou realidade. Essa deve ser a melhor coisa que um chefe de Estado pode dar a si mesmo e ao seu povo. Parabenizo você de todo o coração. Em amizade dedicada. Atenciosamente, Stephanie Hohenlohe".

O SONHO AZEDA

O arquivo MI5 da princesa revela que, no final de 1938 ou no início de 1939, Stephanie estava na Síria com um Wilhelm von Flügge, onde ambos eram suspeitos de trabalhar como agentes alemães. Também houve relatos de sua associação com contatos de inteligência alemã e italianos em Istambul.

Então, as coisas azedaram. Em janeiro de 1939, Hitler descobriu que Wiedemann era amante de Stephanie e o demitiu, aparentemente, por seu fraco desempenho em Munique. Wiedemann foi enviado a São Francisco como cônsul-geral, embora seu salário permanecesse o mesmo da Chancelaria do Reich e muito mais alto que o do titular anterior. Goebbels foi rápido na questão: "A princesa Hohenlohe, agora, é uma metade judia vienense", disse ele. "Ela está com os dedos em tudo. Wiedemann trabalha muito com ela. Ele pode agradecer a ela por sua situação atual, porque, sem ela por perto, ele provavelmente não teria se mostrado tão fraco na crise tcheca".

Negócios secretos ainda estavam em andamento. Então, um amigo sem nome do ex-secretário particular de Rothermere, Capitão Jack Kruse, telefonou para o MI5 com uma dica. O relatório no arquivo dizia: "Kruse é muito amigável com a princesa e a conhece há vários anos. Em 26 de junho de 1939, Kruse encontrou-se com a princesa que lhe mostrou uma carta de um contato escrito do Hotel Bieux Dolen, em Haia, afirmando que o *Führer* havia dito a Ribbentrop que ele deveria deixar claro ao primeiro--ministro britânico que um gesto da Grã-Bretanha deve ser definitivamente feito muito em breve, independentemente do Gabinete, se necessário, e que ele deve permitir que a Alemanha ocupe Danzig".

CAPÍTULO 2

Danzig, agora Gdansk, havia se tornado uma cidade livre pelo Tratado de Versalhes. Estava na boca do Corredor Polonês e estava sob a proteção da Liga das Nações. Como os alemães compunham a maioria da população, Hitler exigiu seu retorno ao Reich.

Kruse disse ao MI5 que o contato da princesa Stephanie com o regime nazista era através de Ribbentrop, em vez de diretamente com o próprio Hitler. Havia uma luta pelo poder em andamento entre Ribbentrop e Himmler; o último disse a Hitler que a princesa Stephanie era uma dupla agente britânica. Hitler ficou furioso e emitiu um mandado de prisão; nunca foi aplicado, mas a SS começou a se interessar por suas origens judaicas. Em um esforço para protegê-la, Wiedemann escreveu a Göring, dizendo: "Peço que proteja minha honra e interceda com o *Führer* em meu nome. Quando me despedi do *Führer*, ele me alertou contra a princesa H. no interesse de minha futura carreira. O *Führer* não acredita que a princesa seja confiável e acha que vários artigos antialemães na imprensa estrangeira possam ser rastreados até ela. Eu informei ao Führer:

(1) que garanto, absolutamente, a integridade e lealdade da princesa ao Terceiro Reich e ao *Führer*...

(2) que é claro que não forneci à princesa, como estrangeira, informações que possam não ser do interesse nacional. Não posso provar essas coisas, mas, por outro lado, posso provar que a princesa teve uma influência decisiva na atitude de lorde R[othermere] e, portanto, no *Daily Mail*.'

A revista *Time* noticiou o novo papel de Wiedemann: "O homem de Adolf Hitler, o grande e corpulento capitão Fritz Wiedemann, de 47 anos, que cumpriu muitas missões delicadas na Europa como ajudante pessoal do Führer, foi designado, na semana passada, a outra. Ele atuará como cônsul-geral em São Francisco, substituindo o impopular Barão Manfred von Killinger, convocado pelo Reich para informar sobre o bombardeio de um cargueiro nazista no estuário de Oakland, dois meses atrás. A missão do capitão Wiedemann: suavizar as relações EUA-Alemanha e vender o regime nazista a um EUA antipático".

Ribbentrop também se voltou contra a princesa Stephanie.

"Ele começou a perceber, irritadamente, influências ilegítimas de fora", escreveu ela. "Ele deve ter rastreado - de forma correta ou errônea - algum ceticismo ocasional de seu líder e, assim, eu me tornei uma arqui-inimigo aos olhos dele".

Time continuou afirmando que as origens judaicas da princesa Stephanie estavam sendo investigadas.

Enquanto Hitler avisara Wiedemann sobre sua visita à princesa, o arquivo desta do MI5 dizia: "Temos evidências independentes, de natureza muito delicada, de que o caso entre Wiedemann e essa dama ainda está em andamento".

Quando ela perdeu seu valor, seus pagamentos pelo uso do Schloss Leopoldskron foram interrompidos.

"Também sabemos de uma fonte muito secreta e delicada que Wiedemann a aconselhou a recomendar que seus credores ligassem ao major-general Bodenschatz [ajudante do marechal de campo Göring] para liquidar suas dívidas."

O filho de Stephanie, Franzi, estava no Schloss Leopoldskron quando foi apreendido sem aviso prévio. Forçado a deixar Salzburgo, ele foi seguido pela Gestapo até que pudesse escapar para a Inglaterra, onde conseguiu informar sua mãe de que ela estava em perigo. Enquanto isso, seu ex-marido tentou revogar seu título, alegando que sua reputação estava manchando o nome da família (ele falhou).

No final de janeiro, a princesa Stephanie e sua mãe foram para Londres. Infelizmente, elas não conseguiram levar a irmã mais nova de sua mãe, Olga, e ela morreu no campo de concentração de Theresienstadt, em 27 de setembro de 1942.

O CASO CONTRA ROTHERMERE

As autoridades britânicas não estavam felizes com o retorno de Stephanie. "Em vista do histórico e das atividades conhecidas dessa mulher", escreveu uma autoridade do Ministério do Interior, "não parece haver razão autêntica para nos darmos ao trabalho de cuidar dela e permitir que ela faça visitas tão frequentes e extensas a este país".

CAPÍTULO 2

Mas, teria sido difícil expulsá-la porque ela estava processando lorde Rothermere. Seu advogado disse ao MI5: "Na opinião de Lorde Rothermere, a mulher era uma agente alemã e, provavelmente, havia enganado-o antes de ele rescindir seu contrato com ela. Ele acha indesejável que ela possa entrar ou permanecer no país".

Após o colapso de seu relacionamento, Rothermere demitiu Stephanie. Sem fonte de renda, ela se viu em dificuldades financeiras. Então, ela o processou, dizendo que ele prometera pagar-lhe £ 5.000 por ano pelo resto de sua vida; ela também argumentou que ele concordou em ajudar a restaurar seu bom nome depois que jornais estrangeiros a chamaram de "uma espiã, uma vampira e uma pessoa imoral". Se ele não pagasse, ela disse, publicaria suas memórias nos Estados Unidos, expondo seus contatos com os nazistas de elite e seus relacionamentos com ela e outras mulheres muito mais jovens. Mas, sua posição foi enfraquecida quando um oficial de controle de passaportes parou seu advogado húngaro, Erno Wittman, na estação Victoria. Ele carregava correspondência profundamente incriminadora. "Isso foi surpreendente; parecia haver cópias de documentos e cartas trocadas entre lorde Rothermere, lady Snowden, princesa Stephanie, herr Hitler e outros", disse o oficial que as confiscou.

O caso foi ao tribunal, onde a princesa negou ser espiã. Ela também negou que, no início dos anos 30, a inteligência francesa tinha descoberto correspondência clandestina e cheques em branco em uma gaveta camuflada no escritório de seu apartamento em Paris, o que levou a imprensa continental a chamá-la de espiã. Ela disse que, como resultado, "as pessoas não queriam ter mais nada comigo. Eles se distanciaram e fui excluída das funções às quais tinha direito de participar - foi uma humilhação".

Uma carta de Wiedemann para Rothermere foi lida no tribunal: "Você sabe que o *Führer* aprecia muito o trabalho que a princesa fez para estreitar as relações entre nossos países. Foi a base dela que tornou possível o acordo de Munique". A carta dizia que Hitler faria o possível para restabelecer a reputação dela. Também foi revelado que Stephanie teve as cartas de Rothermere copiadas pelo Departamento Especial de Fotografia do Departamento do Chanceler alemão, indicando que ela estava comprometida com o regime.

O veredicto foi contra ela, com o juiz não encontrando evidências de que Rothermere havia prometido a ela uma reserva vitalícia ou a restituição de sua reputação. No ano seguinte, quando Rothermere publicou *My Campaign for Hungary*, com prefácio de Winston Churchill, nenhuma menção foi feita à princesa Stephanie; mas ele pagou seus honorários legais.

Colin Brooks, que ajudou Rothermere em seus empreendimentos editoriais, escreveu em seu diário, em 3 de dezembro de 1939: "Gostaria de ter tempo para registrar aqui as maquinações da princesa e todas as razões para a urgência desse novo livro - iniciado na segunda-feira e enviado para a imprensa em 17 dias. Ao examinar os arquivos, encontrei uma carta que poderia ser embaraçosa se ela publicasse suas fotos".

Enquanto isso, a vigilância de seus movimentos foi intensificada. Seu arquivo do MI5 dizia: "A princesa Hohenlohe nos deu um grande trabalho por ser, frequentemente, objeto de denúncia pelo fato de ser ou ter sido uma agente política confiável e amiga pessoal de Herr Hitler; que ela é uma espiã política alemã de alto escalão; e que Herr Hitler a recebeu no Schloss Leopoldskron com indícios de serviços prestados a ele".

A GUERRA MUDA TUDO

Em 3 de setembro de 1939, três dias após a invasão da Polônia, a Grã-Bretanha declarou guerra à Alemanha. O *Daily Mail*, rapidamente, reverteu sua linha editorial sobre Hitler e a amizade de Stephanie com Hitler foi exposta. A revista *Time* relatou um incidente ocorrido na sala de jantar do Ritz Hotel em Londres; quando a princesa entrou, alguém disse em voz alta: "Saia, sua espiã imunda". Quatro comensais da sociedade informaram ao garçom que não voltariam enquanto a princesa Stephanie fosse admitida, mas ela continuou sua refeição imperturbada.

Dez dias após o início da guerra, o porteiro do Dorchester se aproximou da polícia dizendo que tinha informações importantes sobre o esforço de guerra. Ele foi encaminhado para o MI5, onde disse ao policial do caso de Stephanie que sua empregada austríaca, Anna Stoffl, havia dito que seu empregador estava operando na Grã-Bretanha como agente nazista. A

CAPÍTULO 2

princesa conhecia muitas pessoas influentes na Grã-Bretanha e se encontrava regularmente com os agentes de Hitler, disse ele; ela tinha acesso direto às mais altas autoridades da Alemanha.

Anna Stoffl foi entrevistada. Ela estava apreensiva porque ainda tinha família na Áustria, mas, como antinazista, estava disposta a contar ao oficial de inteligência tudo o que sabia. "A senhorita Stoffl não tem dúvida de que a princesa Hohenlohe estava atuando como agente alemã", dizia o relatório. "Ela viveu com a princesa por cerca de um ano neste país e viajou com ela pelo continente. Durante algum tempo, ela morou com Stephanie em um castelo em Salzburgo, colocado à sua disposição pelas autoridades alemãs. Durante esse tempo, houve muitos entretenimentos. Quando estava no castelo, a princesa fez uma visita a Berlim e disse à empregada que havia entrevistado Hitler".

Anna Stoffl tinha certeza de que a princesa estava envolvida em alguma intriga, pois ela sempre dispensava sua empregada da sala quando recebia visitas. Apesar de não estar presente, Anna tinha certeza de que as informações passadas a Stephanie pelos visitantes eram enviadas diretamente para Berlim. O MI5 disse que mantinha controle sobre Stephanie desde 1928 e recomendou que o Ministério do Interior encurtasse sua estadia na Grã-Bretanha.

O arquivo de Stephanie mostrou que ela sempre ficava em hotéis ou apartamentos caros. "Ela oferece presentes extravagantes como vestidos e joias para as amigas. A princesa Hohenlohe atuou como um elo entre os líderes nazistas na Alemanha e os círculos da sociedade neste país. No Schloss Leopoldskron, ela entreteu nazistas importantes e os apresentou a amigos ingleses. Ela também participou da organização de reuniões entre lorde Runciman e os nazistas sudetos".

Os jornais americanos a chamavam de "espiã, uma agente internacional glamorosa e namorada de Hitler" – mas, Stephanie ficou animada com o fato de os Estados Unidos ainda não estarem em guerra com a Alemanha. Ela decidiu ir para lá para escrever suas memórias, navegando no SS *Veendam* de Southampton, em 11 de dezembro de 1939, sob o nome falso de Sra. Maria Waldenburg. Naquela época, Bella Fromm estava exilada nos

Estados Unidos e escrevendo sobre espiões alemães: "Um dos expoentes mais fanáticos da ideologia nacional-socialista (...) foi Stephanie, princesa Hohenlohe-Schillingsfuerst", escreveu ela, "a 'princesa' entre aspas, porque ela não nasceu em seda e cetim. Ela se tornou uma princesa por casamento... Ela foi uma das primeiras agentes femininas enviadas pelos nazistas para o exterior antes de chegarem ao poder".

A inteligência britânica observou que a razão de Stephanie ter ido para a América era ver seu filho gravemente doente. Mas, eles pensaram que o verdadeiro motivo era ver Wiedemann e escapar do Reino Unido antes de ser presa como agente nazista. Na Câmara dos Comuns, um parlamentar perguntou ao Ministro do Interior por que ela estava sendo autorizada a deixar o país. Ele não sabia que "essa mulher é um membro notório da organização de espionagem de Hitler?". O Ministro do Interior respondeu que ela recebeu uma permissão de "não retorno" - uma passagem só de ida - e não seria autorizada a retornar ao Reino Unido. No entanto, o parlamentar ficou indignado e disse que Stephanie deveria ser presa e acusada de espionagem. "Ela é uma intrigante política, uma aventureira de alta capacidade e deve ser tratada com a maior desconfiança", ele fulminou.

FUGA PARA NOVA YORK

Um jornalista viu Stephanie no cais quando chegou a Nova York, 11 dias depois. O oficial de imigração também a viu. Desde que Wiedemann chegou à América, o FBI estava atento à princesa. Ela chegou com um visto de visitante e 106 peças de bagagem. Já havia informações de que a princesa Stephanie e Wiedemann voltariam a trabalhar juntos, em breve. Wiedemann fora enviado para São Francisco, mas havia rumores de que ele estava sendo preparado para assumir o cargo de embaixador alemão em Washington DC. Isso sugeriu ao FBI que "Wiedemann não era *persona non grata* de Hitler".

Fotógrafos da imprensa chegaram ao Waldorf Astoria, onde Stephanie estava hospedada. Ela entrou em contato com Wiedemann e ele atravessou o continente para visitá-la, mas a princesa Stephanie não queria ser vista na

CAPÍTULO 2

Fritz Wiedemann foi o superior de Hitler na Primeira Guerra Mundial e, mais tarde, tornou-se seu ajudante pessoal. Ele foi exilado em 1939, em São Francisco, quando se tornou cônsul geral nos Estados Unidos.

companhia de um nazista conhecido. Em vez disso, ela queria conversar com os agentes literários da Curtis Brown sobre suas memórias. Seguindo os conselhos editoriais, ela participou de entrevistas na imprensa para despertar interesse e discutiu uma série de artigos com a revista Town & Country.

Em 22 de janeiro de 1940, o New York Times publicou um artigo com a manchete "A princesa desempenha um papel na diplomacia nazista". A história dizia: "A princesa é, sem dúvida, a estrela entre um grupo inteiro de mulheres da antiga aristocracia alemã que foram recrutadas por Hitler para uma ampla variedade de operações, muitas de natureza secreta. Elas têm atuado como espiãs políticas, anfitriãs de propaganda, borboletas sociais e damas misteriosas". Concluiu: "Por ordem do partido nazista, a princesa Hohenlohe colocou os lordes, condes e outros personagens de posições importantes aos pés de Hitler".

Curtis Brown empregou Rudolf Kommer para escrever as memórias de Stephanie. Enquanto estava ocupada trabalhando com publicidade, Wiedemann envolveu-se com outra espiã, a baronesa Felicitas von Reznicek; ela era 14 anos mais nova e ele a conhecera em uma festa.

Em março de 1940, Stephanie pegou o trem para Los Angeles. Quando chegou à Califórnia, a baronesa von Reznicek havia sido mandada para casa, na Alemanha. Wiedemann estava preocupado que as memórias da princesa revelassem informações que só poderiam ter vindo dele. Ele se encontrou com Stephanie em Carmel, a 146 km da costa de San Francisco. Eles estavam, é claro, sob observação do FBI 24 horas por dia. Os dois se encontraram novamente em Fresno, onde ela reservou um hotel como a Sra. Moll. Logo após o check-in, recebeu um telefonema de uma cabine pública. Enquanto almoçava com Wiedemann, no restaurante Omar Khayyam, seu quarto foi revistado.

Naquela tarde, ela saiu do hotel e se dirigiu com Wiedemann para o Parque Nacional General Grant, onde ele assinou o livro de visitantes: "Fritz Wiedemann, cônsul geral em São Francisco". Mais tarde, eles foram de carro ao Sequoia National Park, onde alugaram um chalé no campo de Kaweah como Sr. e Sra. Fred Winter, de São Francisco.

Naquela noite, eles comeram no café do acampamento administrado por um Sr. Kock, "um fanático nazista", observou o FBI. Eles se retiraram para sua cabana e partiram na manhã seguinte. Anos depois, quando questionada sobre isso, Stephanie insistiu que passara a noite sozinha na cabana enquanto Wiedemann dormia no carro.

Eles dirigiram para Santa Clara, depois para San Francisco, onde Stephanie se mudou para a residência do cônsul-geral junto com sua mãe e filho, aparentemente com a bênção de Frau Wiedemann. Em um memorando oficial para Berlim, Wiedemann explicou que estava protegendo-a da imprensa americana, que agora a descrevia como a nova Mata Hari. O próprio Wiedemann, agora, era acusado de liderar uma rede de espionagem que operava nos Estados Unidos e no mundo ocidental.

Essa acusação era dúbia, pois vinha de Alice Crockett, a esposa divorciada de um general americano que estava processando Wiedemann por não pagamento de seus serviços (mais as despesas). Ela parecia ter substituído a princesa como amante de Wiedemann. Crockett disse que o governo alemão deu a Wiedemann um orçamento de US$ 5 milhões (hoje, algo entre £ 65 milhões / US$ 83 milhões) para sua operação de espionagem e ele empregou vários agentes. Um deles era a "princesa Holenhole" [sic], cujo trabalho era "entrar em contato e pagar aos funcionários acima mencionados as somas em dinheiro por atividades de espionagem em nome do governo da Alemanha e do réu, Fritz Wiedemann".

A REDE DE WIEDEMANN

Crockett acompanhou Wiedemann em uma de suas muitas viagens ao México, onde suspeitava-se que fazia contato com estados da América Central, com o objetivo de bloquear o Canal do Panamá dos Estados Unidos no caso de entrarem na guerra. Enquanto a princesa Stephanie também visitava o México, ela foi ativa, principalmente, ao norte da fronteira. J. Edgar Hoover, chefe do FBI, observou: "Em 3 de setembro de 1940, a princesa Hohenlohe, como a sra. H. Warden da Filadélfia, Pensilvânia, registrou-se no Palace Hotel, em São Francisco. Ela saiu na mesma data e uma inspeção imediata da sala que ocupara refletia que existiam relações íntimas durante o tempo em que a sala era ocupada pela 'Sra. Warden'".

Segundo Crockett, a rede de Wiedemann servia para promover conflitos nos Estados Unidos, estimular o ódio racial e de classe e incentivar greves para minar a preparação dos Estados Unidos para a guerra. Supervisores de fábrica, capatazes e trabalhadores foram recrutados para a tarefa. Wiedemann dirigiu as atividades do Bund Alemão-Americano e forneceu-lhes munição. Ele, também, teve contatos com o aviador pioneiro Charles Lindbergh e o fabricante de carros Henry Ford, que eram pró-nazistas. Crockett disse que, em nome de Wiedemann, viajou a Berlim para ver Hitler e Himmler. Ela havia acumulado US$ 5.000 (£ 65.000 / US$ 83.400 hoje) em despesas e devia US$ 500 (US $ 6.500 / US$ 8.340) por mês, por seis meses de trabalho - ou seja, US$ 3.000 (US $ 39.000 / US$ 50.000) ou US$ 8.000 (US $ 104,00 / US$ 134 86) no total.

Wiedemann, também, teve contatos com a *Auslands-Organization*, a ala ultramarina do Partido Nazista sob o controle de Walter Schellenberg. O MI5 descreveu a AO como "um instrumento pronto para inteligência, espionagem e, finalmente, para fins de sabotagem". Suas principais "peças" nas Américas eram Wiedemann e Princesa Stephanie, e foram financiadas pela IG Farben.

Em 27 de novembro de 1940, Wiedemann e Stephanie tiveram uma reunião com Sir William Wiseman, chefe da inteligência britânica nos Estados Unidos durante a Primeira Guerra Mundial. Após o fim da guerra, ele permaneceu nos EUA como banqueiro de investimentos e ficou à disposição para aconselhar seu colega de inteligência durante a Segunda Guerra Mundial. A reunião discutiu a possibilidade de a Grã-Bretanha e a Alemanha fazerem uma paz separada, e foi acordado que uma proposta seria transmitida a Hitler pela princesa, viajando pela Suíça com seu passaporte húngaro.

Mas, o FBI colocou escutas nas suítes 1024-1026 do Hotel Mark Hopkins, em São Francisco, onde a reunião estava ocorrendo. O diretor do FBI, J. Edgar Hoover, observou que a princesa Hohenlohe dominava a conversa, embora houvesse algumas dúvidas sobre como ela poderia ser recebida pelo *Führer*. Um resumo terminou na mesa do Presidente Franklin Delano Roosevelt. Ele dizia: "A princesa declarou que teria que se arriscar, mas que Hitler gostava muito dela e que ele esperava que ela viesse, pois ela pensava que Hitler a ouviria... Ela afirmou que faria Hitler ver que estava 'batendo contra um muro de pedra' e o faria acreditar que, no momento oportuno, deveria alinhar-se com a Grã-Bretanha".

Um dos argumentos poderosos que Stephanie diria era que a Luftwaffe acabara de ser derrotada na Batalha da Grã-Bretanha e a invasão da Grã-Bretanha fora adiada indefinidamente. Ela, também, apontaria quão forte era a América e que "qualquer um que dissesse a Hitler que o Reich alemão era mais forte que os Estados Unidos estaria mentindo descaradamente". Havia poucas dúvidas de que se os Estados Unidos entrassem na guerra, estariam ao lado da Grã-Bretanha (Roosevelt já havia violado a estrita neutralidade enviando ajuda para a Grã-Bretanha na forma de 50 destróieres).

CAPÍTULO 2

No final da reunião, o grupo concordou em evitar o embaixador britânico em Washington, o Marquês de Lothian, e ir direto para Churchill, que Stephanie conhecia pessoalmente.

Em novembro de 1940, o visto de visitante de Stephanie expirou. Ela queria permanecer nos Estados Unidos, mas seu pedido de renovação foi bloqueado por Hoover. Ele escreveu aos subordinados: "Stephanie von Hohenlohe-Waldenburg, que usa vários pseudônimos, está muito próxima de Fritz Wiedemann, cônsul-geral alemão em São Francisco e, no passado, suspeito pelas autoridades francesas, britânicas e americanas de trabalhar como espião internacional para o governo alemão... A princesa é descrita como extremamente inteligente, perigosa e astuta, e como uma espiã 'pior que 10.000 homens'". Hoover recomendou que ela fosse deportada o mais rápido possível.

AMEAÇA DE DEPORTAÇÃO

Após uma última tentativa com Wiedemann, no St Francis Hotel, Stephanie recebeu ordem para deixar os Estados Unidos em 21 de dezembro. O filho dela deu uma entrevista na qual protestou contra a deportação de sua mãe, dizendo que ela não tinha conexão com os nazistas - "ela não é judia, não fez nenhuma cirurgia plástica estética e, certamente, não tem 120 anos", disse ele.

Stephanie e sua mãe se mudaram da residência do cônsul-geral e se hospedaram com um amigo em Palo Alto. A princesa assinou uma declaração juramentada, negando qualquer simpatia pela Alemanha e pelas potências do Eixo e insistindo que todas as suas simpatias estavam com a Grã-Bretanha. Declarações difamatórias haviam manchado seu bom nome, ela disse, e havia sido um erro aceitar o convite do cônsul-geral da Alemanha para ser sua hóspede. Enquanto isso, ela estava tentando tirar dinheiro de Wiedemann.

O chefe do Serviço de Imigração e Naturalização (*INS*), major Lemuel Schofield, assinou o mandado de deportação de Stephanie. Ela foi poupada da detenção até a sua implementação pela gentileza de sua amiga Mimi Smith, que pagou uma fiança de US$ 25.000 (325.000 libras / $417.000

hoje). A embaixada húngara em Washington DC também conseguiu obter um adiamento de 20 dias de sua deportação.

Em 17 de janeiro de 1941, foi realizada uma audiência nos escritórios do *INS*. A princesa Stephanie chegou em uma ambulância e foi transportada em uma maca. Schofield descobriu que havia problemas práticos com sua deportação. Ela chegou da Grã-Bretanha nos Estados Unidos, e os britânicos se recusaram a levá-la de volta. Para repatriá-la para a Hungria, o Departamento de Estado teria que garantir a cooperação da União Soviética para permitir que ela viajasse na ferrovia transiberiana. Essas complicações fizeram com que o caso fosse encerrado.

A situação começou a irritar o presidente Roosevelt, que tinha coisas mais urgentes com que se preocupar. "Aquela mulher Hohenlohe deveria sair do país por uma questão de boa disciplina. Coloque-a em um barco para o Japão ou Vladivostok. Ela é húngara e não acho que os britânicos a receberiam", disse ele ao procurador-geral, em 7 de março de 1941.

No dia seguinte, Stephanie foi presa. Depois de uma semana, Schofield a visitou no centro de detenção do *INS*, em San Francisco. Ela usou seu carisma e ele, um homem casado, de 48 anos, foi imediatamente conquistado. Enquanto investigações estavam em andamento para descobrir se ela era realmente uma espiã nazista, Stephanie foi libertada sob a estrita condição de que não deveria ter contato com Wiedemann ou qualquer outro representante de um governo estrangeiro.

Em 1º de junho, Percy Foxworth, da sede do FBI em Nova York, enviou um memorando a Hoover dizendo: "Parece desejável que a princesa Hohenlohe seja entrevistada para que informações completas que ela possa fornecer estejam disponíveis para avaliação, em conexão com nossas investigações de defesa nacional sobre as atividades de espionagem alemãs". O procurador-geral adjunto, Matthew F. McGuire, também esteve no caso e Hoover rabiscou na parte inferior do memorando: "Não, até recebermos de McGuire uma cópia do que ela disse a Schofield, devemos pedir a McGuire autorização para conversar com ela".

No dia seguinte, o autor alemão Jan Valtin, que se estabelecera nos Estados Unidos em 1938, disse a uma comissão do congresso que o consulado de

CAPÍTULO 2

Wiedemann era uma câmara de compensação para a Gestapo. Enquanto isso, Wiedemann estava viajando pelos os Estados Unidos, fotografando pontes, estradas e represas do Colorado à Flórida. O relatório de McGuire que Hoover queria ainda não tinha sido divulgado, embora seu conteúdo tenha sido divulgado para o *Washington Times Herald*.

Em 1º de julho, a princesa Stephanie e sua mãe estavam hospedadas no Hotel Raleigh, em Washington DC. Schofield também estava em sua residência. Segundo o FBI: "Quando Schofield estava no hotel, ele passou o tempo todo com a princesa Hohenlohe, no quarto dela ou no dele. Em uma ou duas ocasiões, era óbvio que a princesa Hohenlohe havia passado a noite inteira com o major Schofield, como ela foi encontrada em seu quarto às 8h30 ou 9h". A agência, também, notou que eles "se permitiam beber bastante nessas ocasiões".

O filho de Stephanie, Franzi, estava tentando voltar para a Inglaterra. O serviço secreto britânico enviou um telegrama de Nova York ao MI5 dizendo: "Você tem alguma objeção? Não podemos, no entanto, ignorar a possibilidade de a Gestapo ter matado dois coelhos com uma cajadada, isto é, (1) tentar nos trair através da princesa Hohenlohe e (2) colocar um agente no Reino Unido".

NAZISTA NÚMERO UM

Quando a guerra começou, Roosevelt ordenou o fechamento de todas as residências do governo alemão nos Estados Unidos. Wiedemann viajou para Los Angeles para entregar os registros que não haviam sido queimados ao cônsul alemão Georg Gyssling, que estava prestes a partir no SS *West Point*. Wiedemann, também, conheceu Ludwig Ehrhardt, primo em segundo grau de Stephanie que, mais tarde, se tornaria o chefe de espionagem do *Abwehr* no Extremo Oriente. Então, ele voltou para Berlim via Lisboa e de lá foi para a Argentina, onde os nazistas já tinham ligações extensas. Passando pelo Rio de Janeiro, Wiedemann conheceu Gottfried Sandstede, líder da Gestapo na América do Sul e, segundo o jornal brasileiro O Globo, "nazista número um nas Américas". O artigo dizia que Wiedemann era responsável por Hitler, que havia lhe dado US$ 5 milhões (£ 65 milhões / US$ 83 milhões hoje) para financiar grupos de espionagem nos Estados Unidos. Quando a polícia brasileira revistou o quarto de Wiedemann, encontrou uma lista de agentes nazistas na Califórnia.

Wiedemann foi, então, enviado para o porto chinês de Tientsin, viajando para lá via Japão. A ele, juntou-se Klaus Mehnert que, como professor de antropologia na Universidade de Honolulu, havia conduzido um estudo secreto de Pearl Harbor. Wiedemann permaneceu em Tientsin sob ocupação japonesa até o final da guerra, quando foi capturado pelo exército dos EUA e enviado de volta para Washington DC.

De acordo com uma reportagem da revista *Time*, em outubro de 1945: "O capitão Fritz Wiedemann, comandante de Hitler na Primeira Guerra Mundial, cônsul geral-alemão em São Francisco por dois anos tempestuosos e espião extraordinário para o Terceiro Reich, estava de volta aos EUA para uma breve estadia. Os jornalistas que se lembravam de Wiedemann como um homem alto, bem arrumado e de cabelos pretos, mal reconheciam o homem malvestido, com roupas cinzentas e com a barba por fazer que planejava sair de um transporte do Exército no campo de Hamilton, na Califórnia. O antigo ajudante pessoal de Hitler seria uma testemunha importante nos julgamentos de crimes de guerra dos maiores nazistas".

Interrogado por suas atividades como cônsul geral em São Francisco, Wiedemann disse que recebeu "muitas informações através de sua boa amiga, a princesa Stephanie Hohenlohe". Ele também deu provas nos Julgamentos de Nuremberg. As acusações contra ele foram retiradas em 1948, depois que o FBI falhou em entregar o enorme arquivo que tinha sobre Wiedemann e Stephanie.

Em um esforço para ajudar sua nova amante, o major Schofield escreveu ao recém-nomeado procurador-geral Francis Biddle, dizendo: "A princesa Hohenlohe sugeriu fazer uma declaração pública sobre os perigos que ameaçam esse país e o mundo inteiro e, ao mesmo tempo, demonstrar a fraquezas de Hitler e sua política, mostrando como ele pode ser derrubado".

Em um longo memorando, ele apontou todas as maneiras pelas quais a princesa Stephanie poderia ajudar a propaganda antinazista dos Estados

Unidos. Enquanto isso, ele escreveu para Stephanie: "Tudo sobre você é novo, diferente e me deixa animado. Você é a pessoa mais interessante que eu já conheci. Você se veste melhor do que qualquer outra pessoa e toda vez que entra em uma sala, todo mundo desaparece de cena... Por sua causa, faço tantas coisas loucas, porque sou louco por você. Agora, você sabe".

INTERNAÇÃO

Embora o procurador-geral Biddle tenha ordenado que ela fosse mandada de volta à Califórnia, Hoover localizou Stephanie em uma pequena casa em Alexandria, Virgínia. Schofield foi visto visitando-a frequentemente. No entanto, em 28 de novembro de 1941, Roosevelt escreveu para Hoover dizendo: "Conversei com o procurador-geral sobre o caso Hohenlohe e ele me assegura que terminou o romance. Além disso, ele acha melhor não mudar o domicílio atual, pois é muito mais fácil observá-la naquele local. Por favor, faça uma investigação confidencial para mim".

Quando o ataque a Pearl Harbor, em 7 de dezembro de 1941, levou os Estados Unidos à guerra, a princesa Stephanie foi presa deixando o cinema. Embora fosse cidadã húngara, uma comissão de reclamações foi instituída contra ela e o procurador-geral Biddle assinou uma ordem de "confinamento da princesa von Hohenlohe-Waldenburg, cidadã alemã, residente em Alexandria, Virgínia, por ser um perigo potencial à segurança pública e paz nos Estados Unidos".

Revistando sua casa, o FBI descobriu sua foto autografada de Hitler e a Medalha de Ouro do Partido Nazista. O nome da esposa de Biddle também foi encontrado em seu catálogo de endereços. A princesa Stephanie passou sete meses em um campo de concentração em Gloucester City, Nova Jersey. Enquanto ela estava lá, o pastor luterano, Reverendo Schlick, foi processado depois de tentar contrabandear uma carta para ela. Ele disse que não sabia se tratar de "uma mulher estrangeira muito perigosa". No entanto, ele também admitiu que tinha sido um membro do Bund alemão-americano.

Nas cartas a sua mãe, Stephanie descreveu as condições no campo como terrivelmente anti-higiênicas. Segundo ela, havia 20 mulheres morando na sala imunda e as prisioneiras com quem ela era internada eram prostitutas

- ou, como ela disse, "vagabundas com doenças venéreas". No inverno, o acampamento estava congelando. Ela fez um apelo a Sir William Wiseman para interceder, mas ele não respondeu. Sua única visita foi a mãe, que chegou no carro oficial de Schofield. Roosevelt ficou furioso, ainda mais quando descobriu que o filho Franzi, também detido em Ellis Island, havia escrito para sua mãe dizendo que "tio Lem" - ou seja, Schofield - estava planejando sua libertação.

Apesar das ordens das mais altas autoridades, Schofield recusou-se a interromper o contato com a princesa. Roosevelt escreveu a Hoover, reclamando: "Mais uma vez, preciso incomodá-lo com aquela mulher Hohenlohe. Esse caso não se limita apenas ao ridículo, mas ao vergonhoso".

Ele ainda enviou uma carta ao procurador-geral, dizendo: "Se as autoridades de imigração não pararem, de uma vez por todas, de demonstrar favores àquela mulher Hohenlohe, serei forçado a pedir uma investigação. Os fatos não serão muito palatáveis e voltarão à sua primeira prisão e à sua intimidade com Schofield. Estou ciente de que ela está internada no centro de Gloucester, mas, de todas as formas, lá ela goza de privilégios especiais. Aparentemente, o mesmo é verdade no caso de seu filho, que está preso em Ellis Island. Para ser sincero, tudo isso está se transformando em um escândalo que requer uma ação extremamente drástica e imediata".

Biddle respondeu transferindo Stephanie para um campo remoto no Texas, sob custódia. Ela insistiu para que seus guardas levassem suas malas e fingiu choque por não ter sido acomodada em uma cabine particular no trem, tendo que viajar sentada em vagão regular. Mas, ela aproveitou a oportunidade para flertar escandalosamente com dois homens que lhe compraram uma taça de vinho branco e alguns amendoins.

Em 15 de fevereiro de 1942, um relatório do agente especial D.M., Ladd a Hoover, deixou claro que a princesa "tinha um amigo muito influente no Departamento de Estado, de quem foi amante; a princesa afirmou que esse amigo tinha autoridade para permitir que estrangeiros do Eixo entrassem no país e para manter estrangeiros antiEixo fora do país". Pensou-se que seu "amigo" fosse Breckinridge Long, que era secretário assistente de Estado responsável por problemas decorrentes da guerra e do controle de imigração.

CAPÍTULO 2

Enquanto estava internada, a princesa foi visitada pelo psicanalista Walter C. Langer, que estava entrevistando pessoas que conheceram Hitler na tentativa de compilar um perfil psicológico do *Führer*. Stephanie se recusou a cooperar, dizendo que só ajudaria se Langer a libertasse. Ele respondeu dizendo que isso não estava em seu poder. Stephanie, no entanto, deixou escapar um pedaço de informação relativa à vida privada de Eva Braun e Hitler. "Eva costumava passar a noite toda no quarto de Hitler em Berlim", disse ela. Isso era esclarecedor, pois um ponto de dúvida sempre pairava sobre sua sexualidade.

Schofield também se mudou para o Texas. Ele visitou o campo de concentração e ordenou ao governador que concedesse privilégios especiais à princesa. Um agente especial do FBI, em visita ao local, em 16 de julho de 1942, encontrou-a em um telefone público, falando em alemão, sem supervisão. Um membro da equipe da prisão gostava de fazer-lhe companhia e deixar que ela ajudasse a censurar a correspondência. Graças a Schofield, aqueles que mostraram bondade com Stephanie receberam um aumento. Ele, também, providenciou que ela viajasse para Nova York para discutir a publicação de suas memórias com seu agente.

Em 3 de agosto de 1942, Hoover enviou uma mensagem ao seu escritório, em Nova York, dizendo: "Em vista do interesse demonstrado nesse assunto pelo Presidente dos Estados Unidos e pelo procurador-geral, você deve obter todas as informações relativas a esse assunto imediatamente e enviá-las ao departamento para atenção da seção de espionagem".

Em um esforço para garantir sua libertação, a princesa estava disposta a enganar Schofield e se ofereceu para espalhar a sujeira dele para Hoover, mas ele não pegou a isca. Ela até alegou que não dormia com um homem desde 1920. "Onde algumas mulheres têm prazer em se dar, tenho prazer em me negar", disse ela.

Em 1944, ela tentou convencer um conselho de liberdade condicional de que sua amizade com Wiedemann nunca fora íntima e que ele e sua esposa eram apenas amigos. O conselho não estava convencido e ela não foi solta até 9 de maio de 1945, no dia seguinte ao Dia da Vitória na Europa.

LISTA NEGRA

Stephanie foi notificada de que seria deportada em 9 de abril de 1946. A Hungria estava, então, sob ocupação soviética e ela estava na lista negra no que dizia respeito à Grã-Bretanha. Seu arquivo do MI5 a descreve como "uma intrigante notória que no passado mantinha relações extremamente estreitas com os líderes nazistas" e dizia: "Ela ainda deve ser considerada uma pessoa altamente perigosa". Eles continuaram acompanhando seus movimentos até 1949.

Schofield permaneceu leal, no entanto, e ela se mudou para Nova York para ficar perto dele depois que ele deixou o *INS* para trabalhar em um escritório de advocacia particular. Depois de vê-la na cidade, o colunista Robert Ruark observou, em março de 1947: "A princesa Stephanie Hohenlohe-Waldenburg-Schillingsfürst desempenha, hoje, um papel não insignificante na sociedade de Nova York. Isso não é menos interessante do que se eu fosse relatar que Joachim von Ribbentrop foi visto dançando no Stork Club, ou que Eva Braun estivesse hospedada na casa de Mr. e Mrs. Bigname, em Long Island. Comparada a essa trambiqueira de Hohenlohe, Mata Hari estava, definitivamente, no fundo da lista e Edda Mussolini era apenas uma iniciante, uma ferramenta dos fascistas que não podiam dizer "não". Antes da guerra, lady Hohenlohe era amiga íntima de Adolf Hitler e sua espiã mais confiável".

Em junho de 1947, ela apareceu em uma audiência de imigração com Schofield. O *INS* não sabia o que fazer com ela. Sua cidadania húngara havia expirado e os britânicos ainda não estavam dispostos a recebê-la de volta. Ela, finalmente, foi autorizada a se retirar para a fazenda de Schofield, na Pensilvânia. Em 1953, ela apareceu na lista de mulheres mais bem-vestidas do New York Dress Institute e apareceu no desfile de Páscoa usando um vestido Chanel.

Ela viveu com Schofield até a morte dele, em 1954, depois, mudou-se para outra fazenda de Nova Jersey que pertencia a Herbert N. Straus, o dono da loja de departamentos Macy's, tomando como amante seu vizinho, o multimilionário Albert Monroe Greenfield. No ano seguinte, ela voltou ao jornalismo como correspondente especial do *Washington Diplomat*, uma revista da sociedade internacional. Voltando a Manhattan, ela tomou como amante um general da força aérea dos EUA.

Em 1959, ela se mudou para Genebra para ficar perto do filho que trabalhava em um banco suíço. Lá, ela se encontrou com Wiedemann, que estava escrevendo suas memórias que, no final, não fizeram menção a ela. Ela ganhava a vida escrevendo para a revista alemã *Quick*. A princesa se tornou tão influente como entrevistadora da revista que foi convidada para a posse do Presidente Lyndon B. Johnson. Depois, ela trabalhou em uma revista concorrente, *Stern*, onde publicou entrevistas com a princesa Grace de Mônaco e a esposa do Xá do Irã.

Ainda considerada uma espiã nazista, foi-lhe negado um visto para visitar a Grã-Bretanha até apelar diretamente ao Secretário do Interior. Mas, suas conexões cosmopolitas atraíram o gigante editorial alemão Axel Springer, que se dizia ser "o último César para sua Cleópatra". Ela atuou como "embaixadora" de importantes figuras políticas, incluindo Henry Kissinger. Em 13 de junho, princesa Stephanie morreu em Genebra, em decorrência de uma úlcera estomacal. Segundo o filho, 12 embaixadores compareceram ao funeral, que foi noticiado em 300 jornais americanos.

CAPÍTULO 3

SEGREDOS DO RUSSIAN TEA ROOM

Desde o início da Segunda Guerra Mundial, Anna Wolkoff estava sendo investigada por Maxwell Knight, um mestre de espionagem do MI5 que chefiava a Seção B5b, especializada em contrainteligência. (Knight coincidentemente assinava documentos oficiais 'M' - um detalhe captado por um colega em inteligência naval chamado Ian Fleming.) Anna era a filha mais velha do almirante Nikolai Wolkoff, o último adido naval da Rússia Imperial em Londres. Quando a Revolução Bolchevique ocorreu na Rússia, em 1917, ele e sua família permaneceram em Londres e, por fim, naturalizaram-se como cidadãos britânicos, em 1935. Os Wolkoff haviam sido despojados de seu status e riqueza em sua terra natal, por isso, eram intensamente anticomunistas. E, assim como muitos dos líderes revolucionários, como Leon Trotsky, Gregory Zinoviev e Lev Kamenev eram judeus, eles também eram fervorosamente antissemitas.

Para ganhar a vida em Londres, os Wolkoff abriram o *Russian Tea Room*, um local de encontro para emigrantes russos "brancos", em South Kensington. Eles estavam bem associados: a mãe de Anna, madame Vera Wolkoff, ex-dama de honra da czarina, era amiga íntima da rainha Mary, esposa de George V e mãe de Edward VIII e George VI. Anna desenhou roupas e administrou uma loja no West End chamada *Anna de Wolkoff*

Anna Wolkoff era emigrada russa e secretária do clube antissemita da direita. Sua família dirigia o Russian Tea Room, em Kensington, frequentada por exilados russos "brancos". Suas visões reacionárias a atraíram para o crescente movimento fascista na Grã-Bretanha.

Haute Couture Modes, que se vangloriava de ter entre seus clientes Wallis Simpson. Mas, no início de 1939, foi fechada, com Anna culpando a concorrência de rivais judeus.

RIGHT CLUB

Os ideais de Anna, naturalmente, levaram-na para o crescente movimento fascista na Grã-Bretanha. Juntou-se ao *Right Club*, uma sociedade secreta antissemita que havia sido fundada pelo capitão Archibald Maule 'Jock' Ramsay, deputado, e financiada pelo duque de Westminster. Anna fez os uniformes; ela também visitou a Alemanha nazista várias vezes na década de 1930 e fez contatos com a Gestapo lá.

Outros membros do *Right Club* incluem William Joyce, que fugiu para a Alemanha e depois se tornou o propagandista de rádio Lord Haw-Haw, e o autor A.K. Chesterton, primo em segundo grau de G.K. Chesterton. O clube costumava se reunir no *Russian Tea Room*. Como outros grupos da extrema direita e da extrema esquerda, ele foi infiltrado por agentes que trabalhavam para Maxwell Knight.

Com o início da guerra, em setembro de 1939, o MI5 tinha peixes maiores para fisgar e Knight foi instruído a encerrar sua vigilância de Anna Wolkoff – mas, ele persistiu. Na época, ela estava tentando conseguir um emprego na seção de língua estrangeira do Departamento de Censura Postal e Telégrafo do Ministério da Informação. Outros membros do *Right Club* também tentavam encontrar no governo cargos suscetíveis para promover sua agenda política e ajudar a causa contra a guerra. Um deles já havia penetrado no recém-criado Ministério da Guerra Econômica, desenvolvido para minar os setores financeiro e industrial da Alemanha.

Anna já estava se comunicando com contatos na Alemanha. Para evitar os censores da guerra, ela enviou cartas ao continente via Jean Nieuwenhuys, diplomata na embaixada belga. Ela e outros membros do *Right Club* intensificaram a propaganda, saindo da *Tea Room* à noite para encher as ruas circundantes com slogans antissemitas como "Esta é a Guerra dos Judeus!" e desenhar insultos nas janelas de lojas de propriedade judaica.

O político de direita, capitão Archibald Maule 'Jock' Ramsay com sua esposa em Eaton Square, Londres. Ele fundou o Right Club e teve contatos com fascistas alemães.

O ESPIÃO SOVIÉTICO

Em fevereiro de 1940, Tyler Gatewood Kent, um diplomata júnior da embaixada dos EUA, visitou o *Russian Tea Room*. Ele foi apresentado a Anna por uma amiga em comum, Barbara Allen. Houve uma atração instantânea. Descendente de uma família distinta da Virgínia, Kent era um linguista talentoso. Fluente em russo, em 1934 ele conseguiu um emprego como tradutor na embaixada dos EUA em Moscou, quando os Estados Unidos reconheceram, pela primeira vez, a União Soviética. Sua remuneração era baixa e ele complementava seu salário vendendo informações confidenciais aos soviéticos. Seu contato foi Tatyana Alexandrovna Ilovaiskaya, uma amante fornecida pela NKVD, a polícia secreta soviética. Kent, mais tarde, obteve materiais mais sensíveis quando foi promovido a uma posição na sala de códigos; sua cooperação contínua foi assegurada por chantagem.

Em outubro de 1939, quando se transferiu para a embaixada dos EUA em Londres, levou consigo uma coleção de documentos roubados. Em Londres, ele novamente trabalhou na sala de códigos e teve acesso a telegramas codificados entre Franklin Roosevelt e Churchill, então Primeiro Lorde do Almirantado. Churchill assinava o nome de "Pessoa Naval".

Ansioso para complementar sua renda mais uma vez, Kent tentou encontrar um contato soviético a quem pudesse vender os telegramas, mergulhando na comunidade russa expatriada de Londres. Ele conheceu Irene Danischewsky, esposa de um empresário judeu russo, e eles se tornaram amantes, embora só pudessem se encontrar durante o dia, quando o marido estava no trabalho. Kent, portanto, teve as noites para si mesmo.

Quando ele retornava ao *Russian Tea Room*, Anna ficava encantada ao vê-lo, pois seus contatos nazistas ficavam ansiosos para saber o que acontecia na embaixada dos EUA. Kent também ficou feliz em conversar com ela sobre a Rússia e a vida sob o comunismo.

ENTREVISTA COM O CAPITÃO

Depois que os serviços de segurança britânicos invadiram as casas de dois membros do *Right Club*, o irmão de Anna, Alexander, avisou-a para cortar

CAPÍTULO 3

os laços com o clube. Através de um amante anterior, Lord Cottenham, Anna conheceu Sir Vernon Kell, diretor do MI5. Mesmo admitindo ser antissemita, insistiu que era uma verdadeira patriota e perguntou a Sir Vernon como ela deveria responder ao aviso de seu irmão. Ele a convidou para encontrá-lo no Escritório de Guerra na tarde seguinte para discutir suas preocupações.

Na reunião, ele a apresentou a um "Capitão King" - Maxwell Knight - que perguntou a Anna o nome da pessoa que havia passado o aviso ao irmão. Ela disse acreditar que fora o príncipe Kyril Scherbatow, ex-secretário particular de Sir Henri Deterding, antigo presidente da Shell Oil e ex-chefe de Alexander Wolkoff. Deterding era admirador do Partido Nazista e era um dos financiadores da União Britânica Fascista. Depois de se aposentar, em 1936, mudou-se para a Alemanha; em sua morte, em fevereiro de 1939, recebeu um funeral coberto de suástica com grinaldas de Hitler e Göring, e um porta-voz nazista leu uma homenagem do *Führer*.

Wolkoff pensou que ela tinha despistado seus interrogadores, mas Kell e Knight não foram enganados. Eles permitiram que ela acreditasse que estava livre. Wolkoff, então, providenciou para levar Tyler Kent para jantar com Jock Ramsay, dizendo a Kent que Ramsay seria um contato útil. Durante o jantar, discutiram política e Kent discordou de Ramsay sobre as causas da guerra. No dia seguinte, Anna e Kent visitaram Ramsay novamente. Dessa vez, Kent disse a Ramsay que ele tinha documentos detalhando a preparação para o confronto - ele gostaria de vê-los? Como esperado, Ramsay disse que sim. Mais tarde, Ramsay visitou o apartamento de Kent na 47 Gloucester Place e foram apresentados a ele alguns documentos que Kent havia roubado da embaixada americana. Eles provavam que Churchill estava pedindo a Roosevelt para se juntar à Grã-Bretanha na guerra contra a Alemanha numa época em que Hitler pedia o apoio dos Aliados. Kent deixou claro que ficaria feliz em vendê-los.

A entrevista de Wolkoff despertou o interesse de Knight com o *Russian Tea Room*. Anteriormente, ele recrutara Marjorie Amor, secretária do Movimento de Protesto Cristão, um grupo de russos "brancos" que fazia campanha contra a repressão ao cristianismo na União Soviética. Ramsay também fazia parte desse grupo. Uma tarde, quando Marjorie estava tomando chá na casa de Ramsay, sua esposa a convidou para ingressar no *Right Club*. "O capitão Ramsay acha que você será bem útil quando chegar a hora", assegurou a Sra. Ramsay. "Achamos que haverá um levante comunista e, então, teremos que assumir o controle. Mosley tentou muitas vezes e, com insistência, conseguiu que Jock se juntasse a ele e - isso é para manter segredo - ele prometeu a ele a Escócia".

Ramsay se chamava de "O Líder" - uma tradução de "*Führer*" de Hitler e "*Duce*" de Mussolini. Os membros do *Right Club* discutiam como poderiam ajudar as tropas alemãs quando chegassem. Um homem que trabalhava para uma empresa de transporte disse que fingiria perder as chaves da garagem da empresa e depois forneceria transporte aos paraquedistas invasores.

Durante o chá na casa dos Ramsays, Marjorie foi apresentada a Anna Wolkoff. Anna convidou-a para o *Russian Tea Room* e elas se tornaram grandes amigas. Marjorie chamou Anna de "a pequena *Storm Trooper*" e Anna se gabou de que iria andar no carro de Himmler no desfile da vitória nazista em Londres. Ela também disse que deu a Ramsay um canal de comunicação para Berlim através de sua amiga Margaret Bothamley, que se mudara para Berlim em julho de 1939. E deixou escapar que conhecia um "homem muito interessante da embaixada dos EUA".

Outra das espiãs de Maxwell Knight era Hélène de Munck, uma agente nascida na Bélgica que conhecia Anna do *Russian Tea Room*. As duas mulheres compartilhavam o interesse pela clarividência, pelo espiritualismo e pelo ocultismo, e Hélène visitou o apartamento de Anna em Roland Gardens para fazer uma demonstração de adivinhação. Depois, Anna perguntou a Hélène se, na próxima visita à Bélgica, ela poderia levar alguns documentos com ela. Hélène relatou a Knight que Anna também havia dito: "Hitler é um deus... E seria maravilhoso se ele pudesse governar a Inglaterra".

JANTAR COM FASCISTAS

Kent estava ciente do interesse de Anna por ele. Enquanto planejava passar o fim de semana de Páscoa em Bexhill-on-Sea com June Huntley, esposa

CAPÍTULO 3

de um amigo, Kent enviou um presente para Anna - alguns cigarros de Chesterfield que foram importados para a embaixada dos EUA. Como pretexto, em uma carta, ele escreveu que gostaria de ver Anna quando voltasse. Para dar um toque íntimo à correspondência, ele concluiu com algumas frases em russo e assinou Anatoly Vasilievich, pseudônimo emprestado do proeminente anticomunista russo.

Como o caso de Anna com lorde Cottenham havia fracassado, ela incentivou o interesse de Kent. Quando ele voltou de Bexhill, eles se falaram ao telefone e ela o convidou para o apartamento dos pais. A essa altura, ela estava se referindo a ele como Anatoly. Durante o jantar, eles discutiram sobre a Rússia comunista e o apoio dos Wolkoff ao Nacional-Socialismo.

Anna, então, convidou Kent para acompanhá-la a um evento particular no Holborn Restaurant, um famoso restaurante londrino na esquina de Kingsway e Holborn. O anfitrião do jantar era Sir Oswald Mosley. Ignorando os assentos marcados, Anna insistiu que Kent se sentasse ao lado dela.

Em 9 de abril de 1940, o dia em que a Alemanha nazista invadiu a Dinamarca e a Noruega, Anna foi apresentada a James Hughes, chefe de inteligência da União Britânica Fascista, no *Russian Tea Room*. Ele pediu para ela contrabandear um envelope selado para o continente. Foi endereçado a Herr W.B. Joyce, Rundfunkhaus, Berlim.

O pai de Anna a advertiu para não confiar em Jean Nieuwenhuys, suspeitando que ele era judeu. Em uma conversa casual no *Russian Tea Room*, Nieuwenhuys mencionou que Hélène de Munck havia dito que tinha um contato na embaixada romena. Anna perguntou a Hélène se ela achava que o contato poderia contrabandear uma carta para fora do país e Hélène disse que, provavelmente, poderia. Anna entregou a carta de Hughes, dizendo a Hélène que era para William Joyce, lorde Haw-Haw. Obviamente, acabou nas mãos de Maxwell Knight, que a copiou e decifrou.

A carta deu conselhos a Joyce sobre como suas conversas estavam sendo acolhidas e forneceu material que ele poderia incorporar. A carta original foi, então, enviada a Joyce pelo MI6. Hélène telefonou para Anna para lhe dizer que a remessa fora bem-sucedida. Mais tarde, Anna visitou o apartamento de Hélène com mais uma carta para Joyce, digitando outra enquanto estava lá. Ela assinou "PJ" - "Perish Judah" - uma saudação popular entre os fascistas britânicos.

Hélène entregou as duas cartas a Knight, que agora tinha provas suficientes para processar Wolkoff por tentar se comunicar com o inimigo, contrariando a Lei dos Segredos Oficiais de 1920. No entanto, na esperança de arrebatar a quinta-coluna inteira, ele se segurou. O MI6 contrabandeou as cartas de Anna para o continente e as publicou.

Jock Ramsay queria cópias dos telegramas que Kent lhe mostrara. Em 13 de abril de 1940, Anna foi ao apartamento de Kent, levando consigo um amigo fotógrafo chamado Nicholas Smirnoff, outro russo "branco" com opiniões políticas semelhantes, que fez cópias deles.

Os russos emigrados de Londres ainda seguiam o calendário juliano, não o calendário gregoriano que os bolcheviques haviam imposto à União Soviética. No domingo de Páscoa ortodoxo, Kent se juntou a Anna e sua família para a refeição tradicional. Depois, Anna escreveu ao tio Gabriel, na Suíça, para sugerir que Kent alugasse sua casa em Londres, que ficava a uma curta caminhada da embaixada dos EUA.

SEGREDOS AMERICANOS

Kent roubou outros telegramas da embaixada dos EUA que detalhavam um acordo conhecido como "Lend-Lease", que permitiria a Roosevelt evitar a Lei de Neutralidade aprovada pelo Congresso que restringia o fornecimento de armamentos e alimentos a nações beligerantes. Roosevelt estava concorrendo à presidência novamente, em 1940, com a plataforma de manter os Estados Unidos fora da guerra. Embora afirmasse ser isolacionista, pretendia, de fato, suprir a Grã-Bretanha e a França. Ele temia que, se seu plano fosse exposto, ele poderia perder a eleição para um republicano, o acordo "Lend-Lease" seria anulado e a Grã-Bretanha e a França ficariam sem comida e armas.

Neste momento, Anna e Kent haviam se tornado amantes. Enquanto almoçavam com o almirante Wilmot Nicholson e sua esposa, Christabel, dois integrantes de destaque no *Right Club*, ficou claro para os anfitriões

CAPÍTULO 3

que Anna e Kent eram mais do que apenas bons amigos. Mais tarde, Kent jantou com o almirante Nicholson no United Services Club e mostrou-lhe documentos roubados; ele convidou o almirante para ir ao seu apartamento e ver a correspondência de Churchill-Roosevelt.

Anna e Kent também foram vistos jantando juntos em La Popote, no porão do Ritz - que Lord Haw-Haw relatou ser o local onde os ricos contornavam as restrições do racionamento. Anna, depois, compartilhou detalhes da noite íntima com Marjorie.

De olho no caso, Marjorie relatou a Knight: "Não há dúvida de que Tyler Kent é um membro definitivo da quinta-coluna. Ele está sempre reportando a Anna Wolkoff assuntos que afirma obter de fontes confidenciais na embaixada americana e que, para dizer o mínimo, estão prejudicando os Aliados e os Estados Unidos".

Kent mencionou a J. Edgar Hoover que ele havia visto uma mensagem de Guy Liddell, que havia assumido o cargo de Vernon Kell como diretor do MI5. Ao ouvir isso, Maxwell Knight ficou preocupado com outra correspondência secreta que Kent poderia ter obtido. A casa de Kent foi colocada sob vigilância, mas como ele possuía um passaporte diplomático, seria difícil para os serviços de segurança obterem um mandado de busca.

Mais prejudicial ainda, Kent transmitiu um relatório que Joseph Kennedy havia enviado ao Presidente Roosevelt. Kennedy foi o embaixador americano no Tribunal de St. James e pai do futuro presidente dos EUA, John F. Kennedy. O relatório dizia que a situação na Grã-Bretanha era tão ruim que sérios problemas internos poderiam ocorrer a qualquer momento. As discussões no Gabinete de Guerra foram cruéis - Churchill estava sob coação porque havia perdido seguidores no país graças à sua desastrosa intervenção na defesa da Noruega.

Depois de jantar com Ramsay, Kent foi convidado a ingressar no *Right Club* e encarregado de guardar a lista de associados. Preocupado com o fato de sua casa poder ser revistada, Ramsay pediu a Kent para manter a lista em segurança – "talvez, trancada com chave na embaixada americana?". Mas, a posição de Kent não era, de forma alguma, segura. Ele havia lido uma mensagem de Joseph Kennedy para o Departamento de Estado solicitando funcionários especializados em códigos. Temendo que ele pudesse ser transferido para uma área menos sensível da embaixada, Kent pediu a Anna para fazer cópias das chaves da sala de códigos e da sala de arquivos para ele.

Quando eles falavam ao telefone, Kent e Anna se comunicavam em russo, esperando que isso confundisse qualquer um que estivesse ouvindo. Kent era, agora, um companheiro regular de Anna e seus amigos fascistas, incluindo Pamela Jackson e seu marido Derek, que acreditavam que todos os judeus na Inglaterra deveriam ser massacrados. Pamela era uma das irmãs Mitford, algumas das quais já haviam estabelecido laços com o fascismo. Enquanto Unity Mitford bajulava Hitler, a terceira irmã, Diana, casou-se com Oswald Mosley em segredo, na casa de Goebbels, em Berlim. Hitler foi um dos convidados.

De volta a Londres, a rodada de compromissos sociais de Anna e Kent incluíam um jantar no L'Escargot, no Soho, com o coronel Francisco Marigliano, o duque del Monte, adido militar assistente na embaixada italiana e um espião que já possuía um enorme arquivo no MI5. A Itália ainda não havia entrado na guerra e Marigliano insistia que seu país permaneceria neutro. No entanto, ele estava disposto a usar sua influência diplomática para contrabandear material sensível para fora da Grã-Bretanha. Depois do jantar, Anna e Kent dançaram lado a lado no glamoroso Embassy Club.

O casal estava jantando à vontade no apartamento de Kent quando Neville Chamberlain anunciou a invasão de Hitler aos Países Baixos. Chamberlain disse que o que era necessário era um governo de coalizão; ele anunciou sua renúncia e disse que Winston Churchill deveria formar uma nova administração. Enquanto Anna estava mortificada, Kent continuou a expressar sentimentos pró-alemães, mesmo em público. Ele passou o máximo de tempo possível com ela, quando não estava traindo a embaixada dos EUA.

ESTRITAMENTE PESSOAL

Na noite de 15 de maio de 1940, Kent estava na sala de códigos quando uma mensagem codificada foi enviada por "Ex-Pessoa Naval" - Winston Churchill

CAPÍTULO 3

- ao Presidente Roosevelt. Estava escrito: SECRETO. ESTRITAMENTE PESSOAL E CONFIDENCIAL PARA O PRESIDENTE. MUITO SECRETO E PESSOAL.

Nela, Churchill descreveu a terrível situação na Europa. Ele implorou a Roosevelt por ajuda em todos os aspectos, exceto no combate. Em particular, Churchill pediu o empréstimo de 40 ou 50 destróieres americanos antigos, juntamente com aviões, armas antiaéreas, munição e aço. Ele acrescentou: "Estou esperando que você mantenha o 'cachorro japonês' quieto no Pacífico, usando Cingapura de qualquer maneira conveniente".

Essa mensagem chegou a Anna Wolkoff, que teve cópias feitas por Nicholas Smirnoff. Estas foram, então, encaminhadas ao governo italiano pelo duque del Monte. Kent estava à disposição na sala de códigos para decodificar a resposta de Roosevelt a Churchill. O quanto fosse possível, Roosevelt deu a Churchill quase tudo o que ele havia pedido. Naquela noite, Kent leu a mensagem de Roosevelt para Anna, que fez uma cópia e a enviou para del Monte.

Incapaz de obter um mandado, Maxwell Knight decidiu realizar uma busca ilegal no apartamento de Kent. Ele invadiu-o uma noite quando Kent estava trabalhando na embaixada e encontrou centenas de documentos roubados, incluindo a correspondência de Churchill-Roosevelt. Knight relatou a Guy Liddell, que decidiu que Anna Wolkoff e Tyler Kent deveriam ser presos. Mas, primeiro, o MI5 teria que obter permissão das autoridades americanas, pois o passaporte diplomático de Kent lhe proporcionava imunidade contra processos.

Como o embaixador Joseph Kennedy era pró-alemão, o MI5 organizou uma reunião com seu vice, Herschel V. Johnson, amigo de Liddell. Os serviços de segurança britânicos entregaram a Johnson um documento com instruções que detalhavam o relacionamento entre Anna e Kent. Johnson ficou furioso por não ter sido informado antes. Knight disse a ele que a Scotland Yard pretendia prender Kent na manhã da segunda-feira seguinte e, simultaneamente, realizar uma busca em seu apartamento. Johnson prometeu a cooperação total da embaixada dos EUA e pediu a Joseph Kennedy que suspendesse o status diplomático de Kent.

Naquele fim de semana, Anna e Kent foram a Surrey para tomar um chá com um amigo, voltando a tempo de comparecer à festa de aniversário do almirante Nicholson. Kent trouxe um portfólio de documentos americanos roubados. Então, Kent trabalhou outro turno na sala de códigos.

Quando apareceu um pouco antes da meia-noite, descobriu outra mensagem marcada: "SECRETO E PESSOAL PARA O PRESIDENTE DA ANTIGA PESSOA NAVAL". Quando ele deixou a embaixada, no fim do seu turno, às 8 horas da manhã, levou uma cópia consigo.

Kent tinha o dia pela frente planejado. Ele estava indo de encontro a Irene Danischewsky em seu apartamento de manhã e eles visitariam Kew Gardens à tarde. Passariam à noite jantando com Anna, o duque de del Monte e seu último amante, e eles, talvez, fossem dançar no Embassy Club.

A REDE APERTA

Na manhã de 20 de maio de 1940, um carro que transportava Maxwell Knight e três policiais recolheu o segundo secretário Franklin Gowen da embaixada dos EUA. Dirigiram-se até a Gloucester Place, 47, e uma criada os deixou entrar. Eles investiram contra a porta do apartamento de Kent, derrubando-a e prendendo-o. No banheiro, encontraram uma Irene Danischewsky seminua. O casal foi levado para interrogatório.

Danischewsky foi rapidamente libertada. Kent negou ter quaisquer documentos pertencentes ao governo dos EUA, ou mesmo conhecer Anna Wolkoff. Ela também fora apanhada pela polícia e pelo MI5, que lhe entregou uma ordem de detenção emitida sob os Regulamentos de Defesa de Emergência. Isso foi lido para ela, junto com seus direitos.

A busca no apartamento de Kent trouxe à tona uma série de documentos, juntamente com a lista de membros de Ramsay do *Right Club*, que incluía o nome de Lord Redesdale e de vários parlamentares conservadores e trabalhistas. Havia, também, uma grande quantia em dinheiro.

Knight e Gowen levaram os documentos roubados de volta para a embaixada dos EUA. Kent também foi levado para uma entrevista com o embaixador Kennedy, que perguntou por que ele tinha os códigos e telegramas

CAPÍTULO 3

O trabalhador da embaixada americana Tyler Kent (terceiro a partir da esquerda, com casaco escuro) volta para casa depois de cumprir cinco anos de uma sentença de sete anos por espionagem, 1945. Kent foi condenado por roubar documentos secretos e passá-los para simpatizantes nazistas.

da embaixada em sua casa. Kent insistiu que os havia levado apenas por interesse. Kennedy apontou que Kent havia solicitado uma transferência para a embaixada dos EUA em Berlim. "Você não os estaria levando para lá?", ele perguntou. Kent não respondeu. Ele foi levado para a delegacia de Canon Row e, depois, preso em Brixton. Anna foi mantida em Rochester Row, antes de ser levada para a prisão de Strangeways, em Manchester.

Em 20 de maio de 1940, Tyler Kent foi demitido do serviço público, perdendo sua imunidade. Ele foi acusado de cinco violações da Lei dos Segredos Oficiais e duas acusações de furto. Anna Wolkoff foi acusada de violar a Lei dos Segredos Oficiais e violar os Regulamentos de Defesa por tentar se comunicar com William Joyce. Para sorte dos dois, a pena de morte por crimes de espionagem só entrou em vigor uma semana depois de serem presos.

O governo britânico aprovou uma emenda ao Regulamento de Defesa de Emergência permitindo deter, sem julgamento, fascistas e comunistas britânicos (a União Soviética era aliada da Alemanha nazista, na época). Sob essas circunstâncias especiais, o governo ganhou o direito de confinar qualquer pessoa que colocasse em risco a segurança pública, a defesa do reino, a ordem pública ou crimes de guerra. Ramsay e outros membros do *Right Club* foram presos junto com Oswald Mosley. Para manter a cobertura, Marjorie Amor e Hélène de Munck também foram confinadas e continuaram seu trabalho secreto na prisão.

ESPIÕES EM JULGAMENTO

Wolkoff e Kent apareceram no banco dos réus em Old Bailey, em 23 de outubro de 1940. Como as acusações contra eles envolviam a correspondência de Churchill-Roosevelt que poderia prejudicar as perspectivas de Roosevelt nas eleições presidenciais no mês seguinte, o julgamento foi privado. Ambos os réus se declararam inocentes.

O caso contra Kent foi apresentado primeiro. Ele alegou que havia levado os documentos para mostrar ao Senado dos EUA, para que eles pudessem ver que o presidente era dúbio em sua política externa - prometendo neu-

CAPÍTULO 3

tralidade enquanto apoiava os britânicos. O júri o considerou culpado em seis das acusações (uma das acusações de furto foi julgada improcedente por motivos técnicos).

Marjorie Amor e Hélène de Munck testemunharam contra Wolkoff. Durante três dias no banco das testemunhas, Anna alegou que Kent usaria os documentos para escrever um livro e tinha feito cópias fotográficas para usar como ilustração. Mas, as impressões não foram encontradas no apartamento de Kent e ela se recusou a chamá-lo como testemunha para explicar o porquê. Ela admitiu ter enviado uma carta de James Hughes a William Joyce; implausivelmente, ela disse que só o havia feito para flagrar Hughes em uma data futura. Chamar Ramsay e Mosley como testemunhas de defesa também não ajudou. O júri a considerou culpada por todas as acusações.

Kent foi condenado a sete anos de prisão. No final da guerra, ele foi deportado para os Estados Unidos, onde as autoridades se recusaram a apresentar queixa. Seus pontos de vista permaneceram fanaticamente de direita e foi submetido a seis investigações do FBI entre 1952 e 1963, as quais terminaram inconclusivas.

Anna Wolkoff foi condenada a dez anos de serviço penal. De fato, ela se juntou a outros que foram presos por ferir os Regulamentos de Defesa em uma prisão em Aylesbury. Lá, ela passou os dias lendo, costurando e jardinando. Em sua libertação, em junho de 1947, ela foi destituída de sua cidadania britânica. Amigos da família em Cricklewood a acolheram, mas ela manteve contato com seus amigos fascistas e o MI5 continuou a mantê-la sob vigilância. Ela se mudou para um apartamento velho em South Kensington, mas seu retorno à costura foi dificultado pelas autoridades que se recusaram a permitir que ela disfarçasse sua identidade. Ela morreu em um acidente de carro na Espanha, em 1973.

CAPÍTULO 4

ALGUM TIPO DE PERVERSIDADE

―――――◆◇◆―――――

Dorothy Pamela "Sweet Rosie" O'Grady trabalhou como prostituta antes de se envolver em espionagem. Ela foi conhecida por suas estranhas tendências sexuais. Quando esteve presa por espionagem, dormia nua debaixo da cama e se mantinha amarrada em posições dolorosas durante horas. O médico da prisão relatou que O'Grady inseria um acervo alarmante de objetos em sua vagina. Uma lâmpada, mais de 50 pedaços de vidro quebrado, 100 pinos e uma pequena panela foram recuperados. A própria Dorothy disse que ela "devia estar sofrendo de algum tipo de perversão".

Ela também afirmou que sua suposta espionagem foi uma piada - uma piada que quase lhe custou a vida. Como outros julgamentos de espionagem realizados durante a guerra, os procedimentos foram realizados a portas fechadas; por isso, aqueles que não participavam de suas audiências, ignoravam-na como uma infeliz fantasista.

No entanto, quando os documentos sobre o caso foram divulgados, em 1995, descobriu-se que Dorothy havia desenhado mapas das defesas costeiras da Grã-Bretanha que se mostraram "extremamente precisos" e "seriam de grande importância para o inimigo".

Aparentemente, também sentia uma excitação sexual por suas atividades de espionagem, estimulando-se pela ideia de que poderia ser executada por sua traição.

CAPÍTULO 4

INÍCIO DIFÍCIL

Conhecida no serviço secreto como "Sweet Rosie O'Grady", Dorothy teve um passado conturbado. Adotada quando criança, em 1897, por um casal chamado George e Pamela Squire, que morava perto de Clapham Common, no sul de Londres, ela foi educada em uma escola local do convento. Pamela morreu quando Dorothy tinha dez anos e George, que era chefe de biblioteca no repositório do Museu Britânico em Hendon, contratou uma empregada com quem ele se casou. A madrasta de Dorothy foi cruel com ela. Ela puxava os cabelos dela e dizia que os Squires não eram seus pais verdadeiros.

"Foi um choque terrível", disse Dorothy.

Aos 13 anos, ela foi enviada para o *St. John's Hostel*, uma escola de preparação para meninas que trabalhariam no serviço doméstico. Aos 17 anos, foi trabalhar como empregada do reitor da Igreja de Cristo em Harrow, no noroeste de Londres. Nunca mais viu seu pai adotivo.

Ela, então, começou uma carreira no crime. Em 1918, foi condenada por falsificar notas e foi enviada a uma detenção juvenil. No tribunal, seu endereço foi dado como *London Female Preventative & Reformatory Institution* (*Friendless and Fallen*). Ela voltou para lá depois de cumprir 19 meses.

Em 1920, enquanto trabalhava em Brighton, foi condenada por roubar roupas e sentenciada a dois anos de trabalho forçado. Quando terminou, ela se voltou para a prostituição e, entre 1923 e 1926, compareceu ao tribunal quatro vezes por buscar clientes no Soho, uma área de Londres considerada um campo fértil de recrutamento de espiões. Os registros de sua prisão mostram que ela, às vezes, usava o pseudônimo de Pamela Arland, um nome que usaria novamente durante sua carreira em espionagem.

Na primeira vez em que foi detida por prostituição, ela se declarou inocente, embora não contestasse a acusação em ocasiões subsequentes. Mais tarde, em cartas da prisão, Dorothy disse que esperou anos para se vingar por ter sido condenada injustamente pela primeira vez. Sua amargura foi fomentada pelo fato de um filhote de cachorro que ela amava ter morrido, porque não havia ninguém para cuidar dele enquanto ela estava em prisão preventiva. Ela alegou que, na noite da prisão, só havia saído para a rua porque o filhote estava doente e procurava uma farmácia. Em uma carta escrita na prisão, datada de 21 de novembro de 1940, ela disse: "Você pode pensar que isso é bobagem e, como você diz, uma razão irremediavelmente inadequada para o que eu fiz, mas ele era tudo que eu tinha e eu amava aquele cachorro mais do que qualquer coisa no mundo, e não havia nada que eu não fizesse, na época, para me vingar de sua morte".

Em outra carta, ela disse: "Não tenho desejo em ajudar este país. Eu o odeio demais, ou melhor, as suas autoridades, para querer ajudá-los. Eu esperei 16 anos por isso".

Ela nunca perdoou os britânicos pela morte de seu cachorro e sentiu que se aliar à Alemanha nazista lhe daria a oportunidade de revidar o governo que odiava.

ESPICLISTAS

Em 1926, logo após sua libertação, ela se casou com Vincent O'Grady, bombeiro 20 anos mais velho. Quando ele se aposentou, eles se mudaram para a Ilha de Wight, onde administraram Osborne Villa, uma pequena pensão na Broadway, em Sandown. Lá, eles atendiam a um grande número de turistas alemães que visitavam a ilha sob o programa nazista *Kraft durch Freude* - Felicidade Através da Força. Claramente, os O'Gradys teriam sido expostos a propaganda improvisada. Alguns de seus convidados teriam sido membros da Juventude Hitlerista em passeios de bicicleta. Uma revista alemã de ciclismo dizia aos seus leitores que visitavam a Grã-Bretanha e outros países estrangeiros para "tomar nota dos nomes de lugares, rios, mares e montanhas. Talvez, você possa utilizá-los em algum momento para o benefício da Pátria". O jornal *Daily Herald* os chamava de "espiclistas".

A Ilha de Wight era estrategicamente importante quando se tratava de invasões. Os franceses a atacaram durante a Guerra dos Cem Anos (1337-1453). Em 1377, forças francesas e castelhanas sitiaram o castelo Carisbrooke. Henrique VIII fortaleceu ainda mais a ilha para proteger a base naval de Portsmouth, ajudando a defendê-la dos franceses na Batalha do Solent, em 1545, onde a famosa *Mary Rose* foi abatida. Uma grande guarnição foi posicionada na ilha durante uma ameaça de invasão francesa, em 1759. Havia mais temores de uma invasão francesa na década de 1860, quando novas fortificações e canhões foram adicionados. As defesas foram novamente fortalecidas nos primeiros anos do século XX. Estas foram desfeitas após a Primeira Guerra Mundial, apenas para serem refeitas em 1938, à medida que a situação internacional piorava. A praia de oito milhas e meia de Sandown Bay, que ia de Culver Down e Yaverland a Shanklin e Luccombe, seria o local ideal para desembarcar e, de sua modesta casa em Sandown, Dorothy O'Grady estava bem posicionada para observar a construção das defesas lá.

Parece que algo deu errado com o casamento dos O'Gradys. Dorothy deixou a Ilha de Wight temporariamente e, mais tarde, disse ao *Daily Mail* que havia morado com um holandês antes da guerra e que um amigo holandês havia sido enforcado durante o conflito. É verdade que dois espiões holandeses - Carl Meier e Charles van den Kieboom - foram executados na prisão de Pentonville em dezembro de 1940, com base no Ato de Traição. Mais tarde, Dorothy disse ao MI5 que havia sido recrutada por seus amigos holandeses. "É improvável que O'Grady estivesse fantasiando, pois essas duas execuções não foram amplamente divulgadas na época", escreveu o *Mail*.

Com o início da guerra, Vincent O'Grady foi convocado para o serviço em Londres e Dorothy retornou a Sandown. Com o marido ausente, ela só tinha o *retriever* preto Rob para lhe fazer companhia. Ela o levava para caminhadas diárias na praia, embora, sob os regulamentos da guerra, as praias estivessem com acesso limitado a civis.

CRUZANDO A LINHA

Sandown Bay foi defendida pela 12ª Brigada de Infantaria. Ao longo da praia, havia defesas antipouso, obstáculos antitanque, minas, arame farpado, casamatas de concreto, trincheiras, canhões navais da Primeira Guerra Mundial, artilharias antiaéreas e holofotes, juntamente com um *Chain Home*, estação de radar experimental para detectar aeronaves de embarque e de voo baixo em Culver Cliff, ao lado da estação sem fio da Marinha Real. Equipamentos modernos haviam sido instalados sob o *Culver Fire Command* e seções dos píeres de Sandown, Ventnor e

Shanklin haviam sido removidas para impedir que fossem usadas pelo inimigo como lugar de desembarque.

Em 9 de agosto de 1940, O'Grady ignorou um sinal de "não ultrapasse» e atravessou o arame farpado em Yaverland. Na praia, ela foi parada por esquadrões dos fuzileiros reais de Northumberland. Esta foi a terceira vez que ela tinha sido vista e eles disseram que teriam que relatar o ocorrido. Ela ofereceu dez xelins (nominalmente 50p - talvez valendo cerca de £ 26 / $ 33 hoje). Eles recusaram a propina e a escoltaram até a delegacia de Bembridge, a 5 km de distância.

Depois de anotarem seu nome e endereço, ela foi revistada. Um pequeno broche de suástica foi encontrado embaixo da lapela do casaco, junto com bandeiras de papel nazistas. Ela estava carregando uma lanterna, um lápis e um caderno contendo desenhos detalhados das defesas e mapas da Baía de Sandown. Embora ela tenha sido considerada pouco mais do que um incômodo, a princípio, foi convocada para comparecer no tribunal de magistrados de Ryde em 27 de agosto, acusada pelo Regulamento de Defesa de "entrar na faixa litorânea, contrária ao Regulamento 16a e agir de maneira a evitar ou interferir com o desempenho das Forças HM". Ela não compareceu ao tribunal.

A polícia foi enviada para buscá-la. Na casa dela, encontraram um bilhete na porta dizendo: "Sem leite até eu retornar".

Ao fugir, Dorothy tornara o assunto muito mais sério. Agora, ela era uma fugitiva e a polícia a considerava traidora e quinta-colunista. A caçada resultante se estendeu pelo sul da Inglaterra, caso ela tivesse escapado da ilha, embora isso fosse improvável. Era necessária uma permissão para viajar de e para a Ilha de Wight, e esta precisava ser mostrada no porto da balsa. O MI5 obteve um mandado para verificar sua correspondência.

Dorothy levou Rob com ela para ficar na Latton House, uma casa de hóspedes em Totland Bay, do outro lado da ilha. Ela se registrou sob o nome de Pamela Arland. A península *Freshwater* também foi fortemente defendida. Durante suas três semanas de estadia, ela foi vista novamente andando em áreas restritas. Ela também praticou atos de sabotagem. Usando um cortador de unhas, ela cortou os fios que ligavam os holofotes às artilharias. Com a ajuda de estudantes locais, a quem ela subornou, fez mapas dos locais das artilharias. E ela tentou subornar o policial que havia tentado prendê-la em Alum Bay com chocolates e cigarros.

CAPÍTULO 4

Na Latton House, a polícia a pegou tentando jogar papéis no vaso sanitário. Ela disse aos oficiais que vieram prendê-la que eles seriam "exterminados" quando os alemães chegassem. Um deles perguntou: 'Você considerou que estava ajudando este país ao cometer esses atos?' Ela respondeu: 'Quem quer ajudar?'

No carro da polícia, a caminho de Yarmouth, ela pegou 20 comprimidos de efedrina da bolsa e os engoliu. Uma busca em seu quarto encontrou mais cadernos contendo mapas copiados mostrando os locais das artilharias, estações de radar e quartéis militares. A pergunta era: ela estaria agindo sozinha? Em uma carta ao marido, ela perguntou se mais alguém havia sido pego. Em outros documentos, ela alegou ser membro de um grupo de quatro espiões, embora não soubesse os nomes dos outros três.

Mas, como ela estava se comunicando com eles ou seus empregadores? Ela não tinha comunicação sem fio e não havia provas de que estaria enviando mensagens codificadas pelo correio. Ela disse ao MI5 que entregara desenhos e mapas a um agente alemão que desembarcava em terra no meio da noite. Isso era improvável, pois a Ilha de Wight era fortemente vigiada. No entanto, o MI5 admitiu que as informações que ela reuniu eram muito precisas e seriam de grande utilidade para o inimigo em caso de invasão. Ela foi acusada de nove violações da Lei dos Segredos Oficiais de 1911, da Lei de Regulamentos de Defesa de 1939 e da Lei de Traição de 1940. Isso incluía "conspiração com a intenção de ajudar o inimigo; elaborar um plano que pudesse auxiliar as operações do inimigo; intenção de impedir as Forças Armadas Britânicas cortando um fio de telefone militar; forçar uma escolta militar; aproximar-se de um lugar proibido para fins prejudiciais ao Estado; criando um plano de potencial uso pelo inimigo; atos que pudessem ser prejudiciais à defesa da nação; sabotagem e posse de um documento com informações que se relacionavam com as medidas de defesa da nação". Quatro das acusações resultaram em pena de morte.

CONDENADA À MORTE

Ela foi julgada em Winchester, em 16 de dezembro de 1940. No dia seguinte, o espião holandês Charles van den Kieboom foi enforcado. O julgamento de Dorothy foi privado. Como não foram encontradas evidências de que ela havia transmitido as informações coletadas, ela foi julgada mais como sabotadora do que como espiã. Ela se declarou inocente e o julgamento durou dois dias. Ela foi considerada culpada de cortar linhas telefônicas militares e desenhar mapas que seriam úteis ao inimigo em caso de invasão. O juiz vestiu seu "boné" preto e a condenou a ser enforcada em 7 de janeiro de 1941. Dezoito espiões foram condenados à morte pelos tribunais britânicos durante o curso da guerra. Dorothy foi a única mulher a ser condenada à morte. Aguardando execução, ela foi enviada para a prisão feminina de Holloway, em Londres, onde foi acusada de sinalizar para aviões alemães enquanto bombardeavam a capital.

Mais tarde, Dorothy disse: "A emoção de ser julgada pela minha vida foi intensa. O momento supremo chegou quando um funcionário ficou atrás do juiz e colocou o 'boné' preto antes de pronunciar a sentença de morte. O homem não colocou o 'boné' direito. Ele passava por um dos olhos do juiz e parecia tão engraçado que eu estava rindo por dentro e tive dificuldade para não rir alto. Era difícil conter o riso e parecer séria e solene como eu sabia que era esperado de um espião. Achei decepcionante ser enforcada em vez de baleada. Minha próxima decepção foi saber que eles colocariam um capuz na minha cabeça e amarrariam minhas mãos nas costas antes de me levar para o cadafalso. Isso me chateou. Protestei: 'Qual é a vantagem de ser enforcado se não consigo ver o que está acontecendo?'".

O advogado de Dorothy recorreu da sentença, argumentando que o juiz havia desorientado o júri, enquanto a promotoria escrevia ao Ministério do Interior dizendo que se o caso fosse adiado, encorajaria os alemães a usar mais espiãs femininas. Mas, o recurso foi bem-sucedido e sua sentença foi comutada para 14 anos na prisão de Aylesbury, em Buckinghamshire. O relatório de um psicólogo da prisão disse que ela era "uma mulher profundamente perturbada que se machucava regularmente e teve ataques nos quais ela tinha que 'obedecer a pessoas' dentro dela e que a incentivam a fazer atos prejudiciais a si mesma".

Enquanto estava detida, Dorothy escreveu ao marido dizendo que estava "explicando tudo pela primeira vez". Isso representou uma confissão completa. Ela enviou outra confissão ao Secretário do Interior, que concluiu com as palavras: "Eu sei que agi de maneira tola, mas não percebi a gravidade de meus atos, na época".

Ela serviu apenas nove anos e se aposentou em Osborne Villa, na Ilha de Wight, onde foi evitada por outros moradores que estavam convencidos de que ela era uma traidora. Ela deu uma série de entrevistas em jornais, tentando convencer o público de que estava apenas fingindo ser uma espiã, porque isso a fazia se sentir importante. Após sua morte em 1985, Barry Field, o parlamentar da ilha de Wight, tentou provar sua inocência. Mas, quando abriu o arquivo dela, ele disse que ficou chocado com a profundidade de sua traição.

O escritor Adrian Searle, que também examinou o arquivo, disse: "Eu sempre tive uma mente aberta sobre ela, mas com essa evidência, particularmente os mapas detalhados que foram claramente feitos por alguém treinado na coleta de informações, o dedo aponta firmemente para a conclusão de que ela era uma espiã".

Após a guerra, ela tinha dado, deliberadamente, a impressão de ser uma excêntrica inofensiva com uma perigosa fantasia de guerra - uma conveniente história para disfarçar sua macabra atividade pró-nazista. Em seu livro *The Spy Beside the Sea*, Searle catalogou as evidências contra ela: "Uma série de declarações de testemunhas mostrou que sua tentativa de suborno na praia de Yaverland não foi um incidente isolado. Ela tentou várias vezes obter acesso a áreas dentro de zonas militares, oferecendo aos soldados chocolates ou cigarros em seus esforços para reunir as informações altamente secretas de que precisava para seus mapas e desenhos a lápis. Seu grau de sucesso foi amplamente demonstrado pela profundidade dos detalhes que ela foi capaz de incluir em seu mapa da área costeira particularmente crucial em torno de Sandown Bay, uma das principais evidências no caso da promotoria. Embora, em alguns casos, a clareza fora sacrificada pela enorme quantidade de informações que ela escolheu incluir, o mapa era, devido a isso, um guia abrangente para a geografia e as instalações militares em vigor naquele período vital - a partir da posição das artilharias e holofotes para a localização de obstáculos de arame farpado; da presença de tropas ao número de soldados dormindo em um determinado momento; desde caminhões aparentemente camuflados por árvores até a inclinação das costas".

CAPÍTULO 5

UM CASAMENTO DE CONVENIÊNCIA

Marie Louise Augusta Ingram era uma das muitas jovens mulheres que emigraram da Alemanha após a Primeira Guerra Mundial na esperança de encontrar uma vida melhor na Grã-Bretanha. Para permanecerem no país, casaram-se com homens britânicos. Marie aproveitou a oportunidade para conhecer seu futuro marido, um sargento da RAF, em 1922, enquanto ele servia em Cologne.

Marie era instruída e, quando foi presa, disse que seu pai era diretor das Ferrovias do Reich e que seu cunhado pertencia ao estado maior alemão. No entanto, na Grã-Bretanha, ela trabalhava como empregada doméstica para pessoas que trabalhavam em serviços públicos, especialmente nos departamentos mais cruciais. Em 1940, ela morou em Southsea, perto da base naval de Portsmouth, e trabalhou como empregada geral de um proeminente oficial da marinha que estava envolvido em um trabalho importante para o Almirantado. Ela também estava perto de William Swift, que trabalhava como lojista no estaleiro naval e de Archibald Watts, secretário distrital da União Britânica Fascista (*BUF*).

Marie tentou obter informações sobre tanques de um cabo Baron no *Royal Tank Corps* e disse que sabia como transmitir as informações para a Alemanha. Ela fora apresentada ao Baron por um homem chamado Cecil Rashleigh, a quem ela pediu para ingressar no *BUF*. Rashleigh foi à casa de

Marie Ingram juntou-se à União Britânica Fascista. Trabalhou como empregada para um oficial da marinha de destaque, envolvido em um trabalho importante para o Almirantado.

Watts e se alistou, embora Marie tivesse lhe dito: "Watts não tem coragem. O homem de ação neste distrito é Swift".

Na casa de Watts, Rashleigh ouviu-o conversando com quatro soldados que "desrespeitavam o rei e o exército". Watts deu a eles cópias do jornal do *BUF, Action*.

Em 18 de maio de 1940, Marie disse a Rashleigh que dentro de três semanas a Inglaterra seria invadida pela Alemanha. Segundo Swift: "Este governo caiu nas mãos do nosso partido; ao se inscrever nos Voluntários de Defesa Local [*LDV*], você pode obter armas e munições".

O *LDV* ou a Guarda Nacional era comumente chamado de "Exército do Papai". Swift disse que as armas e munições poderiam ser usadas para proteger as tropas alemãs paraquedistas quando aterrissassem. Rashleigh ingressou no *LDV*, escondendo o cartão de sócio do *BUF* atrás de uma foto em sua casa, seguindo o conselho de Swift.

"A senhora Ingram me disse que, atualmente, Mosley e Hitler pareciam irmãos", disse Rashleigh. Swift havia dito a ele que altos funcionários do Portsmouth Guildhall eram membros do *BUF*, mas ele não mantinha nada escrito, caso sua casa fosse invadida. Swift disse: "Hitler não negociaria com ninguém neste país, exceto Sir Oswald Mosley, o líder".

Swift negou o envio de soldados à Marie Ingram e negou ter falado com algum soldado sobre a obtenção de manuais de projetos. No entanto, é claro que ela foi um dos muitos espiões empregados na vigilância do porto. No período que antecedeu a invasão pretendida, era vital estar ciente do envio de tropas ao redor dos portos e das instalações defensivas da região.

Marie foi presa depois de conversar com um homem que pintava o bloco de apartamentos onde trabalhava. Mais tarde, o homem disse à polícia que a Sra. Ingram havia dito que era alemã e leal ao regime nazista e que a guerra havia sido provocada por judeus, comunistas e maçons.

Na sua opinião, Churchill era "um desastre para o povo 100% britânico" e a Grã-Bretanha ficaria melhor sob um regime fascista. "Os alemães estarão na Inglaterra dentro de três semanas", disse ela. "A Família Real e o Gabinete serão executados publicamente e Oswald Mosley se tornará o governante da Grã-Bretanha sob controle alemão".

Sir Oswald Mosley, fundador da União Britânica Fascistas, com quatro guarda-costas. Ingram acreditava que Mosley se tornaria soberano da Grã-Bretanha sob controle alemão.

Marie exaltou as virtudes do *BUF*, convidou o pintor e decorador para se alistar e deu-lhe o endereço de Watts. Ele foi direto para a delegacia. Então, sob sugestão do *Special Branch*, ele participou de reuniões do *BUF*, onde lhe disseram: "Informe-nos quais barcos estão partindo, que cargas transportam, quantos homens estão nas tropas". Essa informação, segundo ele, foi transmitida a outros agentes, por cabo ou telefone codificado.

Marie também se gabava de ter conseguido boas informações que enviou para fora do país. Ela pediu ao pintor que ficasse de olho em homens frustrados, que estariam prontos para ingressar no *LDV*, pois era importante ter o maior número possível de conspiradores armados para ajudar as forças alemãs quando a invasão começasse.

O cabo Baron, também, forneceu informações valiosas. Depois de se infiltrar no *BUF* local, ele foi informado por Swift de que o trabalho principal deles era ajudar os paraquedistas alemães que desembarcariam em julho ou agosto. A data exata deveria ser transmitida a ele por rádio. Baron contatou Whitehall e as autoridades aproveitaram a oportunidade.

Na casa de Marie Ingram, foram encontradas uma fotografia de Hitler e duas bandeiras suásticas, juntamente com a tradução de um discurso de Hitler e um livro em alemão contendo exercícios elementares. Em seu julgamento em Old Bailey, em junho de 1940, Marie admitiu espionagem e tentou usar a corte como tribuna para suas visões nazistas. Ela se gabou das vitórias alemãs e disse que o tribunal poderia condená-la e dar-lhe a sentença que quisesse - ela estaria livre dentro de um mês "quando a suástica sobrevoar Londres".

O oficial da marinha que a empregava estava trabalhando no projeto de minas e sua casa dava para o Solent, de modo que ela tinha uma visão clara das entradas e saídas dos navios. Era evidente que ela também era o cérebro por trás do recrutamento de novos membros do *BUF* (a organização foi proibida em maio de 1940).

Marie foi condenada a dez anos de servidão penal. Swift foi sentenciado a 14 anos, enquanto Watts foi liberado devido à falta de evidências.

CAPÍTULO 5

Quando Marie foi levada, ela disse: "Dez anos! Estarei livre em algumas semanas, quando o *Führer* chegar aqui". Ela deixou a corte com um desafiador "Heil Hitler!". Não é necessário dizer que ela não ficou livre em poucas semanas e seu apelo, em 27 de agosto de 1940, foi julgado improcedente.

CAPÍTULO 6

A BELA ESPIÃ

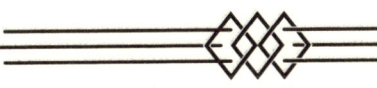

Enquanto Dorothy O'Grady e Marie Ingram usavam o casamento para se colocarem em posição de espionagem, Vera von Schalburg foi uma verdadeira sereia que usava seu apelo sexual para progredir na sua carreira em espionagem. Como O'Grady e Anna Wolkoff, ela acabou na prisão de Aylesbury.

Vera foi conhecida por vários pseudônimos - Vera Eriksen (às vezes escrita como Erichsen ou Eriksson), Vera von Stein, Vera de Cottani de Chalbur, Vera Staritzky e Vera von Wedel, ou Schalburg. Seu nome de nascimento, von Schalburg, também foi traduzido como Shalburg ou Schalbourg. Mas, a única coisa com que todos que a conheceram concordavam é que ela era linda. Em 1972, o mestre de espionagem da Abwehr, Nikolaus Ritter, também conhecido como Dr. Rantzau, escreveu em seu livro de memórias Deckname Dr. Rantzau que ela foi "uma das nossas agentes femininas mais notáveis e bonitas. Dificilmente havia um homem que não ficasse fascinado por ela". Sua bela aparência eslava lhe dava um ar de mistério que fazia o sangue dos homens ferverem. O ex-oficial da *OSS* (Agência de Serviços Estratégicos), Tom Moon, chamou-a de "linda loira nórdica". Mas, se ela era loira ou não é uma questão de discussão.

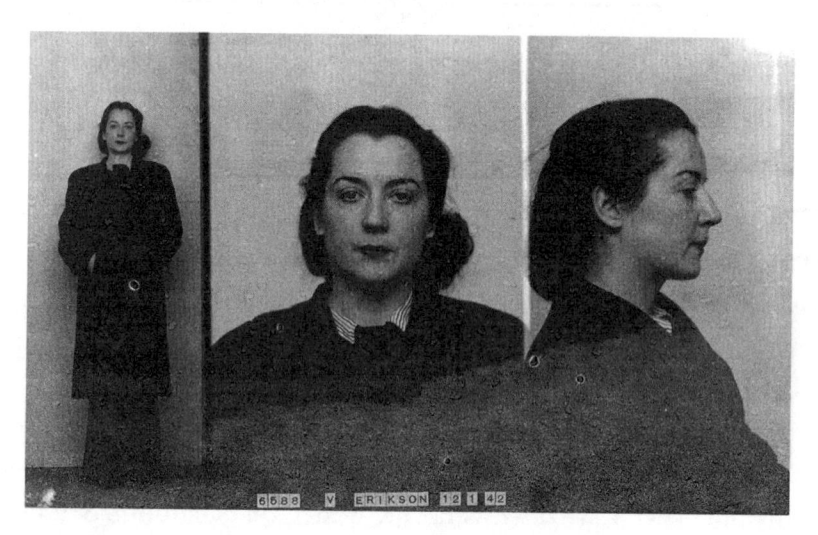

Vera von Schalburg (nesta foto que ela foi identificada como V. Erikson) foi uma verdadeira femme fatale - dizia-se que "dificilmente existia um homem que não ficasse fascinado por ela".

ORIGENS MISTERIOSAS

Como muitos espiões, Vera tinha um passado apropriadamente nebuloso. É comumente aceito que ela nasceu na Sibéria, embora alguns considerem seu local de nascimento a cidade de Kiev,' na Ucrânia, pois sua mãe era membro da aristocracia polaco-ucraniana. O pai dela foi, talvez, um industrial dinamarquês expatriado. Seu arquivo do MI5 pouco esclarece a questão, dizendo: "Sua origem é um mistério e sua paternidade é duvidosa. É evidente que ela é parcialmente não-ariana. Ela afirma que o nome de seus pais era STARITZKY e que ela foi adotada na Rússia por russos de origem alemã chamados von Schalbourg, que deixaram o país na época da Revolução em 1918 e se estabeleceram na Dinamarca, onde assumiram a nacionalidade dinamarquesa".

Moon disse que Vera era "filha de um oficial da marinha russa que morreu lutando contra os bolcheviques". Também, há histórias de que ela nasceu ilegitimamente, foi adotada ainda pequena e que seus pais verdadeiros eram judeus.

Uma fonte disse que ela nasceu em 23 de novembro de 1907, embora, quando fora capturada, Vera dissera ao MI5 que tinha nascido em dezembro de 1912. A verdade pode permanecer um mistério, pois mulheres bonitas tendem a ser mentirosas quanto à idade - e os espiões mentem. A historiadora militar húngara, Ladislas Farago, disse que ela era "filha de um aristocrata do Báltico e oficial da marinha czarista" e seu verdadeiro nome era Vera ou Viola de Witte.

Segundo um relato, ela cresceu com muito luxo na corte do czar em São Petersburgo. Depois que seu pai foi assassinado pelos bolcheviques, durante a revolução, sua mãe apelou para um antigo namorado que se tornara um oficial comunista. Ele providenciou dinheiro, passagens e a documentação apropriada para a família fugir para Paris. De alguma forma, no início dos anos 1920, foram parar na Dinamarca, onde compraram uma fazenda na península da Jutlândia.

Ficou claro que Vera era bem-educada e culta. Ela tinha um amplo conhecimento de música, literatura e história, falava russo como língua materna, além de alemão, francês, inglês, dinamarquês e conhecia latim.

CAPÍTULO 6

Durante o ano de 1924, Vera estava em Paris. Seu irmão Christian von Schalburg permaneceu na Dinamarca, onde se tornou um soldado ligado ao Royal Life Guards, um regimento de infantaria do exército dinamarquês; ele acabou se tornando um líder nazista. Já foi sugerido que ele se juntou aos *Waffen-SS* para vingar o estupro coletivo de sua irmã Vera pelos bolcheviques, quando ela tinha seis anos, que ele foi forçado a assistir amarrado a uma cadeira. Lutando com a 5ª Divisão SS Panzer *Wiking* como *SS-Hauptsturmführer* (capitão), ele foi morto em ação na Rússia, em junho de 1942. Por instigação de Himmler, o nome da *Germanische SS* foi alterado para *Schalburgkorps* em sua homenagem.

UM AR SEDUTOR

Depois de treinar em uma escola de ballet em Paris, Vera se tornou uma bailarina profissional com a ajuda de Anna Pavlova. Ela viajou pela Inglaterra em 1927 com a companhia de ballet Trefilova e, depois, apareceu com o Ballets Russes em Paris. Para ganhar dinheiro extra, ela trabalhou no Folies Bergère e no Moulin Rouge, bem como em cabarés.

Sua cunhada dissera, mais tarde, que em uma visita à Alemanha, Vera teria engravidado de um capitão de submarino. Ladislas Farago tinha um relato diferente: "Enquanto ela ainda estava terminando a escola", disse ele, "ficou apaixonada por um francês muito mais velho e, quando sua mãe se recusou a permitir que ela se casasse com ele, fugiram... Abandonada por seu amante francês, foi deixada aos cuidados competentes de uma jovem bonita e encantadora, com um ar sedutor. Mas, de alguma forma, Vera se sentia mais à vontade na sarjeta do que nas salas de estar. Ela foi de cama em cama, dançou em cabarés surrados e viveu com uma sucessão de pretendentes esquálidos, na miséria das favelas de Montparnasse".

Durante suas idas e vindas, ela atraiu a atenção do conde Sergei Ignatieff, um espião profissional que trabalhava para os Russos Brancos e, provavelmente, um agente duplo que também trabalhava para os Vermelhos. Como atividade secundária, ele usava e traficava cocaína. Vera trabalhou como mula das drogas para ele, levando droga para várias cidades europeias e, possivelmente, também se tornou viciada. Há, também, uma sugestão de que ela espionava os comunistas na França para ele.

Em 1937, eles moravam juntos em Bruxelas e podem até ter se casado. O relacionamento durou pouco tempo, no entanto. Quando ela terminou a relação, alegou que ele havia tentado esfaqueá-la. Segundo Vera, Sergei retornou à Rússia, onde foi executado como espião pelos soviéticos. Enquanto isso, ela foi trabalhar para o *Abwehr*. Ela disse que foi recrutada por um engenheiro dinamarquês chamado Capitão Winding Christensen, também conhecido como Dr. Kaiser e, também, que talvez usasse o pseudônimo Jørgen Børresen. Ele a apresentou ao Dr. Rantzau - Nikolaus Ritter, da inteligência militar alemã. Nazista comprometido, Christensen fez experimentos com tratamento hormonal em homossexuais em campos de concentração.

ESPIONANDO COMUNISTAS

Vera disse ao MI5 que havia descoberto que estava em uma lista negra nazista, suspeita de espionar para a União Soviética. Então, ela entrou em contato com o irmão, que marcou uma reunião com o major Hilmar Dierks, oficial de inteligência do escritório de *Abwehr* em Hamburgo. Dierks a contratou como agente para espionar os comunistas na Bélgica. Vera tornou-se sua amante; novamente, eles podem ter se casado e houve uma alegação não provada de que ela teve uma filha com ele, porém, os detalhes de sua vida amorosa permanecem obscuros. Ela disse ao MI5 que era casada com um tal de Zum Stuhrig (um apelido usado por Hilmar Dierks), mas não conseguia se lembrar da localização do cartório, nem da idade do noivo e, finalmente, admitiu que, talvez, eles não tivessem se casado.

Em outra versão dos fatos, o oficial de *Abwehr* em questão era Hans Friedrich von Wedel, com quem Vera se casou em 1937, aos 24 anos e ele aos 60. Ela ficou viúva após um acidente de carro em 1940. Mas, Wedel era outro apelido usado por Dierks. Os relatos conflitantes das atividades de Vera no mundo obscuro da espionagem continental foram persistentes devido aos vários pseudônimos usados, mas ficou claro que ela era mais do que aparentava ser.

CAPÍTULO 6

Em outra história, ela descreveu sua mãe levando-a para Bruxelas, onde trabalhou em um restaurante russo. Sozinha, mudou-se para Londres, onde trabalhou em boates e aperfeiçoou o inglês, apenas para ser atraída de volta a Paris por um caso de amor com um francês. Eles se tornaram uma dupla no circuito de cabaré, enquanto amigos russos a convenceram ou a chantagearam a trabalhar para a polícia secreta.

Mais uma vez, suas performances no palco atraíram admiradores. Um senhor Mueller a cobriu com champanhes. Ele dizia ser um rico empresário alemão que exportava casamatas para a França e os Países Baixos. Num acesso de ciúmes, o amante que a acompanhava atacou Vera com uma faca. Mueller o dominou e o amante foi preso. De volta ao hotel, Mueller revelou que seu nome verdadeiro era Hilmar Dierks e ele estava na seção naval do *Abwehr*. Ele a apresentou a Karl Drücke - às vezes escrito Druegge - e a Robert Petter. Com Dierks, eles administravam uma rede de espionagem nos Países Baixos e na França que ajudaria a garantir a vitória alemã local em 1940.

Vera se mudou para o apartamento de Dierks e viajaram juntos pela Europa. Em 1938 ou 1939, ela viajou para Londres novamente para fazer contato com espiões alemães e com outros simpatizantes nazistas. Parece que ela também estava trabalhando para o colega de Dierks, Nikolaus Ritter, que estava empenhado em reunir informações para a *Luftwaffe*. Ela ficou com a duquesa de Château-Thierry, um dos contatos de Ritter em Londres, que conhecia vários oficiais da RAF. O plano era que a duquesa abrisse uma "sala de chá" e convidasse oficiais para que Vera pudesse encantá-los com sua beleza. Há informações de que Vera fotografou documentos confidenciais que obteve lá. Ela, também, deveria tomar nota das idas e vindas dos oficiais e tentar recrutá-los para o *Abwehr*.

CONTATOS

Um dos contatos de Vera era o major William Herbert Mackenzie, que manteve uma patente no exército por ter servido no precursor da RAF, o *Royal Flying Corps*. Eles se conheceram em uma festa da duquesa, no verão de 1939. Mackenzie disse ao MI5 que dormiu com Vera, pelo menos, seis vezes e a descreveu como uma "garota muito bonita, que também era esperta, mas não falava muito". Havia outros homens visitantes de uniforme, segundo a duquesa. Também estava à disposição para entreter os jovens cavalheiros das forças, a jovem e bonita condessa Costenza, que foi vista com oficiais em bares e clubes. A duquesa disse que ela era uma "garota decente", mas "não o estilo de garota com quem eu sairia", enquanto o MI5 a descreveu como "outra pessoa que se interessa internacionalmente pela London Society... [alguém que] parecia ter uma certa atração particular, mas... não era Mata Hari". No entanto, o especialista em inteligência, Nigel West, insistia que ela era uma agente da *Abwehr* que, de acordo com os arquivos de segurança, tinha muitos pseudônimos.

Outro membro da equipe era Lady Mayo, que estava noiva de um soldado francês. De acordo com o MI5, Lady Mayo "parece estar acompanhando oficiais da Escócia e incentivava certas jovens suspeitas, que estavam com ela, a aliviar esses oficiais de toda a sua riqueza. Ela é uma mulher bêbada e devassa".

Alguns parecem ter sido agentes trabalhando para Ritter. Discutia-se sobre materiais sensíveis e, quando a guerra chegou, a duquesa de Château-Thierry e a condessa Costenza foram presas.

Parece que durante a sua estadia com a duquesa, Vera deu à luz um filho que ela enviou para um orfanato em Essex. Há muitas especulações sobre quem era o pai.

Vera voltou ao continente no início da guerra. A duquesa disse que Vera estava apaixonada por um belga e pediu que ela voltasse para sua mãe em Bruxelas. O belga em questão, talvez, fosse Drücke. Mais tarde, pensou-se que Vera estivesse grávida dele.

De volta a Bruxelas, em agosto de 1940, Dierks disse a Vera que ele tinha que deixá-la para ir em uma missão secreta. Ela o acusou de inventar uma história para fugir com outra mulher. Mas, ele disse que estava indo para a Inglaterra com Drücke e Petter: "Você sabe que sou especialista em assuntos navais e que fui mandado para sabotar instalações navais na Inglaterra". Parece que ela não acreditou nele. Quando chegou em casa

CAPÍTULO 6

do trabalho, no dia seguinte, ele teve que arrombar a porta e a encontrou inconsciente. Ela engolira meio frasco de comprimidos para dormir. Ele a levou ao hospital, onde ela se recuperou.

OPERAÇÃO HUMMER NORD

O *Abwehr* repensou seus planos. O general Erwin von Lahousen sugeriu que Dierks levasse Vera com ele em sua missão. O *Abwehr* havia contatado uma condessa italiana em Londres. Antes da guerra, ela herdara uma pequena propriedade nos Alpes da Baviera, mas as restrições da moeda alemã significavam que ela teria dificuldades em vendê-la e transferir o dinheiro para fora do país. O *Abwehr* facilitaria esse processo, desde que a condessa mudasse sua lealdade de Mussolini para Hitler. Vera faria o papel de sobrinha abandonada pela condessa e garantiria uma base para as atividades de sabotagem de Dierks.

A operação teve que ser interrompida brevemente, enquanto Vera frequentava a escola de treinamento da *Abwehr*, em Hamburgo, para aprender código Morse, transmissão de rádio, microfotografia e sabotagem elementar. Em 2 de setembro de 1940, na noite anterior à operação designada Operação Hummer Nord, o *Abwehr* deu aos participantes - Vera, Dierks, Drücke e Petter - uma festa de despedida no restaurante Lowenbrau. Parece que eles beberam muita cerveja bávara misturada com aguardente. Dirigindo para casa, o veículo capotou e Dierks morreu. Os outros três escaparam com ferimentos leves.

Na manhã seguinte, quando soube o que havia acontecido, Lahousen chegou a pensar em cancelar a missão. Mas, a Operação Sea Lion - a invasão da Grã-Bretanha - estava atrasada e Hitler estava desesperado por um quadro mais preciso do que estava acontecendo do outro lado do Canal. O *Abwehr* ainda tinha três agentes treinados e um plano viável. Naquela noite, eles foram levados de avião para Stavanger, na Noruega, para fazer a passagem para a Escócia.

Schalburg viajaria como Vera Erikson, uma nacional dinamarquesa. Drücke assumiria a identidade de François de Deeker, um refugiado francês que havia chegado na Grã-Bretanha da Bélgica, enquanto Petter seria o suíço Werner Heinrich Walti. Aos três, foram designadas moradias em Sussex Gardens, no distrito de Paddington, em Londres. Eles receberam documentos falsos e tíquetes alimentação; roupas britânicas encontradas na embaixada do Reino Unido em Oslo, após a rápida partida da missão diplomática britânica, em abril passado; equipamentos de comunicação sem fio, mapas e listas de pessoas com as quais deveriam entrar em contato na Grã-Bretanha, juntamente com possíveis alvos de sabotagem.

Na noite de 29 de setembro, eles embarcaram em um hidroavião com destino ao Moray Firth, no nordeste da Escócia. O plano era remar para terra firme em um bote de borracha, levando consigo três bicicletas retiradas do porão do consulado britânico em Bergen. Depois, eles deveriam pedalar 966 km para o sul, em direção a Londres.

O hidroavião desembarcou na costa de Port Gordon, mas o mar estava agitado, as bicicletas foram descartadas ao longo do caminho e os três agentes desembarcaram com seu bote na costa escocesa completamente molhados. Sem as bicicletas, eles teriam que pegar o trem para Londres. Eles decidiram se separar. Petter, que falava inglês bem, seguiu para leste, em direção a Buckie, enquanto Schalburg e Drücke ficaram juntos e viajaram para oeste, em direção a Port Gordon, carregando uma mala grande e duas sacolas menores.

Ambas as estações estavam na linha principal de Inverness para Aberdeen. De Aberdeen, Petter poderia pegar uma conexão para Edimburgo, depois para a Inglaterra, enquanto Schalburg e Drücke pegariam um trem na direção oeste, para Forres. De lá, eles acreditavam que poderiam embarcar em um trem pelo centro de Highlands até Perth e, depois, para Londres.

Sob regulamentos de guerra, nomes de estações e placas de ruas foram removidos na esperança de confundir uma força invasora. Então, quando Schalburg e Drücke chegaram a Port Gordon, por volta das 7h30, eles tiveram que perguntar aonde estavam. A presença de dois estranhos naquela hora da manhã já era suspeita. Perguntado para onde estavam indo, Drücke apontou para um horário na parede que mostrava os horários dos trens para Forres - que ele pronunciava "floresta". Ele, então, abriu a carteira e retirou notas de valor alto demais para adquirir um bilhete de terceira classe em uma

CAPÍTULO 6

viagem de 40 km. O chefe da estação, John Donald, notou que os punhos das calças de Drücke estavam molhados, assim como os sapatos e as meias de Schalburg, no entanto, não havia chovido em Port Gordon naquela manhã.

Enquanto o cabineiro, John Geddes, mantinha uma conversa com os dois estranhos, Donald ligou para o policial da cidade, PC Bob Grieve. Quando ele chegou, Grieve pediu para ver os cartões de identidade do par - o cartão de Registro Nacional que os residentes do Reino Unido eram obrigados a portar durante a guerra. Os cartões que o *Abwehr* havia fornecido eram imitações ruins - os detalhes manuscritos estavam em um formato distintamente germânico e não carregavam o selo de imigração visto nos cartões emitidos para os refugiados.

Grieve acompanhou os desconhecidos até a cabine da polícia em Stewart Street, onde ligou para o inspetor John Simpson para relatar o incidente, enquanto sua esposa lhes preparava uma xícara de chá. Quando Simpson chegou, começou a questionar Drücke - sem sucesso. Schalburg salientou que Drücke não sabia falar inglês. Simpson procurou e descobriu que ele estava carregando uma caixa contendo 19 cartuchos de munição. Ele, então, voltou sua atenção para Schalburg, que disse que era uma viúva da Dinamarca. Simpson examinou seus cartões de identificação novamente e explicou seus defeitos. O casal foi levado à delegacia de Buckie, onde os interrogatórios continuaram. Vera disse que haviam chegado de Bergen em um pequeno barco e haviam passado a noite anterior em um hotel em Banff, a 32 km ao longo da costa. Depois, pegaram um táxi que os deixou a 1,6 km de Port Gordon, que foi percorrido a pé. A história dela não fazia sentido: Banff ficava na mesma linha de trem que Port Gordon e Buckie; e por que eles escolheram andar uma milha com uma mala pesada quando poderiam ter usado o mesmo táxi para todo o percurso?

EVIDÊNCIA INCRIMINADORA

Quando o major Peter Perfect, oficial de segurança regional da Escócia, chegou, as malas foram revistadas. Elas carregavam um transmissor de rádio, baterias, um revólver Mauser carregado, papel milimetrado, folhas de código, uma lista de bases da RAF, uma salsicha alemã, de um tipo impossível de obter no Reino Unido, com uma parte comida, uma faca e uma lanterna carimbadas com "*Hergestellt in Böhmen*" - "Made in Bohemia". Drücke carregava £327, o equivalente a £18.000 / $23.000 hoje, e Vera tinha £72 (£4.000 / $5.100) em sua bolsa.

Mais tarde, naquela manhã, a guarda costeira viu algo flutuando a 365 metros da costa. Provou-se ser a bomba usada para inflar o bote de borracha. O bote perfurado foi encontrado parcialmente submerso nas proximidades, junto com um remo de alumínio identificado por um oficial da RAF como pertencente a um hidroavião alemão. Estava claro como os dois espiões haviam chegado; a pergunta para as autoridades era: havia mais alguém?

Petter chegou a Buckie às 7h45, comprou uma passagem para Edimburgo e pegou o trem das 9h58 para Aberdeen. Ninguém tentou detê-lo, mas a presença de um estranho a bordo do trem foi notada. A polícia de Aberdeen confirmou que o estranho havia pegado uma conexão em Edimburgo, às 13h.

Chegando à estação Waverley, de Edimburgo, às 16h30, Petter foi informado de que o próximo trem para Londres não passava antes 22h. Então, ele deixou sua mala no depósito de bagagem e foi fazer a barba e comer alguma coisa, decidindo passar o resto da tarde assistindo a um filme.

Tendo perdido o suspeito quando chegou à estação de Waverley, o Departamento Especial da Escócia localizou sua mala no depósito de bagagem e notou uma marca branca de maré, indicando que ela havia sido mergulhada recentemente na água do mar. Dentro, havia um transmissor de rádio de fabricação alemã e um livro de códigos, junto com um passaporte suíço sem carimbo de entrada no Reino Unido, comida, um revólver carregado com seis balas, uma caixa contendo outras 20 balas, 190 libras esterlinas (£10.000 / $12.800) em dinheiro e mapas mostrando a localização dos aeroportos. Os mapas eram, supostamente, emprestados do capitão M. Holroyd, do MI14, um ramo da Inteligência Militar especializado na Alemanha. Quando Petter apareceu para recuperar sua mala, a polícia estava esperando-o. Confrontado, Petter puxou um canivete, algo que nunca havia sido visto no Reino Unido. Quando foi desarmado, encontraram um revólver Mauser em seu bolso.

CAPÍTULO 6

Dois pedaços de papel foram encontrados. Um deles tinha o nome do major Harlinghausen; ele era o oficial que comandava a força aérea alemã na Noruega. O outro carregava o nome de outro oficial, Felf, do 10º Corpo da Força Aérea e o de "Andersen, Bergen, Hotel Nord" - presumivelmente um contato na Noruega.

Os três espiões foram levados para o acampamento O2O, o centro de interrogatórios da Latchmere House, no sul de Londres, onde foram interrogados pelo tenente-coronel William Hinchley-Cooke. Após um longo interrogatório, eles finalmente admitiram que sua razão de vir para a Grã-Bretanha era informar-se sobre o transporte marítimo e sabotar as bases aéreas antes da invasão (embora, nessa fase, a Operação Sea Lion tivesse sido cancelada). Em março de 1941, os três espiões assinaram suas confissões.

Enquanto Drücke mantinha seu disfarce de que era um refugiado francês chamado François de Deeker, admitiu que lhe haviam sido prometidas passagem para a Inglaterra, desde que levasse um rádio que ele entregaria a um homem do lado de fora do ABC Cinema em Londres. Petter continuou afirmando que era um cidadão suíço chamado Werner Walti, mas disse que foi coagido a trabalhar para os nazistas. Depois de ajudar um comerciante judeu de diamantes a escapar, ele foi preso pela Gestapo e espancado. Eles teriam enviado-o para um campo de concentração, disse ele, a menos que ele entregasse uma mala para alguém na Inglaterra.

A HISTÓRIA DE VERA

Vera manteve a versão de que era sobrinha de uma condessa italiana que morava em Kensington, embora, eventualmente, admitisse ter sido enviada como espiã. Ela disse que assumiu a missão para escapar dos alemães. Quando chegou a Londres, pretendia entrar em contato com seu amigo major Mackenzie, que havia lhe dito que conhecia alguém no serviço secreto, para que ela pudesse se entregar.

Vera disse que suas ordens eram para arrumar um quarto no Dorchester e "entregar o aparelho de comunicação sem fio a um homem chamado Wilkinson, alto e magro, com cabelos loiros, que a chamaria no Dorchester

Hotel nos próximos cinco dias". Depois, ela deveria encontrar um quarto no Soho e ficar lá até a invasão, que se iniciaria em apenas algumas semanas. Os interrogadores do MI5 não acreditaram totalmente em sua história ao descobrirem que ela e Drücke se conheciam há dois anos.

Embora Drücke a tivesse traído duas vezes com a proprietária de uma pensão onde se conheceram em Haia, Vera se apaixonou por ele porque "ele era bom comigo". Durante o interrogatório, a menção do nome dele trouxe lágrimas aos olhos dela e ela disse que ele era "o único homem que eu já amei, e sempre amarei".

Recusando entregar-se, Drücke e Petter foram acusados pela Lei de Traição de 1940. Eles foram julgados em Old Bailey, em junho, e o júri levou apenas alguns minutos para retornar com um veredicto de culpados. Eles foram enforcados em 6 de agosto, na prisão de Wandsworth.

Vera Schalburg não apareceu no banco dos réus. Isso levou à especulação de que o pai de seu filho era uma figura importante no governo britânico. Após sua prisão, ela pediu para ver o menino e ele foi trazido de Essex. Ela estava claramente angustiada e havia medo de que ela fizesse uma greve de fome. Ela foi transferida para a prisão feminina de Holloway, onde Dorothy O'Grady estava em prisão preventiva. Vera teve um aborto espontâneo enquanto estava lá; pensava-se que a criança era de Drücke.

Mais tarde, Vera confessou sua farsa e, em outubro, admitiu ter espionado para a *GRU*, inteligência militar soviética. Seis meses depois que seus colegas foram enforcados, ela admitiu que também estava trabalhando para o *Abwehr*. Ela disse que Petter iria montar seu próprio grupo de espionagem e que um especialista em sabotagem norueguês chamado Gunnar Edvardson deveria se juntar a eles com uma carga de equipamentos. Quando Edvardson chegou à Inglaterra, em 25 de outubro de 1940, com outros dois, caminhou até a delegacia mais próxima e se entregou.

DEDO DURO

Vera foi tratada de maneira tão extraordinariamente branda que se pensou que ela devia saber muito sobre o funcionamento interno do *Abwehr*. Ela

CAPÍTULO 6

foi enviada para ficar com a família do conhecido ator Peter Ustinov, cujo pai, "Klop", trabalhou para o MI5 durante a guerra. Concordando em cooperar, ela foi confinada até o fim da guerra e, talvez, tenha sido usada como "dedo duro", delatando outros prisioneiros em Aylesbury, na Isle of Man, e em outros campos de confinamento no Reino Unido.

De volta a Berlim, o *generalleutnant* Lahousen não sabia o que tinha acontecido com os agentes enviados na Operação Hummer Nord. Meses depois, um jornal suíço informou que um cidadão suíço havia sido preso na Escócia, então, Lahousen sabia que a operação havia sido um fracasso. Cinco anos depois, quando Lahousen e outros chefes da *Abwehr* foram confinados no campo de Bad Nenndorf, perto de Hannover, ele informou-se mais.

Durante o interrogatório de Lahousen, um coronel britânico disse que Petter havia sido enforcado porque havia tentado atirar em um policial britânico quando foi capturado. Ele não sabia o que havia acontecido com Drücke.

Lahousen, então, perguntou o que tinha acontecido com Vera - ou a "Bela Espiã" como os britânicos a chamavam.

"Ela veio até nós", disse o coronel. "Se você quiser vê-la novamente, bem, eu daria uma olhada na ilha de Wight. Acho que você pode encontrá-la lá - com outro nome, é claro, e lá ninguém tem a menor ideia de seu passado".

Algum tempo depois, a mãe idosa de Vera recebeu um telefonema, em Copenhague, de uma mulher com uma voz rouca, que disse: "Frau von Schalburg? Só quero que saiba que Vera ainda está viva e, talvez, você a veja um dia".

E quanto à condessa Costenza? Acontece que ela foi uma agente britânica o tempo todo.

CAPÍTULO 7

A DANÇARINA EXÓTICA

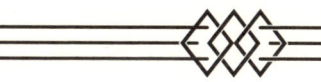

Conhecida simplesmente como Adrienne, ela foi considerada a espiã mais inteligente dos Bálcãs durante a Segunda Guerra Mundial.

Adrienne começou sua carreira em espionagem como dançarina no cabaré de Budapeste, também conhecido como Papagello. Lá, em 1940, ela conheceu o novo embaixador dos EUA na Bulgária, George Howard Earle, 49 anos. Como ministro dos EUA na Áustria, em 1933, ele foi um dos primeiros a alertar a administração Roosevelt dos perigos do regime nazista.

Uma beleza de olhos pretos, Adrienne era perspicaz e inteligente, com uma facilidade incrível para idiomas. Ela era descontraída em todos os níveis da sociedade. Seu pai foi muito respeitado e morou em diferentes locais em Monte Carlo, Bucareste e Budapeste, mas, principalmente, no bairro latino de Paris. Sua tia foi Magda Lupescu, cujo caso com o rei Carol da Romênia levou à sua abdicação. Mais tarde, eles se casaram.

A AGENTE DUPLA

Adrienne conhecia a maioria dos fascistas nos Bálcãs e Earle cuja missão era manter a Bulgária fora da guerra. George Howard percebeu que ela seria uma espiã útil. Ele também a achou linda, divertida e fascinante. Ele a levou para Sofia, onde a

CAPÍTULO 7

colocou no Hotel Bulgarie, antes de alugar uma casa para ela perto de um dos famosos parques da cidade. Um homem chamado Diello, que alegava ser jornalista albanês, a visitava. Diello havia sido recrutado pelo serviço de inteligência alemão, dirigido pelo chefe da SS, Ernst Kaltenbrunner. Ele influenciou Adrienne a se tornar uma agente dupla, espionando Earle para os nazistas.

Em março de 1941, a Bulgária assinou o Pacto Tripartite e ingressou no bloco do Eixo. Earle não teve grande sucesso como embaixador em Sofia e, no mesmo ano, depois de brigar com um grupo de empresários alemães em uma boate, foi removido do cargo. No entanto, em janeiro de 1943, ele retornou à Europa como adido naval em Istambul, onde sua responsabilidade foi observar a situação na Bulgária, na esperança de desempenhar um papel no caso dela romper com o Eixo.

Para isso, Earle acreditava que Adrienne seria de uma ajuda inestimável. Ele tentou levá-la para a Turquia, mas ela foi parada na fronteira e voltou para o Papagallo, em Budapeste. Uma noite, após o cabaré ter fechado, ela foi visitada em seu camarim por um homem que trouxe cumprimentos de Diello, que estava em Ancara. O estrangeiro era um dos agentes da Kaltenbrunner em Budapeste.

Adrienne estava ansiosa para voltar com Diello, mas os alemães queriam que ela retomasse seu relacionamento com Earle. Eles usaram sua influência no governo turco que, desta vez, a admitiu no país.

DISFARÇADA NA TURQUIA

Ao chegar a Ancara, Adrienne ficou surpresa ao encontrar seu amante "albanês" trabalhando como criado particular do conselheiro-chefe da embaixada alemã. Na verdade, ele, agora, era o principal agente da inteligência alemã na Turquia. Adrienne não entendia por que várias agências de inteligência na Alemanha estavam tão interessadas em espionar umas às outras quanto ao inimigo. A missão diplomática alemã em Ancara era particularmente sensível. O embaixador era o ex-chanceler Franz von Papen. Kaltenbrunner não confiava em von Papen e suspeitava que ele estivesse mantendo negociações secretas com os Aliados.

Adrienne foi a Istambul para monitorar os movimentos de Earle. Felizmente, Earle também fazia viagens frequentes a Ancara para ver o embaixador americano para que Adrienne o acompanhasse e aproveitasse a oportunidade para se encontrar secretamente com Diello. Durante estes encontros, ela lhe passava todas as informações que reunia por meio de sua associação com Earle, as quais Diello transmitia a Berlim.

O INTERMEDIÁRIO

Diello começou a trabalhar como criado particular do embaixador britânico Sir Hughe Knatchbull-Hugessen. Os resultados foram, inicialmente, decepcionantes. O embaixador preocupava-se com sua segurança, ficava de boca fechada e não deixava documentos espalhados. Então, um dia, Diello relatou que haveria uma reunião dos Três Grandes - Churchill, Roosevelt e Stalin - em que a derrota final de Hitler seria planejada.

Em Berlim, a notícia foi uma bomba. Se a história fosse confirmada, Diello precisaria descobrir onde a reunião seria realizada. O espião pediu aos alemães US$ 30.000 em moeda americana. Por vários dias, a Inteligência alemã vasculhou os jornais estrangeiros buscando a confirmação. Quando nada foi encontrado, Kaltenbrunner enviou um punhado de seus melhores homens à Turquia para entrar em contato com Diello, mas como ele não podia ser visto conversando com alemães, Adrienne foi contratada como intermediária.

Ela transmitiu a mensagem de que os alemães estavam dispostos a pagar a Diello se a história fosse confirmada e ele poderia mantê-los informados sobre o andamento da reunião. Ela relatou que Diello havia feito uma cópia da chave do cofre do embaixador. Ele poderia ter acesso a ele à noite, fotografar documentos importantes e devolvê-los sem ser detectado.

A confirmação de que haveria uma reunião dos Três Grandes veio de um agente alemão nos Estados Unidos que informou que Roosevelt e seus assessores haviam deixado o país no USS *Iowa*. Os US$ 30.000 foram enviados para Diello via Adrienne, que também foi paga por sua parte no que agora estava sendo chamado de Operação Cícero.

CAPÍTULO 7

A reunião dos Três Grandes deveria ser em Teerã. No caminho, Churchill e Roosevelt se encontraram no Cairo, onde se desentenderam sobre a condução da guerra. Diello informou a seus patrões que Roosevelt queria invadir o noroeste da Europa com um ataque anfíbio pelo Canal da Mancha (no que acabaria se tornando o desembarque na Normandia), conhecido como Operação Overlord. Churchill se opôs veementemente a isso. Os Aliados Ocidentais já haviam tomado a Sicília e desembarcado na Itália continental. Churchill queria continuar o ataque ao que ele chamou de "ponto fraco" da Europa, com desembarques na Grécia. Dessa forma, os Aliados poderiam fazer uma varredura dos Bálcãs e interromper o Exército Vermelho antes de sua chegada à Alemanha. Caso contrário, ele argumentou, a Europa Central e Oriental cairia para os soviéticos. Os nazistas ficaram encantados com a notícia de que havia um profundo desacordo entre os Aliados Ocidentais.

Adrienne recebeu mais notícias de que Stalin havia concordado com Roosevelt de que os Aliados Ocidentais deveriam abrir uma segunda frente na França. Stalin argumentou que as operações no Mediterrâneo eram apenas um espetáculo. Adrienne disse aos alemães que Diello forneceria todos os detalhes de todas as reuniões em Teerã por mais US$ 100.000, e que esses seriam divulgados em breve.

Quando os fundos chegaram de avião, Adrienne entregou um relatório completo sobre as negociações em Teerã. Há indícios de que as informações encontradas nas mãos de Diello foram plantadas pelos Aliados. Como nenhuma invasão da França foi possível sem usar a Grã-Bretanha como base, o relatório deu a impressão de que Churchill vetaria os desembarques franceses e insistiria em um ataque pelos Bálcãs. Em vez de enviá-los para a França, os alemães deixaram algumas reservas nos Bálcãs no caso de um ataque Aliado.

Isso não importou para Adrienne e Diello. Eles fugiram com o dinheiro e desapareceram na América do Sul. Mas, eles podem não ter sido tão espertos quanto pensavam, ao que parece, pois uma parte do dinheiro pago era falsificado. O outro protagonista dessa história, George Howard Earle, serviu como governador assistente da Samoa Americana.

CAPÍTULO 8

A QUERIDA DE IL DUCE

Atriz, jornalista e espiã francesa, Madeleine Coraboeuf (mais tarde Magda de Fontanges), nasceu em 1905, filha do pintor francês Jean Coraboeuf. Sua mãe morreu quando ela tinha apenas sete anos. Depois de um casamento de curta duração com um policial chamado Laferrière, ela se mudou de sua casa no oeste da França para Paris, onde tomou o sobrenome Fontanges de uma das amantes de Luís XIV e se tornou modelo de artista.

Ela iniciou sua carreira no palco, interpretando papéis menores no Odéon e, depois, em um conhecido auditório. Isso deu a ela uma entrada na sociedade. Ela se movia nas esferas políticas e, usando suas conexões, tornou-se jornalista de um jornal noturno parisiense. Quando Mussolini proclamou o novo império italiano, após a invasão da Abissínia (Etiópia), em 1936, ela foi a Roma como correspondente especial e garantiu uma entrevista com ele. Ela também se tornou sua amante.

"Uma hora com você e a Etiópia não significa nada para mim", declarou.

MUSSOLINI, O RATO

Mussolini foi promíscuo e volúvel. Depois que o caso terminou, Magda foi encontrada em seu quarto, sofrendo de uma overdose de Veronal (um

Madeleine Coraboeuf (mais tarde, Magda de Fontanges) deixando seu apartamento em Paris depois que a polícia apreendeu seu diário em 1937.

barbitúrico). A polícia italiana revistou a sala e apreendeu um diário e várias fotografias. Magda estava sem um tostão na época e recebeu £ 150 (£ 10.000 /$ 12.800 hoje) para cobrir sua conta de hotel e um tíquete de volta a Paris. Uma de suas amigas disse ao jornal *Paris-Soir*: "Sua paixão é intriga. Suas aventuras nos círculos políticos foram inúmeras".

Em 1937, ela atirou e feriu o embaixador francês em Roma, o conde Charles de Chambrun, na Gare du Nord. Ela o acusou de frustrar seu caso de amor com Il Duce. A polícia a prendeu e, em seu apartamento, encontrou uma grande fotografia emoldurada de Mussolini, inscrita com "Para Mme Magda Fontanges" e assinada "Mussolini", juntamente com um diário contendo os nomes de várias celebridades que ela conhecera em Roma.

Enquanto esteve em prisão preventiva, na prisão feminina de La Petite Roquette, ela se preocupava com seu poodle que havia sido deixado no apartamento. "Meu pobre cachorro não come nada há 24 horas", disse ela. "Ele deve ficar comigo ou morrerá de fome". Ela foi tão insistente que o cachorro foi trazido e autorizado a permanecer com ela. O poodle comia a comida da prisão, enquanto ela sobrevivia com biscoitos e uma taça de champanhe. Depois que foi solta, ela foi presa novamente enquanto tentava fugir pela fronteira da Espanha.

Magda foi considerada culpada pelo disparo, mas como o conde sofreu apenas ferimentos leves, ela foi multada em 100 francos (menos de £ 1). Ela foi impedida de entrar nos Estados Unidos, onde estava sob contrato para aparecer em uma boate de Nova York. Mussolini riu, mas ele não achou graça quando a escandalosa Magda vendeu a história do seu caso romântico em "Eu era a amante de Mussolini" para a imprensa americana.

AGENTE NO. 8006

Para garantir que ele não tivesse mais problemas com ela, Mussolini providenciou para que Magda trabalhasse como agente da Gestapo. Como agente nº 8006, ela recebia $ 42,50 (cerca de £ 600 / $ 770 hoje) por mês, mais despesas para atuar como espiã alemã em Bruxelas e Marselha. O acordo foi encerrado em 1943, quando ela se recusou a voltar à Itália

CAPÍTULO 8

para descobrir se Mussolini e o ministro das Relações Exteriores italiano, Ciano, estavam tentando fazer um acordo de paz secreto com os Aliados.

Em 1947, ela se apresentou para um tribunal militar em Bordeaux, acusada de fornecer informações ao inimigo. Ela parecia abatida e maltrapilha, vestindo uma jaqueta de tweed velha e uma camisa, com o cabelo sujo e desarrumado. Procurando impressionar a corte, ela contou os nomes dos ministros franceses com quem dormira. Ela admitiu ter vendido informações sobre eles aos italianos, assim como havia vendido informações sobre Mussolini e outros italianos aos franceses, e informações sobre os italianos e franceses aos alemães.

Magda Fontanges foi condenada a 15 anos de trabalho duro, teve sua propriedade confiscada, sofreu "indignidade nacional" pelo resto de sua vida e foi barrada em Paris e outras grandes cidades da França por 20 anos. Ao deixar a corte, ela disse: "Meu único arrependimento é não ter sido enforcada com o Duce no lugar de sua última amante, Clara Petacci".

Ela foi libertada da prisão por motivos de saúde em 1952, para permanecer em prisão domiciliar na cidade de Melun. Mas, desrespeitando as condições de sua sentença, ela se mudou para Paris, onde planejava administrar um bar. Ela foi presa e enviada de volta à prisão. Liberta, novamente, em 1955, foi acusada de roubar uma pintura valiosa de Maurice Utrillo de seu advogado e suposto amante. A imprensa disse que ela tinha rancor contra advogados.

Magda foi encontrada morta em seu apartamento em Genebra, em 1960, depois de uma overdose de comprimidos para dormir.

CAPÍTULO 9

A BELDADE DE PEARL HARBOR

Em uma festa luxuosa, realizada em 1935 para comemorar o triunfo do nazismo, a jovem Susie Ruth Kuehn chamou a atenção do ministro da Propaganda alemão, Joseph Goebbels. Ela fora convidada por seu irmão Leopold, que era o secretário particular de Goebbels. Aos seus olhos, com apenas 17 anos, Ruth Kuehn era uma beldade.

Goebbels tinha grande interesse em mulheres bonitas, especialmente jovens. Ignorando sua infeliz esposa, Magda, Goebbels concentrou-se em Ruth. Ele dançou com ela a noite toda e eles ficaram um pouco bêbados juntos. Na Alemanha nazista, era considerado um elogio dormir com o ministro da propaganda e Ruth se juntou ao seu harém de amantes. Isso, indubitavelmente, provocou um enorme ciúme nas outras mulheres e em Magda, é claro; e Ruth se tornou uma inconveniência.

MUDANÇA PARA O HAVAÍ

Karl Haushofer serviu como general na Frente Ocidental, na Primeira Guerra Mundial, e era amigo íntimo do vice de Hitler, Rudolf Hess. Ele decidiu estabelecer relações mais estreitas entre a Alemanha e o Japão. Na época, os japoneses diziam que precisavam de recrutas europeus para realizar

Joseph Goebbels (foto com sua esposa Magda) dançou a noite toda com Susie Ruth Kuehn e eles beberam demais juntos. Goebbels foi um mulherengo incorrigível.

trabalhos de espionagem para os *Kenpeitai*, o equivalente japonês da SS. De repente, Goebbels viu uma maneira conveniente de tirar Ruth do país.

O padrasto de Ruth, Dr. Bernard Julius Otto Kuehn, serviu na Marinha Imperial Alemã, durante a Primeira Guerra Mundial, como soldado de marinha a bordo de um cruzeiro. Seu navio havia sido afundado por um navio de guerra britânico em 1915. Feito prisioneiro, ele aprendeu inglês em um campo de prisioneiros de guerra.

Após a destruição da frota alemã, em 1919, e a assinatura do Tratado de Versalhes, que restringia sua reconstrução, não havia essencialmente nenhuma marinha alemã para a qual ele pudesse retornar. Em vez disso, Kuehn estudou medicina. Como estudante, ele se juntou a várias organizações nacionalistas e se tornou um dos primeiros convertidos nazistas. Heinrich Himmler era seu amigo e, quando os nazistas chegaram ao poder, Kuehn se juntou à Gestapo. Ele alegou que lhe haviam prometido o cargo de chefe de polícia em uma das principais cidades da Alemanha. Em vez disso, Goebbels decidiu que Ruth, juntamente com Bernard Kuehn, sua esposa Friedel e seu filho de seis anos, Hans, seriam enviados para o Havaí.

O disfarce de Bernard era ser um linguista interessado no Havaí, embora passasse seu tempo aprendendo japonês. Ele e Ruth viajaram pelas ilhas, estudando, aparentemente, a topografia e as antigas casas de pedra dos primeiros colonos. Bernard escreveu vários artigos sobre os primeiros colonos alemães nas ilhas, que foram publicados na Alemanha.

Como o Havaí era o quartel da Frota do Pacífico dos EUA, a família Kuehn também se interessou pela água, natação, vela e barco a motor. Sendo jovem e atraente, Ruth foi bombardeada com convites para festas. Ela namorou soldados e tirou informações deles. Ela dirigia um salão de beleza e recolhia informações da conversa casual de seus clientes, esposas e namoradas do pessoal militar dos EUA. Questionada sobre o que pensava dos nazistas, Ruth afirmou que não sabia nada sobre eles, dizendo: "Eu era jovem demais quando deixamos a Alemanha".

Bernard enviou as informações que eles coletaram ao consulado japonês. O Dr. Haushofer também queria cópias de seus relatórios. Como os Kuehn estavam trabalhando para Berlim e Tóquio, eles insistiram em ser pagos por ambos empregadores. Durante seus primeiros três anos nas ilhas, cerca de US$ 70.000 foram transmitidos ao banco em Honolulu pela Associação Bancária de Roterdã; Friedel e Ruth também fizeram viagens ao Japão como mensageiros e retornavam com dinheiro. Nem o FBI, nem a inteligência naval perceberam, embora os Kuehns tivessem uma casa cara, com belas obras de arte e adornada com prata requintada, sem meios óbvios de pagar por isso. Os vizinhos assumiram que tinham grandes investimentos na Alemanha e na Holanda. Eventualmente, o FBI suspeitou de seus contatos duvidosos entre as comunidades alemã e japonesa, mas nenhuma evidência de sua espionagem veio à tona.

MOVIMENTOS DA FROTA PACÍFICA

No início, a inteligência que Ruth fornecia era pouco mais do que pequenos detalhes, mas, à medida que ela se tornava mais glamorosa e desejável, seu padrasto a incentivou a dar o próximo passo e ela começou a namorar oficiais. Em casa, os Kuehns entretinham, generosamente, o pessoal militar americano e expressavam interesse em seu trabalho. Ruth, particularmente, sabia como lidar com os homens e conseguir o que queria deles.

Depois de espionarem por algum tempo, Ruth e seu padrasto foram convidados para uma reunião com o vice-cônsul japonês, Otojiro Okuda. As informações que eles estavam fornecendo eram boas, dissera ele, mas, agora, o Japão precisava de informações detalhadas sobre a formação da frota do Pacífico. Eles seriam bem pagos por isso. Ruth pediu US$ 40.000 (cerca de £ 600.000 / $ 770.000 hoje). Eles negociaram um adiantamento de US$ 14.000 com o saldo a ser pago na entrega.

Supostamente, para encontrar um lugar tranquilo para seus estudos, Bernard morou em uma segunda casa com vista para Pearl Harbor. Um minucioso sistema de sinalização havia sido elaborado. Uma luz brilhando na janela de sua casa em Oahu, das 21h às 22h, significava que os porta-aviões haviam navegado. Um lençol de linho pendurado no varal de sua casa na praia de Lanikai, entre as 10 e as 11 horas da manhã, significava que a frota havia deixado o porto. Havia oito desses códigos que poderiam ser usados em várias combinações.

Para obter mais informações, Ruth ficou noiva de um oficial de alta patente com posto em Pearl Harbor. O casal passeava diariamente pelas partes fortificadas do porto que, normalmente, estavam fora dos limites. O irmão de Ruth, Hans, então com dez anos, os acompanhou vestido com um terno de marinheiro. Ele era convidado a bordo de navios ou nas instalações de armas ao redor do porto, onde soldados e marinheiros explicariam como seus equipamentos funcionavam. Ele seria interrogado pelo pai deles quando chegasse em casa. Ruth também comprou um binóculo poderoso para poder ficar de olho nas idas e vindas da frota.

Graças aos Kuehns, os japoneses, agora, tinham um gráfico detalhado da ancoragem e dos navios atracados ali. Em 1 de dezembro de 1941, Ruth completou o quadro passando a noite com seu noivo. Quando os japoneses atacaram Pearl Harbor, na manhã de 7 de dezembro, eles sabiam quais eram seus principais objetivos; Ruth os guiou até seus alvos usando uma lanterna brilhando da janela do alvo escolhido. Os resultados devastadores fazem parte da história.

O cônsul japonês havia arranjado um submarino para buscar os Kuehn, mas ele fugiu até sem sua escova de dentes. Dois oficiais de inteligência dos EUA avistaram a luz piscando pela janela e os Kuehn foram presos antes que o submarino pudesse resgatá-los. Revistando a casa, os policiais encontraram os binóculos e uma grande quantidade de dinheiro, alguns deles em moeda japonesa.

O agente especial do FBI, Robert Shivers, e a polícia local foram ao consulado japonês, onde encontraram a equipe queimando resmas de papel. Alguns documentos tirados das chamas mostravam os sinais que os Kuehn usavam para transmitir os movimentos da frota.

A princípio, os Kuehns negaram tudo. Mas, as evidências contra eles eram esmagadoras e Bernard confessou. Em um esforço para proteger sua esposa e enteada, ele alegou ser o único responsável. Mas, Ruth disse que estava no comando e que seu pai apenas seguiu suas ordens, enquanto Friedel insistiu que ela havia comprado o binóculo e era o líder do grupo.

Em 21 de fevereiro de 1942, apenas 76 dias após o ataque a Pearl Harbor, Bernard Otto Julius Kuehn foi considerado culpado de espionagem e con-

CAPÍTULO 9

denado à morte "por mosquete", em Honolulu. O julgamento de Ruth era iminente e ele estava determinado a salvá-la. Ele prometeu contar à inteligência naval dos EUA tudo o que sabia sobre as operações da Axis no Pacífico. Sua sentença foi comutada para o trabalho duro de 50 anos em Alcatraz. Ele serviu apenas quatro anos antes de ser deportado.

Ruth e Friedel foram presos e deportados de volta para a Alemanha no final da guerra. Ruth não estava presente quando seu salão de beleza no Havaí foi vendido. Seu irmão mais velho, Leopold, que ficou na Alemanha com Goebbels, morreu na frente russa.

CAPÍTULO 10
A FILHA DO EMBAIXADOR

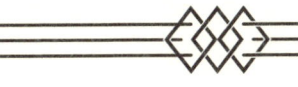

Martha Dodd foi nazista, sem dúvida alguma, embora brevemente. Certamente, ela foi uma espiã e aqueles que a conheceram em Berlim, nos anos 30, descreveram-na como uma ninfomaníaca que reuniu entre seus amantes vários membros do alto escalão do Partido Nazista, incluindo o chefe da Gestapo - apesar de ser difícil dizer quanto de inteligência ele conseguiu dela.

Nascida em 1908, Martha era filha de William E. Dodd, então professor de história na Universidade de Chicago. No final da década de 1920, ela viajou pela Europa com sua mãe. De volta a Chicago, como editora assistente de literatura no Chicago Tribune, ela escreveu contos e teve uma vida social ocupada. Uma mulher atraente, tinha a reputação de ter tido muitos amantes, incluindo os escritores Carl Sandburg e Thomas Wolfe que, em uma visita a Berlim, disseram a uma amiga que Martha era "como uma borboleta pairando no meu pênis".

Seu biógrafo John Lewis Carver disse: "Martha foi uma garota sexy, vivaz, paqueradora e de pele clara, muito mais interessada em aventuras amorosas do que nesses assuntos sérios. Mas, ela também tinha seu lado sério. Escreveu contos e poesia e decidiu tornar-se escritora". Ela teve um casamento curto e infeliz com um banqueiro rico. "Eu tive que escolher entre ele e 'aventura'", disse ela. "Não pude deixar de fazer a escolha que fiz".

NINFOMANÍACA E SIMPATIZANTE NAZISTA

Em 1933, o Presidente Roosevelt nomeou o pai dela como embaixador em Berlim, onde Hitler acabara de chegar ao poder. Martha foi para a Alemanha com o pai. Ela foi, imediatamente, cativada pelo novo regime. Carver disse: "O nazismo significava homens bonitos, altos e loiros para ela, e ela gostou do que viu. Ela estava pintando a capital nazista de vermelho, mas de uma maneira social. Ela saía pela cidade todas as noites flertando, bebendo e dançando, principalmente com jovens que eram nazistas. Ela ganhou uma reputação dupla. Pessoas de dentro a descreveram como ninfomaníaca em sua vida sexual e simpatizante nazista em sua política'.

Tornou-se uma fervorosa defensora da transformação da sociedade alemã que ocorria na época e admirava Hitler pelo que estava fazendo pelos desempregados. Através de amigos jornalistas, Dodd conheceu seu primeiro nazista sênior, chefe de imprensa estrangeira, Ernst "Putzi" Hanfstaengl, cujo filho era afilhado de Hitler. Hanfstaengl e Martha tiveram um caso. Impressionado, ele queria apresentá-la ao Führer.

Martha Dodd com seus pais - seu pai se tornou embaixador dos EUA na Alemanha em 1933.

"Hitler precisa de uma mulher", ele disse a ela, de acordo com seu livro de memórias "Meus Anos na Alemanha". "Hitler deveria ter uma mulher americana - uma mulher adorável poderia mudar todo o destino da Europa. Martha, você é a mulher!".

Dodd combinou um encontro com Hanfstaengl para um chá no Kaiserhof. Assim que Hitler e sua comitiva chegaram, Hanfstaengl levou Dodd à sua mesa, onde Hitler beijou a mão dela e murmurou algumas palavras. Dodd disse que seu rosto estava fraco e suave, mas seus olhos eram "intensos, inabaláveis, hipnóticos". Ela não permaneceu na mesa dele por muito tempo, pois só estava em Berlim há alguns meses e falava pouco alemão. No entanto, ela disse que ficou impressionada com seu "charme silencioso, quase uma ternura de fala e olhar" e seu "desamparo atraente".

Dodd nunca mais falou com Hitler, embora ela o visse regularmente em eventos sociais e na ópera, e se sentara perto dele no camarote diplomático das Olimpíadas de 1936. Embora gostasse dele, ele não era o tipo dela. "Acredito que Hitler é completamente assexual", escreveu ela em suas memórias.

Isso, certamente, não teria funcionado para Martha. Contou entre seus amantes o jornalista americano Louis Fischer, o diplomata francês Armand Bérard e o cientista Max Delbrück. Havia, também, o príncipe Louis Ferdinand Hohenzollern, neto de Kaiser deposto, com quem ela participou de celebrações familiares e bailes formais no palácio de Potsdam. Ela namorou homens judeus, observando que, quando eles saíam, ela sentia "o desdém das multidões, os murmúrios e insultos sussurrados".

Entre os principais nazistas com quem ela dormiu estavam: Ernst Udet, oficial sênior da *Luftwaffe*, um ás da Primeira Guerra Mundial que, eventualmente, ela imortalizou em seu romance *Sowing the Wind*. Depois, havia Fritz Wiedemann, que ela compartilhou com a princesa Stephanie von Hohenlohe. Ela achou a intriga emocionante.

"Certamente, Wiedemann era um homem perigoso de se contrariar, pois, apesar de sua ingenuidade social e de ser um desajeitado sedutor, ele era tão cruel como lutador e tão intrigante quanto alguns de seus compatriotas", disse ela.

Ernst Hanfstaengl, formado em Harvard, foi o chefe de imprensa estrangeira de Hitler. Nos primeiros dias, ele havia introduzido Hitler na alta sociedade de Munique, mas, mais tarde, estava destinado a brigar com o Führer e voltar para os EUA.

UMA CASA DE MÁ REPUTAÇÃO

Enquanto o embaixador Dodd e sua esposa estavam felizes em deixar Martha ir e vir como quisesse, o cônsul geral dos EUA, George Messersmith, ficou preocupado e escreveu para o Departamento de Estado sobre a conduta dela. Enquanto julgava o seu caso com Udet inofensivo, ele temia que as informações mencionadas casualmente na embaixada retornassem a Hanfstaengl.

"Muitas vezes, senti vontade de dizer algo ao embaixador", escreveu Messersmith, "mas, como era um assunto bastante delicado, limitei-me a deixar claro quanto ao tipo de pessoa que Hanfstaengl realmente era". Mais tarde, em um livro de memórias não publicado, ele escreveu que "ela [Martha] se comportara tão mal de tantas maneiras, especialmente em vista da posição ocupada por seu pai". O mordomo dos Dodds disse de maneira mais sucinta: "Essa não era uma casa, mas uma casa de má reputação".

"Essa reputação ganhou confirmação quando ela iniciou um caso com um oficial nazista estranhamente bonito, Rudolf Diels era seu nome", disse Carver. "Ele era, então, chefe do serviço secreto nazista. Seu currículo incluía espionagem do próprio pai de Martha e da embaixada americana em Berlim".

Ela sabia que estava lidando com um homem perigoso, observando que, quando ele chegou a uma festa, "criou um nervosismo e uma tensão que nenhum outro homem seria capaz, mesmo quando as pessoas não conheciam sua identidade". Ele foi o chefe da Gestapo, mas apenas a aparência dele era aterrorizante. Ele tinha "o rosto mais sinistro e marcado por cicatrizes que eu já vi". Mas, seus olhos eram penetrantes, seus lábios "adoráveis" e ele tinha "cabelos luxuriantes pretos". Ela adorava o fato de que todo mundo tinha medo dele e o chamava de "Príncipe das Trevas". Ele se vangloriava com o epíteto.

"Ele tinha uma alegria perversa em seus modos mefistofélicos e em sempre criar um silêncio por sua entrada melodramática", disse ela. Ele também foi um sádico cruel.

Foi com Diels, chefe da Gestapo, que Martha aprendeu a arte da espionagem. Ela disse: "Fiquei intrigada e fascinada por esse monstro humano de rosto sensível e beleza cruel e quebrada. Saímos bastante, dançando e dirigindo. Fui ao escritório dele uma vez e vi um ditafone na mesa, em uma sala despretensiosa, grande e um tanto vazia. Ele me deu a primeira indicação de como a espionagem era feita".

Ela foi cativada por este mundo sinistro.

"Começou a aparecer diante dos meus olhos românticos uma vasta e complicada rede de espionagem, terror, sadismo e ódio da qual ninguém, oficial ou particular, poderia escapar", disse ela.

Martha ignorou completamente qualquer motivo oculto por Diels em cortejá-la. A embaixada americana era um alvo de alta prioridade na lista de espionagem nazista e ela tinha acesso direto. Diels estava fazendo amor com a filha bonita, pequena e vivaz do embaixador, na esperança de que pudesse obter informações privilegiadas. Seu objetivo era transformar Martha Dodd em uma espiã nazista.

OSTENTANDO O CASO

Não era um segredo. Um amigo judeu disse a ela em uma festa: "Martha, você é muito boba e está brincando com fogo... Você está sendo usado pelo Diels... Há algum tipo de problema pela frente e você pode se envolver involuntariamente".

Mas, Martha foi inflexível.

"Não vi nenhuma razão para não ver Diels várias vezes, se eu puder", disse ela. "Ele me deu, consciente e inconscientemente, uma imagem dos trabalhos de espionagem nos bastidores que eu não poderia ter conseguido em nenhum outro lugar."

Ela ostentou o caso deles.

"Então, eu saía com Diels para passear de carro pelo país e para boates onde sabíamos que seríamos vistos", disse ela.

Quanto ele conseguiu convertê-la para espionar para os nazistas não foi registrado, pois o relacionamento deles foi sumariamente encurtado. A Gestapo foi dominada pela SS em 1934 e Diels foi demitido. Ele escapou por pouco de ser morto na Noite das Facas Longas, desaparecendo por cinco semanas enquanto o expurgo estava acontecendo. Quando reapareceu, foi rebaixado e tornou-se chefe de segurança em Cologne. Ele, provavelmente, foi salvo da execução devido ao seu casamento com Ilse Göring, prima de Hermann Göring.

Rudolf Diels foi um protegido de Hermann Göring. Em 1944, ele foi preso pela Gestapo após o complô de 20 de julho para assassinar Hitler, mas de alguma maneira ele sobreviveu.

CAPÍTULO 10

PERSEGUIÇÃO

Martha ficou desiludida com o nazismo após a Noite das Facas Longas, a desgraça de seu amante e os crescentes maus-tratos aos judeus. Em *My Years in Germany*, ela lembrou-se de um incidente que, talvez, tenha ocorrido próximo demais de sua casa: "Havia um bonde no centro da estrada, de onde uma jovem estava sendo brutalmente retirada. Chegamos mais perto e vimos a sua face apavorada e torturada. Ela estava horrível. Sua cabeça estava raspada e ela usava um cartaz no peito. Nós a seguimos por um momento, observando a multidão insultar e zombar dela. Quentin e meu irmão perguntaram a várias pessoas ao nosso redor qual era o problema. Compreendemos pelo alemão deles que ela era uma gentia que estava acompanhando um judeu".

A mulher foi forçada a usar um cartaz que dizia: "Eu me ofereci a um judeu".

Mas, Martha não desistiu de sexo ou espionagem. Em setembro de 1933, conheceu Boris Vinogradov, primeiro secretário da embaixada soviética. Pela primeira vez, ela tinha que ser discreta. Os Estados Unidos não consideravam legal a União Soviética até novembro de 1933 e essa ligação teria colocado seu pai em uma posição difícil.

No entanto, Vinogradov não era apenas um diplomata. Ele também era um agente da inteligência soviética do NKVD. Em março de 1934, ele recebeu uma ordem para recrutar Martha Dodd. Uma mensagem foi enviada ao chefe da estação de Berlim, dizendo: "Informe Boris Vinogradov que queremos usá-lo em um caso em que estamos interessados... Segundo nossos dados, o conhecimento dele é ideal para, finalmente, atraí-la para o nosso trabalho. Por isso, pedimos a Vinogradov que lhe escreva uma carta calorosa e amigável e a convide para uma reunião em Paris, onde eles tomarão as medidas necessárias para atrair Martha para o nosso trabalho".

Os amantes foram para Paris e viajaram de volta a Berlim via Moscou. Em 5 de junho de 1935, Vinogradov escreveu ao seu chefe de espionagem: "Atualmente, o caso com a americana está ocorrendo da seguinte maneira. Agora, ela está em Berlim e recebi uma carta dela, na qual ela escreve que ainda me ama e sonha em se casar comigo".

Em outubro, Vinogradov foi chamado de volta a Moscou e outro agente, Emir Bukhartsev, assumiu o caso de Martha. Ele relatou: "Martha argumenta que ela é uma partidária persuadida do partido comunista e da URSS. Com o conhecimento do Departamento de Estado, Martha ajuda o pai em seu trabalho diplomático e está ciente de todos os seus assuntos de embaixador. Toda a família Dodd odeia os nacional-socialistas. Martha tem conexões interessantes que ela usa para obter informações para o pai. Ela tem relações íntimas com alguns de seus conhecidos... Martha afirma que o principal interesse de sua vida é ajudar secretamente a causa revolucionária. Ela está preparada para usar sua posição para trabalhar nessa direção desde que a possibilidade de fracasso e de desacreditar o pai possa ser eliminada. Ela informou que um ex-funcionário da embaixada soviética em Berlim - Boris Vinogradov - teve relações íntimas com ela".

O ESPIÃO SOVIÉTICO

Martha, codinome Liza, transmitiu informações das conversas particulares de seu pai. Uma diretiva da NKVD solicitou que ela enviasse resumos dos relatórios de seu pai para Roosevelt - em particular, eles desejavam informações sobre a Alemanha, Polônia e Japão.

Ela continuou espionando o pai para a União Soviética até que ele foi chamado de volta, em 1937. Bukhartsev foi executado como um "agente da Gestapo" durante um dos expurgos periódicos de Stalin. Em março de 1937, Martha foi a Moscou pedir permissão para se casar com Vinogradov, dizendo às autoridades: "Não é preciso dizer que meus serviços, de qualquer tipo e a qualquer momento, são do Partido para uso a seu critério. Atualmente, tenho acesso principalmente à correspondência pessoal e confidencial de meu pai com o Departamento de Estado dos EUA e o Presidente dos EUA. Minha fonte de informação sobre questões militares e navais, bem como sobre a aviação, é exclusivamente contato pessoal com funcionários da nossa embaixada".

Em dezembro, ela voltou aos Estados Unidos com o pai. Junho seguinte, ela se casou com o milionário judeu Alfred Stern, que apoiava o Partido Comunista Americano. Ela escreveu a Vinogradov um mês depois, contando a ele seu casamento e dizendo: "Você sabe, querido, para mim, você é mais importante do que qualquer outra pessoa na minha vida. Se necessário, estarei pronta para vir quando for chamada... Olho para o futuro e vejo você na Rússia, de novo".

CAPÍTULO 10

Quando a carta chegou à Rússia, Vinogradov já havia sido executado em outro expurgo de Stalin. No entanto, o entusiasmo de Martha pelo comunismo nunca diminuiu e ela continuou trabalhando como espiã soviética, embora morasse no luxuoso apartamento de seu marido, no centro de Manhattan, com dois empregados, um motorista e uma secretária pessoal.

"Ela se considera comunista e afirma aceitar o programa do partido", dizia um comunicado da NKVD. "Na realidade, 'Liza' é uma representante típica da boemia americana, uma mulher sexualmente deteriorada, pronta para dormir com qualquer homem bonito."

Em 1939, ela publicou seu livro de memórias best-seller conhecido nos Estados Unidos como *Through Embassy Eyes*, que incluía descrições devastadoras de nazistas de alto escalão. Sobre o ministro da propaganda Joseph Goebbels, que tinha 1,80 m e um pé deformado, ela disse: "Se houvesse lógica ou objetividade nas leis nazistas de esterilização, o Dr. Goebbels já teria sido esterilizado há algum tempo". O livro foi prontamente banido na Alemanha.

Em 1953, o Comitê de Atividades Antiamericanas da Câmara intimou Martha e seu marido. Eles fugiram para o México, mas foram indiciados por espionagem e temiam sua extradição. Pagando US$ 10.000 (cerca de £ 75.000 / $ 96.000 hoje) por passaportes paraguaios, eles escaparam protegidos pela Cortina de Ferro, estabelecendo-se em Praga. Mas, eles estavam sozinhos e infelizes na Tchecoslováquia, lutando com a língua e ficando desiludidos com o comunismo. Quando o filho deles, Robert, foi diagnosticado com esquizofrenia, seus pais culparam o estresse do exílio por sua doença. Depois de passar a maior parte da década de 1960 em Cuba, eles retornaram a Praga.

Em 1979, um tribunal federal absolveu o casal de todas as acusações, citando falta de evidência devido à morte de testemunhas cruciais. Mas, os Sterns ainda não puderam retornar aos Estados Unidos. Eles não pagaram impostos durante o exílio e a dívida acumulada era enorme.

Após a morte do marido, em 1986, Martha escreveu a um amigo: "Nenhum lugar poderia ser tão solitário para mim quanto aqui". Martha Dodd Stern, que havia se descrito em suas memórias de 1939 como "jovem e imprudente", morreu em Praga, em 1990, aos 82 anos.

CAPÍTULO 11

A COLUNISTA DINAMARQUESA

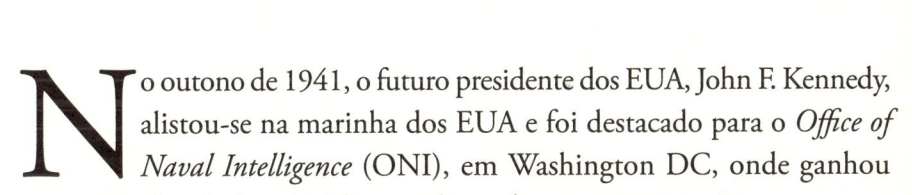

No outono de 1941, o futuro presidente dos EUA, John F. Kennedy, alistou-se na marinha dos EUA e foi destacado para o *Office of Naval Intelligence* (ONI), em Washington DC, onde ganhou reputação de playboy. Foi lá que ele conheceu a ex-Miss Dinamarca e a colunista de jornal Inga Arvad.

UMA EDUCAÇÃO INGLESA

Inga nasceu na Dinamarca, em 1913, e estudou na Inglaterra, Paris e Bruxelas. Ela se casou aos 17 anos, mas se divorciou dois anos depois e se mudou para Copenhague. Em 1935, ela se casou novamente com o diretor de cinema húngaro, Paul Fejos, que a escalou como protagonista em seu filme de 1934, *Flugten fra millionerne (Flight From the Millions)*. Quando o projeto de Fejos fracassou, Inga decidiu abandonar a atuação e se mudou para Nova York para seguir uma carreira no jornalismo. Ela matriculou-se na *Columbia School of Journalism* e, depois de se formar, começou a fazer reportagens em Berlim, escrevendo perfis de jornalistas, em geral, incluindo as principais autoridades nazistas.

Ela entrevistou Hitler várias vezes e o admirava de verdade - Inga visitou a Alemanha antes dele chegar ao poder e testemunhou o caos e a miséria

Inga Arvad foi eleita Miss Dinamarca em 1931 e, em 1936, foi convidada por Adolf Hitler para acompanhar os Jogos Olímpicos de Berlim. Ela se tornou roteirista da MetroGoldwyn-Mayer e colunista de fofocas de Hollywood.

que se seguiram ao final da Primeira Guerra Mundial. Hitler ficou muito impressionado com ela e a chamou de "a beleza nórdica perfeita". Ela fez amizade com ele e o acompanhou nos Jogos Olímpicos de 1936, em Berlim. Eles jantaram juntos e ele lhe presenteou com uma fotografia assinada, emoldurada em prata. Talvez, tenha lhe escapado que Arvad é um nome judeu, aparecendo em Ezequiel 27: 8, que significa "no exílio" ou "andarilho".

Inga compareceu ao casamento de Göring, do qual Hitler foi padrinho, tendo manifestado muita admiração por Goebbels e Rudolf Hess. Goebbels observou em seu diário que ele havia sido entrevistado por "uma bela dinamarquesa, entusiasmada com a nova Alemanha". Inga também escreveu sobre o filme de propaganda de Leni Riefenstahl, de 1935, *Triumph of the Will*, que, segundo ela, deixou-a "capturada, cativada e convencida".

REUNIÕES E MIGRAÇÃO

O FBI acreditava que Inga era sobrinha do chefe de polícia de Berlim, ex-almirante Magnus von Levetzow, cujo pai era dinamarquês e que organizou uma reunião com Goebbels para ela. Mas, o problema era que eles não eram parentes de sangue. Ela foi próxima do empresário sueco Axel Wenner-Gren, proprietário da fábrica de armas Bofors, um dos principais acionistas da Krupp e amigo de Hermann Göring. Enquanto residia nas Bahamas, durante a Segunda Guerra Mundial, Wenner-Gren foi o banqueiro pessoal do duque de Windsor. Ele, também, financiou as filmagens de Fejos sobre as cidades perdidas dos incas, no sul do Peru. Achava-se que essas expedições eram disfarces para incursões nazistas na América do Sul. A inteligência naval dos EUA acreditava que o iate de Wenner-Gren, o maior do mundo, comprado de Howard Hughes, estava sendo usado para reabastecer submarinos alemães. Ele estava na lista negra dos EUA como suspeito de ser um agente nazista. Ele enviava a Inga uma remessa mensal como gastos, em vez das comprovações de manutenção que o marido deveria fornecer.

Em 1940, Inga e Fejos mudaram-se para Nova York e, para encontrar trabalhos em jornais, ela usou suas entrevistas e fotos com Hitler. Por causa

CAPÍTULO 11

de sua familiaridade com Hitler, ela era suspeita de ser uma espiã alemã e o FBI começou a rastrear seus movimentos. Ela se divorciou e mudou-se para Washington DC, onde fez contato com o correspondente do *New York Times* em Washington, Arthur Krock, que ficou "hipnotizado" com sua beleza. Eles tiveram um caso e ele a recomendou a Frank Waldrop, editor do isolacionista *Washington Times-Herald*. Waldrop também foi um informante do FBI que afirmou que "nunca tinha certeza sobre Inga". Ele pediu para ela escrever uma coluna sobre os recém-chegados em Washington, em tempos de guerra, chamada "Por Acaso Você Viu?".

John Kennedy, 24 anos, foi um dos entrevistados. Ele se apaixonou pela dinamarquesa de 28 anos que, segundo ele, "exalava sexualidade". Ela disse que o achou "revigorante" porque "ele sabe o que quer".

UM CASO PASSAGEIRO

Inga estava separada, mas ainda era casada na época e fez Kennedy entender que o caso deles seria passageiro. "Eu não confiaria nele como um companheiro à longo prazo, obviamente", disse ela. "E ele é muito honesto sobre isso. Ele não finge que nosso caso é para sempre. Então, ele tem muito a aprender e ficarei feliz em ensiná-lo". No início do relacionamento, Kennedy havia lhe dito que um dia ele concorreria à presidência – então, ele era, obviamente, um bom partido. Mas, geralmente, ela achava o sexo com ele insatisfatório. Ela reclamou para Arthur Krock: "Ele era estranho e inseguro. Um garoto, não um homem. Sua intenção é a ejaculação e não o prazer de uma mulher".

Ao pesquisar nos arquivos do jornal, outro repórter do *Times-Herald*, Page Huidekoper, encontrou uma foto de Inga em Berlim. A legenda dizia: "Conheça a Srta. Inga Arvad, a beleza dinamarquesa que cativou tanto o chanceler Adolf Hitler durante uma visita a Berlim que ele a tornou chefe de publicidade nazista na Dinamarca. Arvad teve uma carreira brilhante como dançarina, atriz de cinema e jornalista antes de Herr Hitler homenageá-la por sua 'perfeita beleza nórdica'".

Huidekoper, que havia trabalhado para Joseph Kennedy na embaixada dos EUA em Londres quando Tyler Kent foi preso, contatou o FBI. Ela

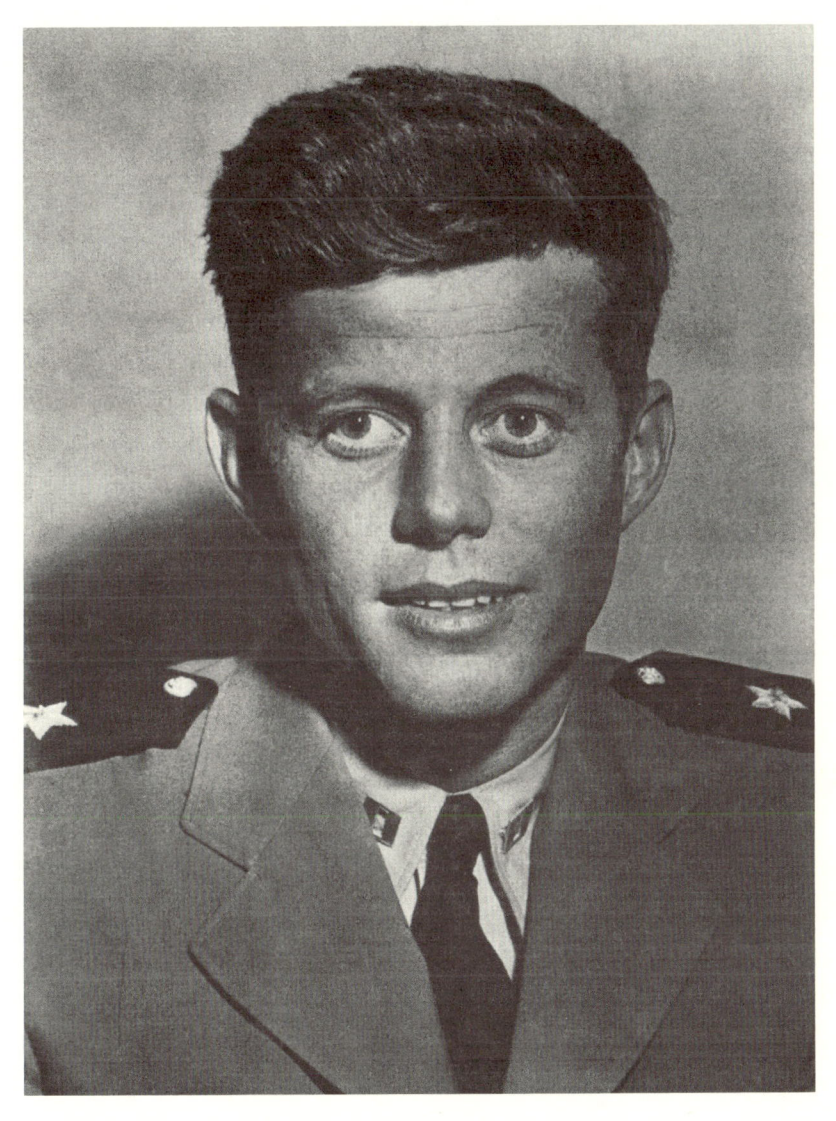

John Kennedy fotografado como tenente de nível júnior na marinha americana.

CAPÍTULO 11

mencionou isso à irmã de Kennedy, Kathleen, que também trabalhou no *Times-Herald*. Kathleen - apelidada de "Kick" - disse Inga.

Outros também tinham suas suspeitas. "O inglês dela não era perfeito", disse John White, namorado de Kathleen e funcionário do *Times-Herald*, "era mais que perfeito". "Tenho olhos colados em você", dizia ela. Olhos colados... Ela era muito inteligente – certamente, inteligente o suficiente para ser uma espiã – mas, também, extremamente amorosa. O que foi que encantou Jack? "Oh, o sexo. Ela era adorável. Ela parecia, e era adorável. Ela era uma mulher completa. Ela não era bonita, ela era linda. Gostosa, gostosa é a palavra. Como uma cereja no topo do bolo".

Sobre seu relacionamento com Kennedy, White observou: "Inga o deixa andar sobre ela como um linóleo".

Waldrop também estava de olho na situação. "Todos nós desconfiávamos que ele estava realmente apaixonado por ela, além do normal", disse ele.

Além das suspeitas de seus colegas de trabalho no *Times-Herald*, a magnata dos cosméticos, Elizabeth Arden, outra das entrevistadas de Inga, ligou para o FBI e disse que Arvad era uma simpatizante nazista. Ela também forneceu cópias de suas correspondências.

UMA ESPIÃ ALEMÃ?

O FBI chamou Inga para uma entrevista. Ela explicou que havia entrevistado Hitler duas vezes, juntamente com Goebbels e Göring, como jornalista. No entanto, observou-se que ela havia deixado o emprego no *Berlingske Tidene*, o maior jornal de Copenhague, em janeiro de 1936, muito antes dos Jogos Olímpicos de Berlim naquele verão, onde foi vista sentada no camarote de Hitler, aparentemente como membro da imprensa estrangeira. Hitler estava lá, mas ela disse que não se lembrava de ter sido fotografada com ele, nem de ter posado com ele. Ela também minimizou seus contatos com outros nazistas. No entanto, uma busca em seu escritório desmentiu isso.

"Em sua mesa", dizia o relatório do FBI, "havia numerosos artigos que foram preparados por ela... A maioria desses artigos dizia respeito a seus contatos com altos funcionários do governo alemão... Os trechos a seguir são de artigos escritos por ela, um referente ao Dr. Paul Joseph Goebbels, outro referente a Emmy Sonneman e seu marido, Hermann Göring. Este artigo expôs informações que Arvad teve a sorte de conseguir em uma entrevista com Miss Sonneman antes de seu casamento e que Miss Sonneman ficou tão impressionada com as palavras entusiásticas de Arvad que a convidou ao seu casamento como convidada privada. Ela confirmou ter participado do casamento dele, descrevendo o evento e as vestimentas de Adolf Hitler com precisão. Ela declarou que, enquanto esteve em Berlim, ficou com seu tio, um chefe de polícia em Berlim e ex-almirante de Hitler que foi assessor de campo do velho Kaiser, e que através dele conheceu o Dr. Goebbels. Através de Goebbels, ela organizou uma entrevista com Hitler".

Em sua primeira reunião com Hitler, na Chancelaria do Reich, Inga notou que os guardas da SS eram os "mais altos e mais bonitos" da Alemanha. Ela se lembrava de ter sido levada por um longo labirinto de corredores para uma sala enorme onde Hitler estava sentado em um canto.

O relatório continuou: "Ela declarou, com relação a isso: 'Eu levantei meu braço e disse: 'Heil Hitler'. Ele parecia perplexo, mas eu repeti a saudação quando não obtive resposta. Hitler estava, obviamente, envergonhado. Ele me ofereceu uma cadeira e sentou-se na beira de outra. Sua primeira pergunta foi: 'O que aconteceu com o Dr. Goebbels?', mas, como não carregava o *Mefisto* comigo, fiquei um pouco confusa. Mais tarde, disseram-me que Hitler nunca recebia ninguém sozinho, este era sempre acompanhado pela pessoa que o convidou".

Inga fez um relato da reunião com Hitler, concluindo: "Ele não é tão mal quanto é retratado pelos inimigos da Alemanha. Ele é, sem dúvida, um idealista; ele acredita que está fazendo a coisa certa pela Alemanha e seus interesses não vão além disso".

Inga foi claramente persuadida por Hitler e ele ficou encantado com a bela dinamarquesa de 22 anos.

"Tentei escapar algumas vezes quando parecia que a entrevista tinha durado o suficiente", disse ela, "mas Hitler me manteve ocupada e, pouco depois, o Dr. Goebbels, que participara de uma importante conferência, juntou-se a nós. Foi cerca de duas horas depois que eu saí e Hitler disse:

CAPÍTULO 11

'Eu me diverti tanto que imploro que você venha me visitar sempre que voltar a Berlim'".

O artigo resultante, publicado em *Berlingske Tidende*, em 1º de novembro de 1935, foi intitulado "Uma hora com Adolf Hitler". Nele, Inga escreveu: "Você gosta dele imediatamente. Ele parece solitário. Os olhos dele, ternos, olham diretamente para você. Eles irradiam poder". Logo, surgiram rumores de que Inga era amante de Hitler. Estes rumores foram anotados em seu arquivo do FBI.

O assessor de imprensa dinamarquês, Per Faber, disse que os nazistas devem ter "grandes esperanças em relação à utilidade da senhorita Arvad". Eles, certamente, tentaram recrutá-la como espiã. Após sua segunda entrevista com Hitler, ela participou de uma festa na casa de um príncipe alemão quando um homem importante do Partido Nazista disse: "Nós pagaremos, forneceremos uma grande conta para despesas e tudo o que pediremos é que você vá a todas as festas e nos informe sobre os assuntos das conversas".

Não desejando ofender, Inga disse que havia respondido: "Deixe-me pensar sobre isso".

O ministro das Relações Exteriores da Alemanha, Konstantin von Neurath, assistiu a esse encontro e se ofereceu para levá-la para casa. No caminho, ele a aconselhou a recusar a oferta e alertou: "Mas, este homem não pode ser recusado sem recriminação". Era quase certo que as notícias de sua recusa chegariam aos ouvidos de Himmler e ele organizaria uma visita da Gestapo. Inga deixou Berlim na manhã seguinte, embora tenha retornado à Alemanha no ano seguinte para embarcar em um navio em Hamburgo, para navegar para o sudeste da Ásia com Fejos.

AVENTURA ESTRANGEIRA

Para a viagem, Inga aprendeu o código Morse e como usar um rádio de ondas curtas. Fejos havia ensinado-a a disparar um rifle. No porto de Penang, eles viram o *Southern Cross*, o luxuoso iate de Wenner-Gren. Eles foram convidados a bordo para o jantar. Inga afirmou que Fejos salvou a vida de Wenner-Gren duas vezes quando foram caçar tigres. Outra testemunha ocular negou isso e Wenner-Gren não fez menção a isso em seu diário.

Depois disso, o casal se separou. Inga foi para Nova York e Fejos para o Peru, perseguido pelo FBI que Roosevelt encarregou de monitorar as incursões do Eixo na América Latina, que poderiam ameaçar o Canal do Panamá e as bases aéreas americanas no Caribe.

No final do verão de 1941, o governo da Argentina anunciou que 500.000 soldados nazistas já estavam na América do Sul. A expedição de Fejos, financiada por Wenner-Gren, foi em direção à área remota em que estava a guarnição. Wenner-Gren foi, então, colocado na lista negra, seus bens congelados e a ele foi negado qualquer negócio com os Estados Unidos ou a Grã-Bretanha. Inga também alegou que Wenner-Gren havia oferecido a ela $ 1 milhão para ser a mãe de seu filho. Mais tarde, ela disse a Kennedy que a única razão pela qual estava sendo assediada pelo FBI era por causa de sua associação com Wenner-Gren.

Quando o FBI questionou Inga sobre sua fotografia com Hitler em seu camarote, nas Olimpíadas de Berlim de 1936, ela disse que não se lembrava dessa foto. Após a entrevista, Inga pediu uma carta escrita pelo FBI dizendo que ela não era uma espiã. A carta nunca chegou.

AMÉRICA EM GUERRA

Logo haveria outra razão para o interesse do FBI. Em 4 de dezembro de 1941, três dias antes do ataque japonês a Pearl Harbor, o *Times-Herald* publicou trechos de planos secretos de guerra dos EUA, supostamente aprovados pelo presidente Roosevelt, sob o título "Planos de guerra secretos de DF revelados". O plano delineou cinco cenários hipotéticos de guerra, cada um designado com uma cor diferente. O quinto plano previa que os Estados Unidos se unissem à Grã-Bretanha em ataques contra os alemães no norte da África e no continente.

Em 8 de dezembro de 1941, os Estados Unidos declararam guerra ao Japão. Isso foi rapidamente seguido por uma declaração de guerra aos Estados Unidos por Hitler e Mussolini. Hitler fez referência à publicação do *Times-Herald*, dizendo: "O plano do presidente Roosevelt de atacar a Alemanha e a Itália com forças militares na Europa até 1943, no mais

CAPÍTULO 11

tardar, foi divulgado nos Estados Unidos e o governo americano não fez nenhum esforço para negá-lo".

Falou-se em processar a proprietária do *Times-Herald*, Cissy Patterson, por traição, junto com alguns de seus funcionários. O Presidente Roosevelt não estava interessado em prosseguir com o processo, mas o público não o perdoou. Até então, Hitler não tinha feito planos para atacar os Estados Unidos; acreditava-se que ele havia sido encorajado pelos "fascistas sujos do *Times-Herald*", que também revelaram que levaria 18 meses para que os Estados Unidos estivessem prontos para enviar uma força expedicionária para a Europa.

Com a América, agora, em guerra com a Alemanha, o presidente Roosevelt insistiu que o chefe do FBI, J. Edgar Hoover, se envolvesse pessoalmente na investigação de Inga Arvad. Como jornalista, ela escreveu histórias lisonjeiras do vice de Hoover - e amante de renome - Clyde Tolson, e da secretária de longa data de Hoover, Helen Gandy. Suspeitava-se que estas histórias foram escritas para confundir os agentes da contraespionagem. Tolson relatou rumores de que Inga teria sido vista em Berlim, em "um enorme carro oficial com as cortinas fechadas", o que implicava que algo de ilícito estava ocorrendo na parte de trás da limusine. Além do mais, com seus artigos bajuladores sobre funcionários seniores, parecia que ela estava brincando com o Bureau.

Um agente que observava o apartamento dela relatou que um oficial naval passou a noite lá. O homem usava "um sobretudo cinza com mangas raglan e calça tweed cinza. Ele não usa chapéu e tem cabelos loiros encaracolados, sempre desarrumados (...) conhecido apenas como Jack". Hoover precisou de apenas duas ligações para estabelecer que era John F. Kennedy.

INGA BINGA

Hoover tinha o telefone de Inga grampeado, suas correspondências interceptadas e seu apartamento arrombado e com escutas ilegais. Logo, ele tinha fitas de Kennedy fazendo amor com sua "Inga Binga". Ela o chamava de "madressilva" ou "querida criança selvagem".

Kennedy sabia dos riscos que corria com Inga. "Acho que ela é perigosa", disse ele a seu amigo Henry James. "Ela, certamente, tem conexões com os fascistas da Europa, principalmente da Alemanha. Mas, quanto a ser uma espiã, é difícil acreditar que ela esteja fazendo isso, porque ela não é apenas bonita, é calorosa, é carinhosa, é maravilhosa na cama. Mas, sabe, caramba Henry, eu descobri que o filho da puta Hoover tinha colocado um microfone embaixo do colchão!".

Foi Inga, no entanto, que viu que seu telefone estava grampeado. James alertou Kennedy para interromper o relacionamento ou correr o risco de ir para a cadeia por se relacionar com o inimigo.

No início de sua carreira política, Kennedy se gabara de que, quando chegasse a Washington, recuperaria as fitas. Ele nunca conseguiu. O arquivo de Hoover sobre Inga aumentou para mais de 1.200 páginas. Quando Kennedy se tornou presidente, Hoover deixou claro que detalhes de seu caso com uma suspeita espiã nazista estavam sendo "salvaguardados" pelo FBI.

"Ele sempre andava com uma toalha em volta da cintura", disse o filho de Inga, Ronald. "Era tudo o que ele usava no apartamento - uma toalha. No instante em que chegava, tirava todas as roupas e tomava banho... Se ele quisesse fazer amor, você faria amor - agora. Eles teriam 15 minutos para chegar a uma festa e ela responderia que não queria. Ele olhava para o relógio e dizia que temos dez minutos, vamos logo".

Inga também disse ao filho que estava grávida quando se casou novamente e não sabia se o pai dele era o marido dela ou Kennedy. Hoover vazou suas suspeitas para seu amigo, o colunista sindicalizado nacionalmente e influente comentarista de notícias de rádio, Walter Winchell.

Em 12 de janeiro de 1942, Winchell relatou: "Um dos filhos elegíveis do ex-embaixador Kennedy é o alvo das afeições de uma garota de Washington. Tanto que ela consultou seu advogado sobre o divórcio de seu noivo explorador. Kennedy pai não gostou". Inga havia entrevistado Winchell dois meses antes.

Alguns dias depois do trecho de Winchell aparecer, Hoover advertiu Joseph Kennedy: "Jack está com um grande problema e deve sair de Washington imediatamente".

CAPÍTULO 11

Depois de apenas 90 dias na *ONI*, Kennedy estava prestes a ser expulso ou, talvez, julgado em uma corte marcial como um risco à segurança. O capitão Howard Kingman, diretor assistente da *ONI*, queria que Kennedy fosse expulso da marinha o mais rápido possível. Mas, a influência política exercida por seu pai conseguiu mantê-lo, embora ele tenha sido rapidamente colocado no Charleston Naval Yard, na Carolina do Sul.

Kennedy disse a um repórter, mais tarde: "Eles me arrastaram para a Carolina do Sul porque eu estava andando com uma loira escandinava e pensaram que ela fosse uma espiã". Depois de viajar à negócios pela *ONI*, ele escreveu para Inga, dizendo: "Voltei de uma viagem interessante, sobre a qual não vou aborrecê-la com os detalhes, como se você fosse uma espiã, não devo lhe contar e se você não está interessada".

Sua mudança para a Carolina do Sul não acabou com o caso. Com pouco a ocupar sua mente, ele ficou ainda mais apaixonado por Inga. Eles trocaram cartas de amor, falaram ao telefone e passaram longos fins de semana juntos em Charleston. Inga fez check-in no quarto 132 do hotel Fort Sumter com um nome falso. Durante duas visitas de fim de semana, o agente de campo do FBI relatou que "praticavam relações sexuais em várias ocasiões". Quando o casal percebeu que seu quarto estava com escutas, mudou-se para o Marion Hotel, usando um nome diferente. Mas, o FBI logo os descobriu. Certa vez, Kennedy ficou ausente sem permissão, para visitar Inga em Washington, mas não havia como escapar da vigilância por lá.

Durante suas conversas, Inga observou que um discurso de Churchill foi "derrotista" e disse que os soldados britânicos "não eram nada bons". Ela e Kennedy condenaram Churchill por manobrar a entrada dos EUA na guerra; eles também disseram que Churchill previra, erroneamente, que "os japoneses se dobrariam como os italianos".

Os agentes notaram que Inga também havia renovado seu caso com o escritor dinamarquês Nils Blok, que ela conhecia de Columbia. Depois de passar a noite com ela em Washington, Blok escreveu para ela dizendo: "Como seus seios são redondos e luxuosos, quentes e adoráveis; como eu senti que estava beijando sua alma quando seus seios tremeram". Os seios dela, ele disse, "me disseram muito mais do que você já expressou com palavras e me ensinaram mais sobre você, sobre a vida e por que alguém deveria acordar de manhã... Por que um homem pode estar feliz por estar vivo".

Ela leu a carta duas vezes no dia em que chegou e mais duas na manhã seguinte antes de colocá-la no lixo. Os agentes do FBI a recuperaram e a arquivaram em um envelope marrom simples, com a inscrição "OBSCENE".

A VELHA CABRA

Com Hoover como diretor, o FBI manteve vigilância 24 horas por dia e acumulava mais fitas das atividades do futuro presidente. Em uma gravação memorável, Inga disse a Kennedy que estava grávida e o acusou de desfrutar dos prazeres da juventude sem a responsabilidade. Ao mesmo tempo, Inga passava noites com o financista Bernard Baruch, um dos conselheiros mais próximos do presidente Roosevelt em questões econômicas. Ela o chamou de "o velho cabra". Ele foi um contato importante, pois estava encarregado de reunir a força de trabalho necessária para construir a bomba atômica.

Baruch havia sido conselheiro presidencial e presidente do Conselho das Indústrias de Guerra na Primeira Guerra Mundial. Inga disse a ele: "Você desempenhou o papel de liderança na última guerra e, agora, eu estou desempenhando esse papel, aparentemente".

Através de seu trabalho como repórter, Inga teve outras fontes de inteligência. Ela entrevistou o almirante Henry A. Wiley, presidente do *Navy Board Production Awards*. Quando Kennedy a elogiou pelo artigo, ela disse: "Faço o trabalho mais terrível - não sei por que".

"Você não sabe o que é bom e o que é ruim", respondeu ele.

"Eu sei que você é bom - e extremamente ruim", foi a resposta dela.

Hoover enviou um relatório sobre sua "investigação atual dessa mulher como suspeita de espionagem" ao procurador-geral dos EUA, alertando que Inga poderia estar "envolvida em um tipo mais sutil de atividades de espionagem contra os Estados Unidos". O agente especial responsável pela investigação foi Sam McKee, um dos homens que mataram o ladrão de banco Pretty Boy Floyd, em 1934. Ele disse que o caso tinha "mais possibi-

CAPÍTULO 11

lidades do que qualquer coisa que eu já vi há muito tempo". Em fevereiro de 1942, o diretor da Unidade de Controle de Inimigos Estrangeiros do Departamento de Justiça escreveu a Hoover solicitando um "relatório de todas as informações que você tem em seus arquivos a respeito de Sra. Inga Fejos, 1600-16th Street, NW, Washington, DC, que eu gostaria de considerar se um Mandado Presidencial de apreensão deve ser emitido". Um pedido semelhante veio de William "Wild Bill" Donovan, diretor da *OSS*, precursor da *CIA*.

Em Charleston, Kennedy ainda estava trabalhando em inteligência naval, mas em um nível mais baixo. Ficou claro que ele também estava sob vigilância da Segurança Naval. Eles também grampearam o apartamento de Inga e a mantiveram sob vigilância.

Kennedy queria se casar com Inga e a levou para a casa da família em Hyannis Port, Massachusetts, mas seu pai se opôs à relação. Ingrid não era católica, embora isso não impedisse Joseph Kennedy de tentar seduzi-la. O FBI, posteriormente, estendeu sua investigação para incluir Kennedy Senior.

No entanto, depois de algum tempo, o ardor de John Kennedy esfriou. Quando Inga falou em anular o casamento, ele tinha pouco a dizer sobre o assunto. Estava claro que eles nunca se casariam.

"Combinamos tão bem juntos", ela disse a ele. "Só porque fiz algumas coisas tolas, devo dizer a mim mesma 'não'. Por fim, percebo que é verdade. Pagamos por tudo na vida".

Sem o apoio de seu pai, Kennedy sabia que o caso deveria terminar. Se continuasse, poria em risco sua carreira e prejudicaria a família.

"Há uma coisa que não quero fazer", disse Inga, "e isso é prejudicá-lo. Você pertence, de todo o coração, ao clã Kennedy e eu não quero que você brigue com seu pai por minha causa... Se eu tivesse apenas dezoito verões, lutaria como uma tigresa pelos seus filhotes a fim de encontrá-lo e mantê-lo. Hoje sou mais sábia".

Seu divórcio foi finalizado em junho de 1942. Ela tentou um emprego no *Office of War Information*, em Nova York, mas foi barrada por Roosevelt. Então, ela se mudou para a Califórnia para trabalhar como colunista de fofocas de Hollywood, onde ainda era observada pelo FBI.

O CASO COM BOOTHBY

Inga teve um caso com o membro britânico do parlamento Robert Boothby, amante de longa data da esposa do primeiro-ministro Harold Macmillan. A pitoresca vida privada de Boothby levantou rumores sobre sua sexualidade e participação em orgias homossexuais impostas pelo gangster do East End, Ronnie Kray. Aparentemente, ele implorou a Inga que se casasse com ele, mas ela interrompeu o noivado depois que sua proximidade com Hitler arriscou a posição de Boothby nas eleições de 1945. No ano seguinte, Inga se casou com Tim McCoy, uma estrela dos filmes de cowboys.

Como Kennedy era um risco à segurança, ele não podia mais permanecer na inteligência. Seu comandante, capitão Samuel A.D. Hunter, disse: "Parecia que a melhor coisa a fazer era transferi-lo para uma unidade marítima".

Quando Kennedy, finalmente, foi destacado para o serviço ativo, comandando um barco patrulha torpedeiro no Pacífico, colegas oficiais o apelidaram de "Shafty" e reclamaram que ele passava mais tempo perseguindo modelos do que submarinos inimigos. Mas, ele continuou a escrever para Inga, falando em jantar e tomar café da manhã quando voltasse. Ele tomou a precaução de ter suas cartas entregues em mãos por um amigo de confiança.

Em 1943, o barco PT de Kennedy foi cortado pela metade por um destroier japonês. Dois homens foram mortos e outros dois gravemente feridos. Kennedy levou o resto da tripulação para um lugar seguro. Ele imaginou que a perda de seu navio seria um duro golpe para sua carreira, mas quando retornou aos Estados Unidos, Inga estava à disposição como jornalista para entrevistá-lo. O relato de seu heroísmo levou-o à atenção do público e foi um trampolim em sua carreira política meteórica.

LEITURA PARA DORMIR

O caso de Kennedy com Inga teve outro resultado inesperado. Em Washington DC, Lyndon B. Johnson era vizinho de J. Edgar Hoover e costumava pegar arquivos do FBI emprestado para leitura na cama. Essa foi uma das razões pelas quais ele conseguiu controlar o Senado quando foi líder da maioria entre 1955 e 1961. Naturalmente, Johnson leu o arquivo de Kennedy com interesse.

CAPÍTULO 11

Foi útil quando ele se candidatou à indicação democrata para presidente, em 1960. Dizia-se que um significado alternativo de LBJ era *"Let's Block Jack"* - a coalizão para impedir que JFK garantisse a indicação. Mas, Kennedy tinha mais dinheiro que Johnson e realizou uma campanha soberbamente organizada.

Na convenção democrata em Los Angeles, em 1960, Kennedy ganhou a indicação na primeira votação. Johnson ficou furioso. As primeiras edições dos jornais deram o nome de três homens que Kennedy considerava seus companheiros de chapa - o de Johnson não estava entre eles. LBJ foi até Kennedy e disse que usaria o arquivo do FBI para acabar com a imagem do "homem de família" de Kennedy se ele não o indicasse. Os detalhes do caso de Kennedy com a rainha da beleza dinamarquesa Inga Arvad, durante a guerra, seriam particularmente prejudiciais. De acordo com um arquivo do FBI, o *Führer* esteve na cama com sua perfeita beleza nórdica. Um jornalista sueco nazista também a tomou como amante. Com a guerra ainda na memória coletiva, a revelação de que Kennedy dormiu com uma mulher que também teve um relacionamento com Hitler teria, no mínimo, a perda do voto judaico.

Kennedy e seu irmão Bobby se angustiaram com a decisão, mas não conseguiram pensar em uma solução. Johnson colocou-os em um beco sem saída e, finalmente, Kennedy admitiu derrota. "Tenho 43 anos", disse ele a Johnson. "Não vou morrer no cargo. Portanto, a vice-presidência não significa nada".

Johnson viu de maneira diferente. "Eu procurei", ele disse. "Um em cada quatro presidentes morreu no cargo. Sou um homem apostador e esta é a única chance que tenho". No dia seguinte, Johnson foi nomeado candidato a vice-presidente. Três anos depois, a história provou que sua aposta estava certa.

A pergunta permanece: Inga foi uma espiã? Revendo os arquivos de 1960, a vice-diretora do FBI, Cartha Deloach, disse: "A investigação sobre Inga Arvad nunca provou, conclusivamente, que ela era uma agente de espionagem alemã. Ela teve um relacionamento amoroso com John F. Kennedy. E, basicamente, é isso que os arquivos continham. Ela nunca foi indiciada, nunca levada a tribunal, nunca condenada".

Inga Arvad morreu de câncer em uma fazenda no Arizona, em 1973. Ela deixou o marido, Tim McCoy, e seus dois filhos.

CAPÍTULO 12

A MATA HARI ALEMÃ

John F. Kennedy não foi o único homem que teve uma carreira política depois de se envolver com uma suspeita de ser uma espiã sexual nazista em sua juventude. Como secretário do Estado britânico para a guerra, John Profumo foi forçado a renunciar em 1963, depois de admitir um caso com a garota de programa, de 19 anos, Christine Keeler, que dormia simultaneamente com o adido naval soviético, Yevgeny Ivanov. Mas, ele também teve contato íntimo com uma nazista, Mata Hari, enquanto estava em Oxford, na década de 1930, e continuou escrevendo para ela enquanto era oficial do exército e membro da Câmara dos Comuns durante a guerra.

No auge do escândalo de Profumo, em 1963, os serviços de segurança britânicos descobriram cartas e arquivos sobre seu relacionamento com Gisela Klein. Um memorando do MI5, de 1940, revelou que Profumo a conheceu em Oxford, no início dos anos 30. Ela "estava aparentemente estudando inglês e [ele] tornou-se íntimo dela. Ela sempre foi difícil. Mais tarde, tornou-se modelo e fez muitos contatos úteis. Lady Astor é citada por ter manifestado a opinião de que era uma espiã". Klein também foi descrita como "extremamente inteligente, espirituosa e sociável". Ela conheceu John Profumo no início dos anos 30.

CAPÍTULO 12

Gisela Klein.

Os serviços de segurança já a estavam monitorando. Relatórios anteriores descrevem-na como "de aparência espetacular" e usando "convites e ajuda de amigos do sexo masculino para sobreviver".

"Ela veio para a Inglaterra, afirmava ser antinazista, foi para Oxford aprender inglês e fez grandes amizades com muitos jovens conhecidos", observou o MI5. "É conhecida por estar associada a um certo Jack Profumo, um sujeito britânico rico de origem estrangeira... Ela deve ser cuidadosamente observada e investigada".

CASOS NUMEROSOS

O arquivo do MI5 mostra que se acreditava que Gisela teve vários casos, incluindo "dois oficiais militares franceses e um príncipe francês". O MI5 observou com desaprovação: "Ela parece transitar pela alta-sociedade e considera-se provável que ela dependa, em grande parte, de convites e ajuda de amigos do sexo masculino".

A primeira evidência de que Gisela Klein, nascida na Alemanha, era espiã, veio em 1938, do correspondente do *The Times,* de Paris, Thomas Tucker-Edwardes Cadett. Ele escreveu ao gerente assistente do jornal relatando que um jovem aristocrata inglês, Lord Erleigh, havia "pegado uma modelo pró-nazista chamada Klein, que é a amante do adido militar alemão daqui... Seus amigos do MI5 iriam gostar de saber disso". A informação foi passada para o MI6 que, mais tarde, concluiu que Gisela estava viajando pela Europa, inclusive pela Itália e Grécia, fornecendo informações secretas aos nazistas, em Paris, durante a Segunda Guerra Mundial.

Um relatório posterior observou que, em 1942, ela morava na Paris ocupada pelos nazistas como amante de um oficial da inteligência alemã com quem teve um filho. O general Stülpnagel, comandante militar alemão da França ocupada, até "ofereceu a ela um emprego de diretora de um serviço de informações secretas. Ela aceitou e operou sob a cobertura de um escritório de informações comerciais".

Profumo havia se tornado um deputado conservador em 1940, enquanto servia no exército, mas ele permaneceu em contato com Klein e, provavelmente, não tinha conhecimento de suas atividades na espionagem nazista. Suas cartas para ele eram bastante inocentes. Por exemplo, em 1942, ela escreveu dizendo: "Estou com 16 outras garotas, todas modelos, mostrando nossa nova moda em Zurique... Eu amo isso". Ela acrescentou: "Embora eu não esteja tão feliz como costumava estar na 88 Seymour Street [o seu endereço anterior, em Oxford]".

Ela continuou: "Jack, querido, acho muito difícil escrever esta carta, pois não consigo me acostumar com a ideia de que sou livre para escrever sem censura".

A Suíça permaneceu neutra durante a guerra e o correio não era censurado; mas a carta não escapou à atenção das autoridades britânicas. O MI5 a interceptou e observou que a espiã alemã que a escreveu "parece estar tentando buscar informações". Quando questionado sobre seu relacionamento com ela durante a guerra, Profumo admitiu ter conhecido Gisela em 1936 e disse que "a conhecia bem".

O major Astor, filho de Lady Astor, disse em 1945 que Gisela havia passado algum tempo no Cairo e Alexandria, onde se dizia que "conhecia todos os oficiais de ambos os lugares".

Após a libertação de Paris, em 1944, ela foi presa por espionagem na prisão de Fresnes. Mais tarde, foi transferida para uma prisão na Rue Suchet, onde Edward Winegard, um americano de origem alemã que servia às forças americanas, estava no comando. Em sua libertação, Gisela se casou com Winegard em Hamburgo. Eles se mudaram para Tânger, no Marrocos, onde trabalhavam para a estação de rádio *Voice of America*. Mas, em abril de 1950, Gisela foi demitida de seu emprego como balconista "quando foi descoberto que ela havia trabalhado para os alemães durante a guerra e era 100% pró-alemã".

CAPÍTULO 12

CARTAS ÍNTIMAS

Profumo foi deputado conservador de Kettering entre 1940 e 1945 e Stratford-upon-Avon de 1950 até sua demissão, em 1963. Winegard se divorciou rapidamente de sua esposa quando descobriu cartas íntimas de Profumo, escritas em papel da Câmara dos Comuns. Mais tarde, Profumo escreveu a Christine Keeler, em um papel do Ministério da Guerra, preocupado com uma possível exposição sua para chantagem.

Em 1963, o oficial do MI6, Cyril Mackay, escreveu a Arthur Martin, que liderava a investigação do caso Profumo no MI5, dizendo: "Embora não seja particularmente relevante para o caso notório atual, Geoffrey achou que você gostaria de ter em seus arquivos cópias de um relatório de nosso representante [editado], datado de 2 de outubro de 1950, que menciona uma associação entre Gisela Klein e Profumo que começou cerca de 1933 e, aparentemente, não havia cessado no momento deste relatório".

Os documentos do MI6 também revelam que Gisela Winegard teve um pedido de visto britânico rejeitado em 1951. O chefe da inteligência britânica em Tânger acrescentou: "Temos boas razões para acreditar que o Sr. e a Sra. Winegard se envolveram, recentemente, em atividades de chantagem e, agora, achamos que é possível que sua intenção de visitar o Reino Unido possa estar relacionada a esse caso".

O pedido de Gisela para um visto de seis semanas usou o nome de Jack Profumo, "*MP* para South Kettering" como referência. Ela foi proibida de entrar na Grã-Bretanha, com o MI5 observando que "suas atividades nos últimos dez anos são certamente consistentes com um alto grau de espionagem". Observou-se que ela e o marido haviam enfrentado problemas com as autoridades americanas em 1947–48 por "terem abrigado um dos chefes de um círculo de espionagem alemão".

Gisela morreu na Flórida, em 1991, aos 77 anos.

CAPÍTULO 13

O CASO ESPANHOL

Mussolini e seus fascistas tomaram a Itália em 1922; Hitler e os nazistas chegaram ao poder na Alemanha em 1933; e os nacionalistas de Francisco Franco, os falangistas, tomaram o poder na Espanha durante a Guerra Civil Espanhola de 1936–39. Como comandante do Exército da África, no Marrocos espanhol, Franco já planejava sua ocupação em 1935 e pediu ajuda à Itália e à Alemanha. Os nazistas estavam ansiosos por ajudar e decidiram enviar Angelica Dubrow, uma agente especial da recém-criada Seção Espanhola da Gestapo. A missão era extremamente secreta.

LOIRA E INDIFERENTE

Uma loira exuberante, Angélica tinha aparência de estrela de cinema e se vestia com elegância. Em 10 de junho de 1935, ela embarcou no Munich Express, no Anhalter Bahnhof, em Berlim. De Munique, ela foi em um vagão de primeira classe para Roma. Na fronteira, ela entregou aos funcionários da alfândega um passaporte britânico em nome de Miss Helen Holborn.

Ela era, é claro, alemã e havia servido aos nazistas em uma operação de falsificação durante a hiperinflação sob a República de Weimar. O passaporte

CAPÍTULO 13

forjado tinha um carimbo mostrando que ela havia entrado na Alemanha pela Holanda. Isso também era falso, mas havia sido adicionado para ajudar a explicar por que ela estava deixando a Alemanha com uma grande soma em moeda estrangeira, apesar das rígidas restrições monetárias.

Na viagem, Angélica permaneceu indiferente e leu as revistas que trouxera. Ocasionalmente, um homem tentava falar com ela, mas era rapidamente rejeitado. Parecia que ela não tinha interesse em companhia masculina. No entanto, havia um homem no trem pelo qual ela estava interessada, mesmo que ela não estivesse dando-lhe atenção. Ele era um espanhol chamado Fernando Quesada e, também estava na primeira classe.

Nascido em Barcelona, Quesada tinha pele morena e cabelos pretos. Quando os funcionários da alfândega verificaram sua bagagem, encontraram camisas de seda e uma coleção de perfumes, além de outros ornamentos de um cavalheiro abastado. Sua maleta era enfeitada com prata. Ele tinha apenas dez marcos no bolso, mas seu ar de autoconfiança não encorajava muitas perguntas.

De Roma, os dois passageiros viajaram para Nápoles, onde Angélica se hospedou no Hotel Parkers. Naquela noite, ela vestiu um terninho azul claro, escolheu um buquê de cravos brancos e pediu ao porteiro que chamasse um táxi. O motorista a deixou no porto. De lá, ela foi até um restaurante chamado Zi 'Teresa. Como estava cheio, ela esperou perto da entrada por uma mesa. Um garçom viu os cravos e se aproximou dela. Ele explicou que não tinha mesas de reserva, mas se ela não se importasse em compartilhar, ele poderia encontrar um lugar para ela.

Ele a levou a uma mesa no canto onde um homem estava sentado - ele se levantou e se apresentou. Ele era italiano e se chamava Gaston d'Ette. Aparentemente, como um representante de uma empresa automobilística italiana, ele era um agente do governo fascista desde a ascensão de Mussolini ao poder.

Alguns minutos depois, Fernando Quesada entrou no restaurante. Ele também foi levado à mesa deles. Os três não haviam se conhecido antes, mas se conheciam pelo nome. Quesada era um trapaceiro que se envolvia em espionagem. Ele se envolveu em contrabandear cigarros americanos para a Espanha e, infelizmente, sua foto estava nos jornais após um escândalo sobre suborno e jogos de azar. Queseda compareceu à reunião em Zi 'Teresa para representar o general Franco, enquanto Dubrow e d'Ette representavam seus respectivos governos.

Claramente, era do interesse da Itália e da Alemanha ver outro governo fascista na Europa. Franco queria 80 aviões para ajudar a consolidar seu domínio sobre a Espanha, e as potências do Eixo concordaram em enviar, secretamente, os aviões para o norte da África. A Alemanha forneceria as fuselagens e a Itália os motores; os industriais espanhóis garantiriam o pagamento.

O problema era como levá-los até lá. Os britânicos e franceses eram hostis a Franco, e ambos tinham frotas patrulhando o Mediterrâneo. O plano era criar as estruturas da fábrica de Nuremberg e marcá-las como "brinquedos" para fins alfandegários. Outras estruturas de Solingen seriam marcadas como "pequenas ferragens variadas". Eles seriam enviados para Nápoles, onde os motores estariam esperando e, então, seriam transportados como carga regular em pequenos cargueiros para Marrocos, onde seriam montados.

LE CAPITAINE SOLITAIRE

No jantar, Queseda anunciou que esses planos teriam que ser abandonados. Um navio misterioso apareceu de Marrocos. O capitão sempre foi visto sozinho e era conhecido como *Le Capitaine Solitaire*. Havia um aumento no tráfego de rádio na área e a suspeita era de que o *Capitaine* estava trabalhando para o serviço secreto britânico. Seu barco tinha um calado raso e operava em águas pouco navegáveis por outras embarcações. Isso dificultava pegá-lo. Temia-se que seria impossível transportar secretamente as partes do avião no Marrocos, pois vários cargueiros da região haviam afundado.

Queseda sugeriu montar os aviões na Itália e, depois, levá-los para o Marrocos. Gaston d'Ette protestou que isso seria impossível sem atrair a condenação internacional da Itália que estava, naquele momento, planejando a invasão da Abissínia.

Dubrow sugeriu, em vez disso, que enviassem os contêineres para a Líbia, que estava sob controle italiano desde 1911. Uma fábrica temporária poderia ser erguida no deserto onde os aviões poderiam ser montados; depois, eles poderiam ser levados durante à noite para Marrocos, secretamente, ao longo de uma rota ao sul.

Consultando um mapa, Dubrow sugeriu que enviassem os contêineres para o pequeno porto de Zuara, 80 km a oeste de Trípoli. O plano foi aceito, mas Angélica estava interessada em saber mais sobre o *Capitaine*, pois ela achava que ele ainda poderia representar uma ameaça.

As informações sobre ele eram mínimas, na melhor das hipóteses. Sua embarcação era um barco típico de contrabandista, de 23m de comprimento e movido a diesel, com um exaustor, uma cabine baixa e sem mastro. O *Capitaine* era visto, geralmente, com uma barba vermelha bem clara.

HOMEM COM CAPA DE CHUVA

Os três agentes esperaram em Nápoles enquanto as fuselagens eram enviadas do porto alemão de Emden e os motores chegavam das fábricas italianas. Enquanto os contêineres estavam sendo carregados em um cargueiro, outro caminhão chegou. Um homem com uma capa de chuva leve saiu. Ele estava usando um par de óculos de armação dourada e um capacete. De uma brecha em que faltava um dente, um longo charuto se projetava. Ele tinha a papelada para carregar outro caixote. O imediato argumentou, mas a papelada estava em ordem e um contêiner adicional marcado "Manuseie com cuidado", em alemão e italiano, foi finalmente guardado no porão.

O porto de Zuara estava rodeado de arame farpado. Tropas e policiais adicionais foram trazidos para protegê-lo. A certa distância da cidade, uma base aérea italiana havia sido preparada. A segurança também foi reforçada. Uma fábrica improvisada havia sido montada, juntamente com um quartel para abrigar os pilotos.

Os três agentes chegaram a Zuara com as caixas que foram carregadas em caminhões e, depois, levadas à base aérea, onde os mecânicos aguardavam. A fábrica estava em funcionamento quando, na noite de

16 de agosto de 1935, o chefe de polícia local chegou com uma garrafa de vinho. Ele e os três agentes fizeram brindes ao sucesso de sua missão, que agora parecia garantida.

Angélica perguntou, casualmente, se alguma coisa estava acontecendo no porto. O chefe da polícia não disse nada, exceto que um barco de pesca britânico havia chegado para reparos. Ela imediatamente perguntou o tamanho do barco. Este tinha 75 pés. E o capitão? Ele tinha barba ruiva.

O chefe de polícia assegurou-lhes que o barco estava realmente danificado - ele o viu com seus próprios olhos. Mas, os agentes insistiram em ver por si mesmos. Quando chegaram ao porto, o barco de pesca estava, aparentemente, vazio.

De repente, houve uma explosão estrondosa e o céu se iluminou. Os agentes correram de volta para a base aérea - a fábrica onde os aviões estavam sendo montados estava em chamas. Achando que *Le Capitaine* estivesse envolvido, o chefe da polícia colocou dois oficiais a bordo do barco de pesca para guardá-lo.

Duas semanas depois, os dois oficiais foram informar o seu cônsul, no porto francês de Oran, na Argélia. Eles disseram que, enquanto guardavam o barco de pesca, ele subitamente zarpou para o mar. As condições adversas os deixaram enjoados e, então, foram facilmente desarmados. Eles esperavam ser jogados ao mar, mas foram desembarcados em uma praia solitária perto de Oran. De lá, eles puderam ir a pé para a cidade.

Não se sabe o que aconteceu com Fernando Quesada. Ele, provavelmente, morreu no banho de sangue da Guerra Civil Espanhola. O agente italiano, Gaston d'Ette, se viu exilado na ilha de Lipari, onde se suicidou seis meses depois. Angélica Dubrow foi vista no Rio de Janeiro em 1938; ela nunca voltou para a Alemanha.

As ações do marinheiro de barba vermelha haviam prejudicado os planos de Franco e o golpe militar que desencadeou a Guerra Civil Espanhola foi adiado para julho de 1936. Em outubro, Franco proclamou-se chefe de estado e chefe de governo sob o título "Generalíssimo". Suas forças, finalmente, tomaram Madri em março de 1939.

CAPÍTULO 14

A PROSTITUTA DE VIENNA

Lilly Barbara Carola Stein era conhecida como a *femme fatale* do Ritter Ring, cujo ramo nos Estados Unidos era o círculo de espionagem de Duquesne. Nikolaus Ritter tornou-se chefe de inteligência aérea no *Abwehr* no final da década de 1930. Sua primeira esposa, Mary Aurora Evans, era uma professora irlandesa-americana do Alabama e juntos tiveram dois filhos. Ritter visitou Nova York em um breve período de serviço sem sua família, em 1935. Em 1937, Mary pediu o divórcio por abandono, mas quando ela tentou voltar para os Estados Unidos, ele sequestrou seus filhos.

O chefe do *Abwehr*, almirante Wilhelm Canaris, disse a Ritter para contatar o ex-mestre de espionagem alemão Fritz Joubert Duquesne, que morava em Nova York. Ritter já o encontrara lá em 1931. Duquesne, um bôer da África do Sul, lutara na Segunda Guerra Anglo-Bôer. Capturado durante uma ousada tentativa de assassinar o comandante em chefe britânico Lord Kitchener, ele foi enviado para uma colônia penal nas Bermudas, mas escapou para os Estados Unidos, onde se tornou jornalista no *New York Herald*.

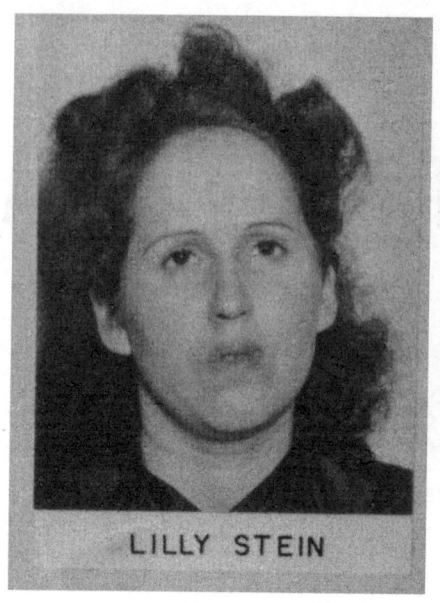

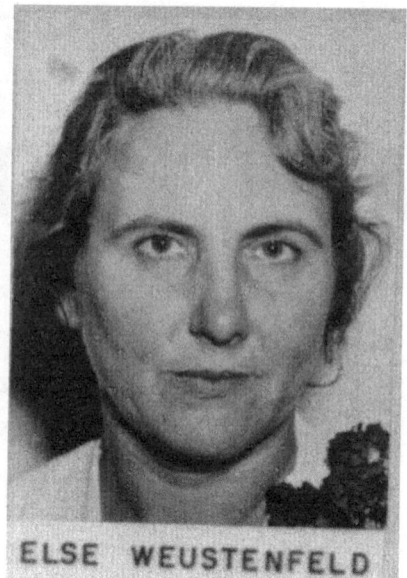

Lilly Stein e Else Weustenfeld foram condenadas por serem membros do Duquesne Spy Ring.

O HOMEM QUE MATOU KITCHENER

Durante a Primeira Guerra Mundial, Duquesne espionou para a Alemanha e foi para o Brasil, onde sabotou navios britânicos. Ele conseguiu matar Kitchener, juntando-se a ele no HMS *Hampshire* disfarçado de um duque russo e, depois, sinalizando para um submarino alemão torpedear o cruzeiro. Posando como o herói de guerra britânico, Capitão Claude Stoughton ganhou dinheiro dando palestras em Nova York antes de ser preso por fraude, em 1917. Os britânicos exigiram sua extradição por assassinato em alto mar, mas ele escapou da prisão e fugiu para o México, retornando ao Estados Unidos como Major Frederick Craven.

Em 1932, ele foi preso novamente por assassinato em alto mar, mas o prazo de prescrição se esgotara antes que ele pudesse ser extraditado. Dois anos depois, ele se tornou um oficial de inteligência da Ordem dos 76, uma organização pró-nazista americana. Então, quando Ritter o contatou novamente, em 1937, Duquesne montou um círculo de espionagem. O *Abwehr* enviou William Sebold para se juntar a ele.

AGENTE DUPLO DO FBI

Nascido no Ruhr, Sebold serviu no exército alemão durante a Primeira Guerra Mundial. Esperando uma vida melhor, emigrou para os Estados Unidos em 1922 e tornou-se cidadão naturalizado em 1936. Retornando à Alemanha para visitar sua mãe, em 1939, Sebold foi abordado por Ritter e coagido a se tornar um espião. Após sete semanas de treinamento em Hamburgo, ele foi enviado de volta aos Estados Unidos com instruções para entrar em contato com Duquesne. Mas, mesmo antes de deixar a Alemanha, Sebold entrou em contato com o cônsul-geral dos EUA, declarando-se cidadão americano leal e oferecendo-se para trabalhar como agente duplo.

Nos Estados Unidos, ele passou informações sobre os membros do *Duquesne Spy Ring* ao FBI. Os agentes estavam particularmente interessados em um deles, uma loira muito branca e glamourosa, chamada Lilly Stein. J. Edgar Hoover, à sua maneira arrogante e puritana, chamava-a de "prostituta vienense".

Lilly nasceu em uma rica família austríaca. Eles eram rigorosos; ela era rebelde. Desde os 14 anos, ela foi uma festeira dedicada e se afastou de seus parentes. Ela ganhou dinheiro posando nua como modelo.

A patinação artística era uma de suas paixões e ela seguiu o circuito internacional, viajando com Heinrich Sorau, cujo nome verdadeiro era capitão Hermann Sandel. Com o codinome de "tio Hugo", ele era o diretor da escola de espionagem em Hamburgo e treinara William Sebold. Com Lilly, Sorau se disfarçou como homem de negócios internacional, com interesses diversificados e considerável influência dentro do governo. Esses ativos se mostraram vitais para Lilly que, agora, encontrava seu sustento - e sua vida - em perigo.

Após a anexação da Áustria, os pais de Lilly morreram e sua herança foi negada por procedimentos legais demorados. A maioria de suas amigas, agora, a evitava por causa de sua descendência judaica. Ela se viu precisando de ajuda financeira: claramente, uma jovem atraente poderia ser útil a um mestre de espionagem. Sorau a matriculou em sua escola de espionagem e ela se juntou ao *Abwehr*. Depois de terminar seu treinamento, recebeu um passaporte alemão que a classificou como "mistura judaica de primeiro grau"- chamado de *Mischling* ou meio-judia (na verdade, ela era totalmente judia). Como *Mischling*, ela foi inicialmente poupada da pior das perseguições antissemitas e foi autorizada a viajar amplamente por toda a Europa.

Em outubro de 1939, Lilly chegou a Nova York com um visto fornecido por Ogden Hammond Jr, o vice-cônsul americano de 27 anos, em Viena. Para evitar o bloqueio naval britânico, ela viajou pelo *Drottningholm* da *Swedish American Lines*. Após o desembarque, ela se registrou no elegante Hotel Windsor e enviou uma carta para a pivô do círculo de espionagem Duquesne, Else Weustenfeld. Cidadã norte-americana nascida na Alemanha, Weustenfeld trabalhou como secretária em um escritório de advocacia empregada pelo consulado alemão, em Nova York, e morou com Hans W. Ritter, irmão de Nikolaus Ritter. Mais tarde, ela foi descrita pelos jornais como a "amante loira espiã do irmão do chefe nazista". Em uma carta, Lilly anexou uma nota do tio Hugo, assinada com "Sorau", que dizia: "Estou enviando esta mulher para você. Você poderia ajudá-la, por favor?".

Quando Else chegou ao hotel Windsor para conhecer Lilly, ela foi recebida com a senha: "Trago cumprimentos de seus amigos de Verden an der Aller".

"O que mais você trouxe?", perguntou Else.

Lilly disse que tinha US$ 500 (£ 7.000 / US$ 9.000 hoje) e uma microfotografia de instruções para Fritz Duquesne escondida no fundo de uma caixa de pó facial.

"O dinheiro é para Jimmy Dunn", disse Lilly, sem saber que Jimmy Dunn era um dos muitos pseudônimos de Duquesne. Ela também não sabia que, depois de ver fotografias nuas de Lilly, Duquesne estava ansioso para conhecê-la. Ele a visitou assim que ela encontrou um apartamento na West 81st Street, e ela lhe deu a microfotografia e o dinheiro. Outros agentes usariam o apartamento dela como endereço de retorno para enviar informações para a Alemanha.

UMA REDE EXCLUSIVA

Lilly montou uma loja exclusiva que vendia roupas de praia caras para mulheres em férias na Flórida. Além de complementar sua renda como espiã, isso atraía uma clientela rica, as esposas de industriais e financiadores.

Para obter informações, ela frequentou os melhores hotéis e boates de Manhattan e assistiu à ópera em busca de homens que pudessem sussurrar em seu ouvido "sobre todo tipo de desenvolvimentos e negócios na indústria e nas finanças".

Ela descobriu que os apostadores altos podiam facilmente ser persuadidos a desistir de seus segredos por meio de conversa de travesseiro ou chantagem. Ela foi uma "ninfomaníaca bonita e esbelta, com senso de humor", disse um agente do FBI que a vigiou.

Os agentes disputavam a tarefa de seguir Lilly porque ela tinha várias amigas glamourosas, incluindo a atriz francesa Simone Simon e a patinadora olímpica e estrela de cinema Sonja Henie. Elas passavam a noite gastando no elegante 21 Club.

Além de canalizar dinheiro para sustentar seu estilo de vida extravagante, Lilly era o canal para os fundos necessários para administrar o círculo de espionagem. Ela fazia um pedido e o dinheiro era enviado via Amsterdã ou bancos na América Latina. Ela foi um dos agentes a quem Sebold entregou equipamento microfotográfico quando ele retornou aos Estados Unidos. Ele ligou para ela de uma cabine telefônica no cruzamento da West 86th Street com Columbus, depois pegou um táxi para o prédio para o qual ela havia se mudado na East 50. Atendendo à porta, estava uma mulher de 24 anos, sedutora e com "aparência mais jovem que a média". Sebold mal podia acreditar nos seus olhos e perguntou duas vezes se ela era a senhorita Stein. Depois de usar uma lupa para examinar uma microfotografia que ele havia escondido no chapéu, ela ofereceu uma bebida. Ele recusou; aparentemente, isso não era tudo o que estava em oferta. Quando ele disse que estava saindo, Lilly fez beicinho e disse: "Agora você vai embora e vai me deixar sozinha".

Lilly e Sebold se encontraram em um restaurante alguns dias depois, onde ela contou que estava no meio de um namoro com Ogden Hammond Jr., que havia sido chamado da Áustria. Embora Hammond parecesse ser um americano patriótico, uma revista da esquerda disse que ele era membro da "primeira família fascista de Washington". Seu pai foi um ex-embaixador na Espanha e um apoiador inabalável de Franco, enquanto seu cunhado foi um adido na embaixada italiana.

Lilly, frequentemente, encontrava Sebold para lhe dar informações a serem transmitidas à Alemanha e continuava tentando seduzi-lo. Um relatório do FBI disse que ela quase o encurralou e, "depois, tentou insinuar-se para ele e, entre outras coisas, disse: 'Por que vocês americanos sempre têm medo de mulheres?'".

Ela, constantemente, pressionava Sebold por dinheiro. Quando ele lhe deu US$ 100, ela o usou para um aborto. Em troca, ela transmitiu as informações

CAPÍTULO 14

repassadas a ela por Ogden Hammond, afirmando que "não havia chance de a América entrar na guerra".

Nem toda a inteligência que ela forneceu era sem fundamento. Em 3 de setembro de 1940, no auge da Batalha da Grã-Bretanha, ela informou a Sebold que as fábricas britânicas estavam produzindo 1.000 aviões por mês. A fonte era o capitão Hubert Martineau, um jogador de críquete e oficial militar com quem ela estava envolvida. De fato, isso foi uma subestimação: as fábricas britânicas haviam fabricado 1.601 aviões em agosto e deveriam produzir 1.341 em setembro, excedendo em muito a produção da indústria aeronáutica alemã. Foi uma dor de cabeça considerável para o amante de Martha Dodd, Ernst Udet, que era diretor do escritório técnico da *Luftwaffe*. Mas, nenhuma dessas informações retornou à Alemanha porque Lilly as entregou a Sebold para transmissão.

ABANDONADO

Para o *Abwehr*, o contato de Lilly com Hammond era improdutivo. No início, eles emitiram instruções, dizendo: "Lilly deve ter cuidado e informar por escrito". Então, Sebold foi instruído a dar um fora nela. "Você, pessoalmente, cortará as conexões conforme as instruções", disseram-lhe. "Por razões, diga que 'você não trabalha mais para nós'".

Lilly não podia acreditar que Sebold não precisasse mais de seus serviços.

"O que? Você me largou?", ela perguntou.

"Não, eles me largaram", respondeu Sebold.

Logo depois, Hammond foi chamado pelo secretário de Estado assistente Adolf Berle, que lhe disse que sabia tudo sobre seu caso com Lilly Stein. Hammond foi convidado a renunciar. A razão oficial dada para sua demissão era que ele havia imitado o Presidente Roosevelt "de maneira represensível" em uma festa de verão em Newport, e J. Edgar Hoover havia relatado isso. Hammond recusou-se a renunciar, jurando que, "em nenhum momento eu morei ou tive relações íntimas" com Lilly Stein. Ele obteve uma liminar contra o Departamento de Estado para impedir sua demissão. Foi, então, divulgado na imprensa que ele havia se envolvido em "relações desleais" com uma anônima "agente feminina de uma potência estrangeira". Ele acabou perdendo o processo e teve recusada sua permissão para apelar à Suprema Corte.

Mesmo sem a conexão com Sebold, Lilly continuou espionando pela Alemanha nazista. Ela encontrou uma nova fonte - um cavalheiro inglês que conheceu no Hotel Pierre - e que tinha um novo endereço em Colônia para o "tio Hugo".

O FBI registrou que ela continuou a entrar em contato com Else Weustenfeld. Enquanto isso, Sebold, que era casado, reclamou da "conduta imoral" de Lilly. Weustenfeld disse que sabia que Lilly "não era honesta, mas que Harry" - Harry Sawyer, um dos pseudônimos de Sebold - "não tinha motivos para argumentar" a respeito. No entanto, o FBI teve grande prazer em registrar todos os detalhes da vida amorosa de Lilly.

PECADILHOS DE LILLY

Foi dito que Lilly tinha uma propensão para desportistas europeus. Havia o atleta Rudolph C. "Rudy" Schifter, e o boxeador austríaco Romuald J. Wernikowski, que lutou sob o nome de Rex Romus, e que foi visto visitando-a em um apartamento na East 79th Street. Ela namorou o campeão de patinação suíço Georg von Birgelen e o piloto Hans Ruesch, que se acredita ter postado cartas em seu nome na Europa.

Lilly foi casual sobre esses assuntos.

"Eu apenas olho para eles e eles se apaixonam por mim", disse ela.

Nem Lilly, nem Weustenfeld confiavam em Sebold e suspeitavam que ele estava desviando dinheiro. Lilly até pensou que ele poderia ser um agente duplo, mas Weustenfeld descartou a ideia, dizendo que não tinha "coragem suficiente para fazer isso".

Em 27 de junho de 1941, o FBI decidiu arrebanhar o círculo de espionagem de Duquesne. Participaram cerca de 250 agentes especiais. Naquela noite, Lilly estava entretendo um cavalheiro visitante - uma pessoa de "considerável importância", observou o FBI - que foi generosamente autorizado a concluir seu encontro antes da incursão. Percebendo que o apartamento dela esteve grampeado, Lilly comentou: "Bem, vou dizer uma coisa. Você, com certeza, escutou tudo".

Ela estava otimista. "Estive esperando por isso há muito tempo", disse ela.

CAPÍTULO 14

Ela, então, se ofereceu aos agentes especiais que vieram prendê-la. O agente especial William Friedemann a descreveu como "um verdadeiro tipo ariano", enquanto o imenso ex-campeão de digitação do Kansas, o agente especial Wayne Kemp, a recusou.

"Foi o grande incidente da noite", disse Friedemann.

Raymond Newkirk, que foi designado para interrogá-la, disse ao autor Art Ronnie: "Lilly achou tudo uma grande piada. Ela sabia que estava indo para a cadeia, mas estava satisfeita por ter ganho bastante dinheiro. Ela imaginou ter enganado os alemães o tempo todo, porque estava sempre pedindo dinheiro por informações que sabia que não valiam nada".

Sua principal preocupação era que ela fosse enviada para uma prisão de mulheres, mas foi tranquilizada quando lhe disseram que haveria guardas do sexo masculino.

"Não se preocupe", disse ela. "Lil vai fazer um pequeno negócio atrás das grades".

J. Edgar Hoover descreveu a investigação como "a maior do gênero na história da nação" e a maior desde a promulgação da Lei de Espionagem de 1917. Ele disse em uma entrevista coletiva que a "modelo artística" Lilly Stein era a agente sem nome mencionada nas reportagens do caso Ogden Hammond Jr.

Durante o julgamento, Duquesne alegou que Sebold exibiu "fotos pornográficas francesas" de Lilly em uma reunião clandestina no City Hall Park e fez "comentários elogiosos sobre sua capacidade como namorada". Outro dos conspiradores, Herman W. Lang, afirmou que Sebold havia lhe oferecido os serviços de Lilly ao tentar recrutá-lo.

Ele disse: "Você está interessado? Eu poderia marcar um encontro para você. Se você está interessado e quer se divertir, ora, eu poderia organizar isso", testemunhou Lang. "Então, olhei para ele e disse: 'Que ideias você tem? Você sabe que eu sou casado'".

Por se declarar culpada, Lilly foi condenada a dez anos por espionagem e a outros dois por não se registrar sob a Lei de Registro de Agentes Estrangeiros. Ela não pôde resistir a dar um sorriso para os fotógrafos da imprensa. Durante sua estada nos Estados Unidos, ela havia pedido naturalização, potencialmente aumentando sua pena de espionagem para traição. Ela foi deportada de volta para a Áustria, um dos poucos judeus austríacos que sobreviveram ao Holocausto.

CAPÍTULO 15
A ESPIÃ COLEGIAL

De acordo com o chefe do FBI, J. Edgar Hoover, em uma revista norte-americana, em 1944: "De todas as mulheres espiãs que foram apreendidas, a que mais se aproximou da beleza de Mata Hari foi a pequena Lucy Boehmler, uma estudante adolescente. Se não tivéssemos interrompido sua carreira tão cedo, ela poderia ter chegado bem mais longe, de acordo com os padrões nazistas de sucesso".

Quando chamou a atenção do FBI, Lucy estava morando com os pais em Maspeth, Long Island. Uma garota parecida com uma boneca, com olhos azuis, cabelos claros, rosto oval e figura atraente, "seu principal patrimônio, além de uma inteligência astuta, era sua expressão inocente", disse Hoover. "Mas, embora Lucy parecesse, de relance, ser uma boa e saudável menina americana do ensino médio, ela estava se associando, secretamente, com dois espiões mestres que a estavam treinando nas artes da espionagem, enquanto ela se passava por secretária dos dois."

O CÍRCULO DE ESPIONAGEM "JOE K"

Nascida em Stuttgart, em 1923, Lucy emigrou para os Estados Unidos com seus pais, em 1928, e passou a frequentar a Grover Cleveland High School, em

Primeira página do jornal Daily Express do Reino Unido, com Lucy Boehmler - "The Face of a Spy".

Ridgewood. Enquanto seus pais se tornaram cidadãos norte-americanos, Lucy envolveu-se com o Bund americano-alemão nazista, no Queens. Lá, ela conheceu Ulrich von der Osten (um oficial da *Abwehr*) e Kurt Frederick Ludwig - líderes do Círculo de Espionagem "Joe K".

"Os olhos de Ludwig se iluminaram quando ele a conheceu, em uma festa", disse Hoover. "Aqui se encontrava, não apenas uma espiã potencialmente capaz, mas uma camarada encantadora."

Lucy aprendeu muito com esses homens, incluindo os detalhes de contatos na Alemanha e em Portugal, como escrever cartas com tinta invisível e como coletar o tipo de informação em que os nazistas estavam interessados. Mas, logo depois que a empregaram, von der Osten foi atropelado por um táxi na Times Square e faleceu. Seu companheiro - Ludwig - pegou sua maleta e fugiu. Von der Osten foi, então, identificado como "senor" Don Julio Lido, ostensivamente um mensageiro do cônsul espanhol. As suspeitas da polícia de Nova York já haviam sido despertadas pelo comportamento de seu companheiro; depois, encontraram documentos com o corpo do morto, grande parte em alemão, não em espanhol. Suas roupas não tinham etiquetas e ele carregava cadernos contendo nomes de militares dos EUA e suas atribuições. A polícia de Nova York os entregou ao FBI.

Enquanto isso, o censor britânico nas Bermudas havia interceptado mensagens do misterioso "Joe K"; como elas continham detalhes vitais das defesas dos EUA, os britânicos as encaminharam ao FBI. O autor das cartas, endereçadas a contatos na Argentina e na China, reclamou da comida nos Estados Unidos e pediu para ser chamado de volta à Alemanha.

Então, o FBI interceptou uma mensagem de Joe K para os seus superiores, que descrevia a morte de "Senor Lido". Joe K foi reconhecido como Kurt Frederick Ludwig. Nascido em Ohio, um americano de origem alemã, ele voltou à terra natal de seus pais quando tinha dois anos. A inteligência alemã ficou satisfeita ao recrutá-lo como agente do esforço de guerra e o enviou de volta aos Estados Unidos, em março de 1940, para ajudar a montar um grupo de agentes espiões que poderia reunir informações sobre tropas americanas, ordens de batalhas e manufatura americana.

Alguns meses antes do ataque a Pearl Harbor, Ludwig e Lucy percorreram a costa entre Nova York e Flórida, visitando todas as cidades que tinham um grande

CAPÍTULO 15

acampamento militar ou base naval nas proximidades. Disfarçado como vendedor, Ludwig usou Lucy para esboçar as fotografias que ele tirava de instalações, tanques, aviões ou soldados em ativa. A dupla também dava caronas aos militares (eles tinham um rádio de ondas curtas poderoso em seu carro para que as conversas pudessem ser monitoradas). Eles eram tão dedicados ao trabalho que passavam as horas de lazer visitando fábricas de aviões e campos de voo em Long Island.

Se eles fossem questionados, Lucy arregalaria seus olhos azuis e perguntaria onde estavam os soldados. Se estivessem ativos, ela dizia que queria ver onde. Caso contrário, ela iria usar seu charme para pedir um tour pelo acampamento. Jovens soldados caíam nesse ato doce e inocente. Em sua prisão, verificou-se que ela mantinha um índice de todas as instalações militares visitadas, descrevendo suas forças, as unidades ali alojadas, seus armamentos e outros equipamentos.

Quando compareceu ao tribunal, em fevereiro de 1942, ao lado de Ludwig e seis outros réus, Lucy, de apenas 18 anos, declarou-se culpada. Ela disse que, embora tenha conhecido Ludwig em 1940, não sabia que, até que ele a apresentasse a von der Osten, no início de 1941, que os homens eram agentes alemães.

EVIDÊNCIA INCRIMINADORA

Ludwig foi preso na costa oeste dos EUA, em 30 de dezembro de 1941, após o reforço da segurança pós-Pearl Harbor. Embora tivesse fugido com a maleta de couro de von der Osten, ele falhou em coletar outras evidências incriminadoras do quarto de seu colega no Hotel Taft. Lá, o FBI encontrou uma cópia da revista *Fortune* com um relatório detalhado sobre aviação nos EUA e no Reino Unido; um livro intitulado *Winged Warfare*, do Major-General H.H. Arnold e Coronel Ira C. Eaker; e uma edição da revista *Harper*, contendo um artigo de um piloto que transportou bombardeiros para a Grã-Bretanha - os detalhes das rotas, altitudes e tempos de voo estavam sublinhados a lápis.

Havia, também, uma caixa de fósforos no Mueller's Water Mill Inn, em Centerport, Long Island, onde Lucy jantara com von der Osten. Quando perguntada o que ela havia comido lá, Lucy disse: "Se você precisa saber, foi sauerbraten".

Os agentes federais também encontraram dois mapas no quarto de von der Osten. Um era um pequeno mapa turístico da ilha de Oahu, no Havaí (Pearl

Harbor fica em Oahu), e o outro era um mapa dos Estados Unidos, que Lucy tinha estudado junto com Ludwig e von der Osten durante o jantar. Uma carta de von der Osten, interceptada pela inteligência britânica, revelou informações que ele havia aprendido sobre Pearl Harbor, durante uma breve parada em Honolulu, a caminho da China para São Francisco. Também continha detalhes das instalações de defesa dos EUA em Porto Rico, colhidas de um oficial da Marinha tagarela, que ele conheceu a bordo do navio.

Lucy confessou que achou que trabalhar para von der Osten parecia "muito divertido", e foi decidido pelo tribunal que sua motivação não era dinheiro.

"Eu deveria receber US$ 25 (cerca de £ 340 / US$ 435 hoje) por semana", disse ela. "Mas, eu nunca recebi o dinheiro. Apenas desculpas".

Ela só recebia dinheiro para despesas e esperava que Ludwig a pagasse mais. O tribunal entendeu que as informações que ela tinha fornecido, algumas contendo detalhes sobre expedições, foram vistas por Heinrich Himmler. A implicação de sua contribuição para a destruição de navios que partiam de Nova York ficou clara.

De acordo com o *The New York Times*: "Miss Boehmler, que havia admitido que era uma das ajudantes de Ludwig, passou o dia inteiro no tribunal, testemunhando com uma voz suave e feminina sobre viagens a aeroportos, instalações do Exército e da Marinha e instalações elétricas ao longo da costa leste até Key West, na Flórida".

Sob o interrogatório do advogado americano Mathias F. Correa, Lucy tinha algo a dizer sobre cada um dos outros sete réus. Ela descreveu Ludwig "de ombros curtos, olhos pequenos e nariz afiado" como o "cérebro do círculo". Ele guardava o livro de informações sobre identidades, cargas, origens e, provavelmente, planos de navegação dos navios que aportavam em Nova York. Na parte de trás do livro, disse, ele listava os navios que foram destruídos.

Ludwig dava as folhas nas quais ela digitava cartas "inofensivas" para pessoas imaginárias na Europa. Uma delas - aparentemente destinada a Himmler - foi dirigida a "Manuel Alonzo, Madri, Espanha". No verso, marcada com um X, a lápis, havia uma mensagem secreta em escrita invisível. Exemplos de interceptações dos britânicos foram apresentados no tribunal, juntamente com fragmentos carbonizados de papéis queimados por Ludwig quando ele soube que o FBI estava atrás dele.

CAPÍTULO 15

TINTA INVISÍVEL

Lucy testemunhou que Ludwig havia lhe dado pílulas para dor de cabeça que, quando dissolvidas em água, produziam tinta invisível, com a qual ela escrevia as mensagens. Antes de fazer isso, ela praticou com cloreto de amônio - Correa colocou em evidência uma amostra de seu trabalho prático, produzido por calor em escrita marrom. Lucy disse que Ludwig, uma vez, enviou-a para entregar algumas das pílulas a Paul T. Borchardt, outro réu.

Borchardt, de 55 anos, foi major na *Wehrmacht*. Professor de geografia militar, ele fora associado do professor Karl Haushofer que, através de seu aluno Rudolph Hess, influenciou as políticas expansionistas de Hitler. Mas, Borchardt fora expulso da Alemanha como um não-ariano e se viu trabalhando ao lado de Ludwig, que ele desprezava como "um peru esbaforido".

Lucy disse que ouviu falar da morte de Lopez - von der Osten - por telefone. Ludwig a instruiu a enviar mensagens codificadas com notícias para Buenos Aires, Xangai, Alemanha e a um Sr. Schultz no consulado alemão em Boston. Ela disse que não gostava de Ludwig e que ele havia escrito para seus superiores dizendo que ela não era de muita ajuda para ele. No entanto, ela viajou com ele para aeroportos e outras instalações de defesa em Maryland, Washington DC, Virgínia, Carolina do Norte e do Sul, Alabama, Tennessee e Geórgia. Ao longo do caminho, anotou os ditados de Ludwig. Ela disse que os dois haviam coletado informações sobre fortes, bem como o número de ocupantes e equipamentos.

Eles tinham um código que incluía nomes de animais de estimação para as fábricas de aeronaves na área de Nova York. A fábrica de Grumman era conhecida como Grace, Brewster como Bessie e Sperry como Sarah. Aliás, ela disse que Ludwig contou que havia recebido um rascunho a lápis sobre a produção mensal de Sperry de uma amiga de Helen Paulina Mayer, outra acusada. Mayer era uma dona de casa de 26 anos cujo marido, Walter, havia voltado para a Alemanha quando foi presa. Ela apresentou Lucy a Ludwig.

"Observou-se que as guias das bombas que chegavam à Grã-Bretanha não eram tão precisas quanto as armazenadas aqui", disse Lucy.

Helen Mayer não confiava em Ludwig, mas ela e o marido o ajudaram bastante. Certa vez, Ludwig, em um passeio pelas fábricas de aviões, fortificações e bases navais no Sul, escreveu pedindo US$ 80 (mais de £ 1.000 /

US$ 1.200 hoje) para fazer reparos em seu carro. Ao voltar, Helen e Walter inspecionaram o carro quanto aos sinais dos reparos e não conseguiram encontrar nenhum. No entanto, Helen continuou tentando obter informações para enviá-las através de Ludwig para a Alemanha.

Dos outros réus, Lucy disse: "Rene Froehlich forneceu informações sobre as identidades e doenças dos ocupantes do hospital militar na *Governor's Island*, seu posto".

Froehlich era um soldado do exército americano, de 31 anos, nascido na Alemanha, servindo em Fort Jay, *Governor's Island*, no porto de Nova York. Cidadão naturalizado, ele organizava a correspondência de Ludwig e a pegava quando este estivesse fora da cidade. Ele também providenciava revistas sobre defesa e reunia as informações sobre despachos. Na banca, Froehlich assumiu o papel de uma pessoa estúpida, que vendia a Ludwig revistas ou livros, quando podia. Ele disse que ficou com o coração partido quando a bela Lucy Boehmler o dispensou duas vezes. Mas, durante o julgamento, foi revelado que Froehlich tinha continuado a fornecer informações a Ludwig como recruta do exército, depois de ser convocado, em 1941, incluindo informações sobre o campo em que fora treinado.

Hans Helmut Pagel, de 20 anos, viajou para ver Ludwig em um resort em Poconos, para onde fugiu depois que o FBI prendeu 33 membros do Círculo de Espiões de Duquesne. Ludwig conhecia vários dos culpados, disse Lucy, e "culpou a loquacidade de Axel Wheeler-Hill pela queda do círculo". Os papéis-carbono encontrados em seu carro mostravam referências às Fortaleza Voadoras B-17, usadas pela força aérea dos EUA para bombardeios estratégicos; eles foram digitados na máquina de escrever de Ludwig.

Frederick Edward Schlosser, de 19 anos, também de origem alemã, havia ajudado Ludwig a fazer observações de várias docas e postos do exército na área de Nova York e a entregar os relatórios para vários correios. Lucy não teve acusações específicas contra ele, mas disse que o tinha visto nas reuniões do Bund, junto com os outros.

Foi informado ao tribunal que Schlosser havia subido e descido a West Side Highway, anotando informações sobre navios atracados no Hudson. Ele admitiu ao FBI que havia dado as informações a Ludwig, que as transmitiu

AXEL WHEELER-HILL

Kurt Frederick Ludwig, também conhecido como Joe K, culpou Alex WheelerHill pela queda do círculo de espionagem de Duquesne. Ele tinha tendência a falar demais.

à Alemanha. Também foi apresentada como evidência uma carta de Ludwig, em "escrita secreta", que dizia: "A *SS Ville de Liège* foi afundada na Islândia em 13 de abril - muito obrigado".

Lucy disse que outro réu, Karl Victor Mueller, queria voltar para a Alemanha. Ele a alertou para usar luvas ao manusear as cartas que ela enviava, para evitar deixar impressões digitais. Mueller, 36 anos, era um maquinista e cidadão americano naturalizado que ajudara a reunir valores da produção. No tribunal, ele fingiu ser estupido. Testemunhando para sua própria defesa, seu sotaque era tão intenso e suas respostas tão desconexas das perguntas feitas por seu advogado de defesa que o *New York Times* escreveu que Ludwig "quase caiu da cadeira" de tanto rir. Mesmo assim, Mueller havia trabalhado diligentemente pela causa nazista.

Lucy também admitiu que, a pedido de Ludwig, ela tinha escrito uma carta secreta para "Marion Pon" - codinome de Himmler - dizendo a ele que a "competição" estava muito ruim. Em outras palavras, o FBI estava se aproximando.

Interrogada pelo advogado de defesa, Lucy foi perguntada: "Você considera a Alemanha sua pátria?"

"Eu nasci lá", respondeu ela.

"Você prefere a Alemanha aos Estados Unidos?"

"Eu não."

"Sua fidelidade ou lealdade, como uma indivídua, é para a Alemanha ou aos Estados Unidos?"

"Para os Estados Unidos."

Lucy havia conseguido alguns empregos de meio período depois de terminar o ensino médio e começar a escola de administração, mas nunca havia ganhado tanto quanto os US$ 25 - o equivalente a £ 340 / US$ 435 hoje - por semana que Ludwig lhe oferecia. O dinheiro não a influenciou.

"Você sabia que, quando aceitou esta posição, estava ajudando a Alemanha e prejudicando os Estados Unidos?", perguntou o advogado de defesa.

"Eu nunca pensei nisso", respondeu ela.

Questionada sobre o que pensava quando estava enviando informações sobre a defesa norte-americana a uma potência hostil na Europa, ela disse timidamente: "Eu nunca pensei nisso - apenas fiz o que me diziam".

CAPÍTULO 15

Então, se o dinheiro não a induzira a ajudar Ludwig, o que houve então? "Parecia bastante divertido", respondeu ela.

Após sua prisão, em 26 de agosto, Lucy foi levada à sede do FBI e, após pouco tempo na prisão, assinou declarações admitindo sua culpa. Logo ela foi transferida de uma cela do FBI para um quarto no Hotel Commodore e de lá para um local não revelado. Ela era levada ao cinema uma ou duas vezes por semana e teve permissão para passear em um parque (ela dizia que ver as vitrines era um dos seus divertimentos).

A advogada de defesa perguntou-lhe, duas vezes, se ela imaginava ou esperava tratamento indulgente em troca de servir como testemunha contra seus ex-conspiradores. Para cada vez, ela respondia simplesmente: "Não espero nada".

Testemunhos adicionais revelaram que Lucy estava envolvida na tentativa do círculo de enviar detalhes sobre o novo bombardeiro experimental de 80 toneladas do exército dos EUA, o B-19, para a Alemanha. Ela acrescentou que, em julho e agosto, Ludwig e Helen Mayer perceberam que agentes estavam seguindo-os. Mayer queria ir para a Alemanha, disse Lucy. Ludwig pediu a Mayer para memorizar as informações que eles coletaram sobre o B-19, para que ela pudesse repassá-las.

No final, Mayer não conseguiu fazer a viagem. Mas, quando ela disse a Lucy que tinha uma grande quantidade de informações para enviar ao exterior, obteve dela algumas das pílulas usadas para fazer tinta invisível.

Lucy Boehmler foi condenada a cinco anos. Os outros membros do círculo de espionagem foram considerados culpados e sentenciados a 14 anos, chegando a 20 no caso de Kurt Frederick Ludwig. O promotor americano, Mathias F. Correa, disse que recomendaria uma punição muito mais alta para Lucy se não fosse por sua ajuda irrestrita à promotoria.

"É desejável e necessário que você fique confinada, pelo menos, durante a guerra, por razões que você pode entender", disse o juiz Goddard a Lucy. Ele especificou que ela seria enviada ao reformatório federal em Alderson, Virgínia Ocidental, uma instalação que mantinha os condenados por espionar ou por apoio ao inimigo durante a guerra.

CAPÍTULO 16

SWASTIKA SWISHERY

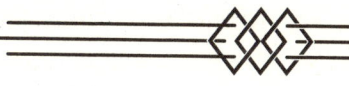

Em 1942, Gustave Beekman, 55 anos, sueco, morava em uma casa de tijolos vermelhos que possuía na 329 Pacific Street. Esse quarteirão, em condições precárias, entre Brooklyn Heights e o centro do Brooklyn, se tornaria a mais famosa "casa de encontros marcados" em todo o país. Beekman descreveu-se como um jardineiro e florista profissional. Na verdade, ele era o zelador de um bordel gay. Antes disso, ele tinha administrado uma casa semelhante, a alguns quarteirões, na 235 Warren Street, mas havia se mudado depois de ser preso em uma operação policial, em novembro de 1940. Ele foi acusado de administrar uma casa barulhenta, foi multado e rapidamente liberado.

A casa em Pacific Street atraiu homens profissionais - investidores de Wall Street, gerentes de armazéns e funcionários da cidade. Ela ficava a uma curta distância do Brooklyn Navy Yard, atraindo jovens militares - principalmente marinheiros, mas, também, fuzileiros navais, soldados e marinheiros mercantes. Esses homens possuíam informações que interessavam aos inimigos dos Estados Unidos, incluindo a Alemanha e as outras potências do Eixo.

CAPÍTULO 16

TAXA DE ENTRADA

Não havia provas de que Beekman havia sido pago para organizar encontros sexuais, mas havia uma taxa de entrada - os quartos no andar de cima podiam ser alugados por hora. Havia sofás e cadeiras confortáveis nos andares inferiores. Café e lanches, jantares e bebidas eram servidos. Sendo uma pessoa prestativa e afável, Beekman cumprimentava os militares atraídos para o seu estabelecimento com um beijo ou um tapinha nas nádegas. Às vezes, ele fazia sexo com eles. Eles pareciam estar dispostos.

As idas e vindas não passaram despercebidas e os vizinhos alertaram a polícia. Como os Estados Unidos estavam em guerra, entraram em contato com o Gabinete de Inteligência Naval, que decidiu investigar. Os agentes montaram um posto de observação no quinto andar do Holy Family Hospital, na diagonal do cruzamento do bordel de Beekman. Logo, ficou claro que Beekman estava oferecendo jovens militares em boa forma a seus clientes mais ricos. Mas, o que mais interessou a *ONI* foi o fato de muitos clientes serem estrangeiros - nascidos na Alemanha, simpatizantes nazistas e, provavelmente, agentes nazistas. Eles embebedavam seus jovens parceiros e faziam perguntas sobre operações; como sempre, conversa de cama era uma boa fonte de segredos.

Em 14 de março de 1942, oficiais da inteligência naval e policiais da Décima Primeira Divisão do Departamento de Polícia de Nova York à paisana invadiram a casa na Pacific Street. Eles prenderam Beekman, dois marinheiros, outros jovens não militares e vários clientes regulares, incluindo o compositor e crítico Virgil Thomson.

A história sobre a operação à "casa da indignidade" no Brooklyn surgiu lentamente no *Brooklyn Eagle* e no *New York Post*. Mas, a ideia de que poderia ser um ninho de espiões foi rapidamente eclipsada por uma história de que um "senador X" havia sido pego no local.

Beekman ficou sob pressão da *ONI* e do FBI, que o interrogaram durante horas, até ele desmaiar. O juiz Samuel S. Leibowitz anunciou que as evidências coletadas durante a investigação sugeriam que agentes inimigos haviam usado o estabelecimento de Beekman para obter informações confidenciais de jovens soldados vulneráveis. Ele disse a Beekman que, a menos que ele fornecesse uma lista completa de clientes, sofreria a sentença máxima.

INTERESSE DA MÍDIA

Em 12 de maio de 1942, o *New York Times* publicou uma matéria, dizendo: "Gustave Beekman, 55, de 329 Pacific Street, Brooklyn, declarou-se culpado, ontem, em um *Special Session Court*, Brooklyn, acusado de manter uma casa para fins imorais... Ele, também, está aguardando sentença por uma condenação recente de um crime legal e um júri de Kings County está investigando a possibilidade de que sua casa tenha sido usada por agentes inimigos para fins de espionagem".

Em sua coluna de fofocas no *New York Daily Mirror*, em 14 de maio, Walter Winchell escreveu: "Os improvisadores estão se divertindo com a história do ninho de espiões do Brooklyn, também conhecido como 'swastika swishery'. O que os suspeitos vão alegar que estavam fazendo lá se não espionando? Como a garota no pátio da polícia que acusou um homem de roubar a bolsa de sua meia. Quando Hizzoner [Vossa Excelência] a repreendeu por não resistir, ela fez beicinho: 'Eu não sabia que ele estava atrás do meu dinheiro'".

O jornal relatou a fuga de um misterioso "Sr. E.", "um dos principais agentes de espionagem de Hitler no país... Um gentil agente nazista que dava bebidas e comida de graça aos marinheiros". Pensava-se que fosse William Elberfeld, um alemão e suposto espião nazista que a *ONI* e o FBI estavam observando. Alegava-se que Beekman não estava ganhando dinheiro suficiente de seus clientes para administrar seu estabelecimento, estava recebendo dinheiro de Elberfeld, que administrava um estabelecimento semelhante em Manhattan.

Elberfeld brigou com Beekman no Dia de Ação de Graças, em 1941, quando lhe disse que a Suécia era o próximo país na lista de Hitler. Em uma busca no apartamento de Elberfeld, um rádio de ondas curtas foi encontrado (era uma ofensa para um estrangeiro possuir um na época). Nenhuma acusação foi feita contra ele, mas ele foi internado em Ellis Island pelo resto da guerra.

"DOC"

Com o "swastika swishery" sendo manchete em todo o país, Beekman decidiu contar tudo. No topo de sua lista havia um homem que todos chamavam de "Doc". Um dos amantes de Beekman, o marinheiro mer-

CAPÍTULO 16

cantil Charles Zuber, disse que "Doc" era um homem chamado Walsh. O promotor assistente, eventualmente, concluiu que "Doc" era David Ignatius Walsh, um senador de 69 anos, de Massachusetts. Democrata do *New Deal*, Walsh era um defensor de sindicatos. Como presidente da Comissão de Assuntos Naval, ele foi um firme isolacionista - até Pearl Harbor. Agora, ele estava totalmente comprometido com a guerra.

O senador Walsh era um solteirão que morava com quatro irmãs solteiras. Ele disse a um entrevistador que gostava da companhia de mulheres como "companheiras não românticas". Seu relacionamento mais íntimo foi com seu criado Filipino, que trabalhou por mais de 30 anos. Walsh parava em Nova York em suas viagens de trem entre Washington DC e Boston. Ele costumava chegar à Pacific Street por volta das 19 hs e ficava por uma ou duas horas, levando marinheiros para o andar de cima.

Mas, embora a descrição de Walsh feita por outros clientes correspondesse a "Doc", ele não foi visto entrando ou saindo do prédio, pois suas visitas pararam dois dias antes do início da vigilância da *ONI* – ele, talvez, tenha sido avisado por ser presidente do Comitê de Assuntos Navais. No entanto, de acordo com o *New York Post*, a confissão de Beekman "liga o senador ao ninho de espiões".

Outros senadores se uniram em defesa de Walsh. O líder da maioria no Senado, Alben W. Barkley, de Kentucky, classificou as acusações de "indignas, maliciosas e degradantes". O FBI, disse ele, concluiu que "não havia o menor indício" de que o senador Walsh tivesse "visitado uma 'casa de perversidades' no Brooklyn... Ter sido conivente ou ter acompanhado, ter conversado ou conspirado com algum inimigo dos Estados Unidos". Barkley condenou o relatório do FBI como "repugnante e impublicável" e se recusou a incluí-lo no registro oficial do Senado. O agente sênior do FBI, P.E. Foxworth, escreveu um memorando a J. Edgar Hoover, no qual identificou a fonte das "atividades homossexuais de Walsh (no Brooklyn) e uma pista especial que surgiu de uma observação que um repórter de um jornal havia feito no Clube 21, há alguns dias, no sentido de que Hitler venceria a guerra e, por esse motivo, ele faria o possível para negociar uma paz". Walter Winchell era frequentador regular do Clube 21, um dos poucos repórteres que podiam se dar ao luxo de visitar o local.

Embora o *Boston Globe* tenha dado a Walsh um "atestado de saúde perfeita", o *New York Times* estava cético e escreveu: "O FBI livrou Walsh, afirma Barkley". O *New York Post* proclamou que Walsh havia sido "varrido para debaixo do tapete". Quando ele concorreu novamente ao quinto mandato, em 1948, o senador Walsh foi derrotado pelo republicano Henry Cabot Lodge Jr. Enquanto isso, Lucky Luciano, junto com a *ONI*, interrompeu a interferência do inimigo no transporte de entrada e saída do porto de Nova York. Beekman descobriu que havia sido enganado. Ele foi condenado por apenas uma acusação, a sodomia, em grande parte pelo testemunho de seu ex-amante, Zuber, que saiu livre do escândalo. Beekman foi condenado a no máximo 20 anos, que serviu em Sing Sing. Solto aos 78 anos, em 1 de abril de 1963, ele desapareceu da história.

CAPÍTULO 17

A GATA

Em 1949, Mathilde Carré - também conhecida como *La Chatte*, "A Gata" - foi condenada à morte por traição. Ela havia trabalhado com a Resistência Francesa e o Executivo de Operações Especiais da Grã-Bretanha enquanto espionava para o *Abwehr*, usando seu charme considerável para sobreviver à guerra como agente dupla, tripla e até quádrupla.

UMA GAROTA INTELIGENTE

Mathilde começou sua carreira em espionagem com um encontro casual. Nascida Mathilde Lucie (ou Lily) Bélard, em 1908, foi criada por seus avós maternos e duas tias solteiras. Uma menina inteligente, frequentou a Sorbonne e tornou-se professora. Enquanto estava na Sorbonne, ela se apaixonou por um estudante de direito chamado Marc. Mas, quando ele foi enviado ao norte da África para prestar serviço militar, um colega professor, Maurice Carré, propôs à Mathilde e eles se casaram em 1933.

O casamento não foi feliz. Na noite de núpcias, o marido disse: "Com sua vida livre e fácil como estudante, eu nunca deveria ter acreditado que você era virgem".

CAPÍTULO 17

Em suas memórias, ela escreveu: "Eu não respondi. Eu apenas fechei meus olhos para conter as lágrimas brotando neles. O caso todo parecia falso, cômico e uma completa ilusão".

Maurice e Mathilde viveram separados até que ele foi enviado para a Argélia e ela o acompanhou. Ela queria filhos, mas uma caxumba infantil deixou Maurice estéril. Entediada, ela tornou-se amante de um dos amigos muçulmanos de Maurice. Quando a guerra chegou, Maurice foi convocado, mas, em vez de retornar à França para lutar na Frente Ocidental, ele optou por assumir um cargo de oficial na Síria. Considerando-o covarde, Mathilde pediu o divórcio, mas, na verdade, seu marido morreu como herói na Batalha de Monte Cassino, em 1944.

GRAVIDEZ

Mathilde voltou à França, onde preparou-se para ser enfermeira. Durante a Batalha da França, trabalhou em um posto de primeiros socorros em Beauvais. Imperturbável aos ataques da *Luftwaffe*, ela comentou com um médico: "Há quase um prazer sensual no perigo real, você não acha? Todo o seu corpo parece ganhar vida".

Após a queda da França, ela conheceu um jovem oficial chamado Jean Mercieaux, que estava servindo na Legião Estrangeira Francesa. Em um seminário fora de Cazère-sur-Garonne, dormiram juntos em uma cama na cela do bispo, sob um enorme crucifixo, e fizeram amor sob os olhos da Virgem Maria. Mathilde ficou grávida, mas abortou. Em sua dor, ela culpou Jean por sua perda e eles se separaram.

Mathilde, então, conheceu o comandante de blindados, o francês René Aubertin, que mais tarde ela recrutaria para a Resistência. Em setembro de 1940, ela estava em Toulouse, onde conheceu um aviador polonês chamado Roman Garby-Czerniawski, em um restaurante chamado La Frégate. Segundo Garby-Czerniawski, o garçom não conseguiu encontrar uma mesa só para ele, então, ele se sentou com duas mulheres.

Uma delas era Mathilde, que ele descreveu como "pequena, com 30 e poucos anos. Seu rosto pálido e magro, com lábios finos, era animado por olhos muito vívidos. Ela usava um traje preto feito sob medida, de bom corte e bom gosto. Olhando para baixo, eu podia ver suas mãos adoráveis, com dedos finos e longos, cuidadosamente mantidos. Eu podia ouvir a voz dela enquanto ela falava com a companheira, uma mulher um pouco mais velha e gorda".

Mathilde contou uma história diferente: "Um homem estava sentado perto de nós, sozinho, em uma pequena mesa e ele sorria para mim de vez em quando". Uma mulher paqueradora, ela o convidou para se juntar a elas.

Depois do jantar, as duas mulheres pararam em um bar para tomar uma bebida. Garby-Czerniawski as seguiu e perguntou a Mathilde, com um forte sotaque polonês, se ela poderia lhe dar algumas aulas de francês.

"Por que você falou comigo, quando há muitas outras garotas por aqui que são mais bonitas?", ela perguntou. E em francês arrastado, com um olhar sério nos seus olhos escuros, ele respondeu: "Porque você parece tão inteligente e animada. Sabe como eu vou te chamar? Minha pequena Spitfire".

Na manhã seguinte, eles se encontraram no Café Tortoni. De acordo com a autobiografia de Mathilde: "Assim que ele me viu chegando, levantou-se apressado, beijou minha mão e me agradeceu por ter vindo. Ele era um homem da mesma altura e idade que eu, magro, musculoso, com um rosto comprido e estreito, nariz bastante grande e olhos verdes que deviam ter sido originalmente claros e atraentes, mas agora estavam salpicados de contusões como resultado de um acidente de voo. Todos os seus dentes eram próteses ou coroas. Com seus cabelos escuros e elegantes, ele poderia ser confundido por um corso forte e emotivo. Ele não era bonito, mas irradiava um tipo de confiança e entusiasmo da juventude, uma inteligência e uma força de vontade que, alternadamente, dariam lugar a uma indiferença eslava típica, ou ao ar de uma criança mimada e afetuosa".

Eles continuaram a se ver e "sua amizade se tornou íntima". Embora admitisse que se tornaram amantes, Mathilde insistiu "que não havia um caso sério" entre eles. O MI5 não acreditou nela.

CAPÍTULO 17

O PILOTO DE CAÇA

Roman Garby-Czerniawski era um importante oficial da inteligência. Filho de um rico financista de Varsóvia e patriota polonês, ele havia treinado para ser piloto de caça antes da guerra, mas um grave acidente o deixou parcialmente míope e impossibilitado de voar. Quando os alemães invadiram a Polônia, ele já era um oficial da inteligência e havia escrito documentos sobre contrainteligência que foram elogiados. Um colega disse que ele era "um homem que vive e pensa espionando".

Garby-Czerniawski escapou para a Romênia e, usando documentos falsificados, atravessou pela Iugoslávia e Itália, indo para a França. Com a queda da França, os poloneses se debandaram. Em vez de fugir para a Grã-Bretanha, ele entrou na clandestinidade e conheceu uma jovem viúva chamada Renée Borni, que o deixou adotar a identidade de seu falecido marido, Armand.

Com a França dividida na zona ocupada pelos alemães ao norte e oeste, e a zona "livre" administrada pelo governo fantoche em Vichy, Garby-Czerniawski viajou para o sul de Marselha para entrar em contato com o serviço secreto polonês, que já estava em contato com MI6, tentando obter permissão para formar um círculo de espionagem nos territórios ocupados. Em Toulouse, ele conheceu Mathilde.

Após o aborto, Mathilde estava pensando em suicídio. Em Toulouse, ela quase se jogou do alto de uma ponte. Mas, ela mudou de ideia: "Em vez de me jogar no Garonne, eu me lançaria na guerra", disse ela. "Se eu realmente pretendia cometer suicídio, seria mais inteligente cometer um suicídio útil". Para comemorar, ela foi jantar no Le Frégate.

Depois de três semanas, Garby-Czerniawski admitiu que ele era um espião. Seu entusiasmo por sua ocupação era contagioso.

"Toda vez que ele falava da guerra, seus olhos brilhavam", disse ela. "Ele não aceitava que a Polônia tivesse sido derrotada." Ele pediu a Mathilde, a quem chamava de Lily, para ajudá-lo a montar um círculo de inteligência multicelular. Juntos, eles "fariam grandes coisas". Ela não resistiu em se ver como a "Mata Hari da Segunda Guerra Mundial". De fato, ela escreveu em sua autobiografia: "A verdade sobre a mais notável mulher espiã desde Mata Hari - escrita por ela mesma".

FELINA

Enquanto Garby-Czerniawski, codinome ARMAND, retornava à Marselha para relatar o recrutamento dela como agente VICTOIRE, Mathilde foi para Vichy, onde entrou em contato com o Deuxième Bureau. Ela lhes disse que iria a Paris com um polonês para montar uma rede de espionagem e ficaria feliz em trabalhar para eles; em troca, eles ensinaram a ela o básico da espionagem.

Ao longo do caminho, ela ganhou seu apelido - *La Chatte*. Ela disse que foi criado por repórteres americanos hospedados no Hôtel des Ambassadeurs, em Vichy, onde ela começou a arranhar as cadeiras de couro. Garby-Czerniawski tinha sua versão.

"Sabe, Lily, você anda, especialmente em seus sapatos macios, como um gato - tão silenciosamente", ele dissera.

"E posso arranhar também, se quiser!", ela disse, levantando as mãos magras, com os dedos longos e as unhas compridas. "Outras pessoas também me compararam a um gato."

"Prefiro chamá-la de 'gata'- *La Chatte*".

"Eu gostei."

"Então, '*La Chatte*', em nossa organização, você será."

Os dois se mudaram para Paris e moraram juntos em um estúdio perto da prisão de La Santé, em Montparnasse, embora continuassem tendo outros casos de amor em paralelo. Ela o passou como primo e explicou que ele não falava bem francês, porque passara a infância no exterior.

A FAMÍLIA

Garby-Czerniawski acreditava que o círculo de espionagem deveria ser "interaliado" - daí nasceu a rede *Interallié*.

Como alguns franceses se recusavam a trabalhar para um polonês, Mathilde assumiu o papel de recrutadora-chefe, enquanto Garby-Czerniawski organizou as informações coletadas e as transmitiu a Londres.

"Com seu casaco de pele preto, chapéu vermelho e sapatos pequenos, rasos e baixos, ela se movia rapidamente de um compromisso para outro,

CAPÍTULO 17

trazendo novos contatos, novas possibilidades, deixando-me livre para me concentrar em analisar as notícias de nossos agentes e resumi-las em nossos relatórios", disse Garby-Czerniawski.

Mathilde recrutou seu ex-amante, René Aubertin, junto com Monique Deschamps - codinome MOUSTIQUE (mosquito) - que foi descrita como uma "pequena mulher fumante e uma pessoa bem instigante" e Janusz Wlodarczyk, MAURICE, ex-operadora de rádio da Marinha polonesa. A rede se expandiu para incluir membros da Resistência - trabalhadores ferroviários, pescadores, gendarmes, criminosos e donas de casa. Chamando a si mesmos de *La Famille* - A Família - eles transmitiam as informações que haviam reunido para "caixas postais" em Paris, que incluíam o atendente do banheiro no La Palette e um porteiro na Rue Lamarck "que recebeu uma baionetada nas nádegas quando os alemães entraram Paris, então, era natural que ele os odiasse".

Em meados de 1941, Garby-Czerniawski disse que sua "grande rede composta por patriotas franceses, dirigida por um polonês e trabalhando para a Inglaterra, era, agora, a última fortaleza da resistência dos Aliados contra a Alemanha". Seu objetivo era fornecer aos britânicos uma imagem completa do destacamento alemão na França - depósitos de munição, aeroportos, estações de radar, munições, instalações navais, movimentos de tropas e posições defensivas. Ele digitava seus relatórios em papéis de seda. A cada poucas semanas, um mensageiro chamado RAPIDE levava esses relatórios à Gare de Lyon, onde embarcava no trem de Marselha. Dez minutos antes da partida, ele se trancava no banheiro de primeira classe.

Acima do vaso sanitário, havia uma placa de metal com a seguinte inscrição: "*Remplacez le couvercle après l'usage*" - "Substitua a tampa após o uso". Com a lâmina da chave de fenda coberta com um lenço para evitar arranhões, o mensageiro desaparafusaria a placa, colocaria os relatórios atrás dela e a enroscaria novamente. Depois que o trem cruzasse a fronteira para a França desocupada, um membro do serviço secreto polonês desaparafusaria a placa, removeria os relatórios e os substituiria por novas instruções para *Interallié*. Um mensageiro levaria os relatórios, atravessando a Espanha, para Portugal. De lá, eles seriam enviados ao governo polonês em exílio em Londres, que os entregaria ao MI6.

Mais tarde, um rádio de ondas curtas, do tamanho de um imenso laptop, foi contrabandeado para a zona ocupada de Vichy, na França. Foi instalado em um apartamento no último andar, perto do Trocadero. A esposa nominal de Garby-Czerniawski, Renée Borni, com o codinome VIOLETTE, foi trazida para codificar e decodificar as mensagens. Eles se tornaram amantes. Mathilde detestava Renée, chamando-a de "uma típica mulher provinciana e malvestida". Garby-Czerniawski negou que Mathilde fosse motivada pelo ciúme, apenas a descreveu como uma "mulher estranha, idealista, mas cruel, ambiciosa, muito ansiosa e muito tensa".

Mais três estações de rádio subterrâneas foram montadas, mas ficaram sobrecarregadas; os relatórios tinham até 400 páginas e, frequentemente, eram acompanhados de mapas e diagramas. Estes eram fotografados e o filme não revelado era contrabandeado pela fronteira espanhola, depois de ser embalado de tal maneira que, se o contêiner fosse aberto por alguém que não estivesse informado, o filme seria exposto e inutilizado.

Era tanta informação que chegava à Londres que o MI6 tinha problemas para lidar com isso. Quando uma mensagem indicava que a rota planejada do trem pessoal de Hermann Göring tinha sido decodificada, já era tarde demais para a RAF planejar um ataque.

VICTOIRE MUDA DE LADO

Na noite de 1º de outubro de 1942, Garby-Czerniawski foi apanhado por um avião Lysander da RAF e levado para Londres. Lá, ele foi interrogado pelo coronel Stanislaw Gano, chefe da inteligência polonesa e apresentado ao ex-ministro polonês em exílio, general Wladyslaw Sikorski, que lhe concedeu o *Virtuti Militari*, a mais alta condecoração militar da Polônia. Então, ao amanhecer de 8 de novembro, ele foi devolvido de paraquedas à França. Mas, nem tudo estava bem.

"Subconscientemente, senti uma inquietação perturbadora", disse ele, mais tarde.

O aniversário da fundação de *Interallié* aconteceria em 16 de novembro. A essa altura, a *Interallié* tinha cerca de 50 agentes, cada um com dois ou

CAPÍTULO 17

três subagentes. Naquela noite, ARMAND, VICTOIRE, VIOLETTE e MAURICE reuniram-se no apartamento em Montparnasse para comemorar com sanduíches e champanhe do mercado negro. Às 8 da noite, eles se reuniram em volta do rádio. Após uma breve passagem da música patriótica francesa, eles ouviram o locutor dizer: "Muitas felicidades para nossa família na França, por ocasião de seu aniversário".

Maurice, então, transmitiu a mensagem: "Contra os alemães, sempre e em todos os sentidos. *Vive la Liberté!*".

Na manhã de 18 de novembro, Garby-Czerniawski foi acordado por um tiro. Renée gritou. A Gestapo invadiu o apartamento e o casal foi preso. Mathilde e os outros membros de *Interallié* foram presos no mesmo dia. Mathilde foi mantida na prisão de La Santé, onde foi revistada e seus bens confiscados.

O MI5 observou, mais tarde: "É difícil avaliar o momento exato em que a colaboração de VICTOIRE com os alemães começa". Ao avaliar seu caso, o capitão Christopher Harmer, da SOE, observou que, na prisão, de acordo com seu próprio testemunho, ela ainda tinha um maço de cigarros para dar a um oficial da Gestapo. Quando reclamou da roupa de cama úmida e suja, ela foi imediatamente trocada. E o jantar que ela disse ter recebido - quatro fatias de carne, legumes, pão, queijo e substituto de café – foi, consideravelmente, mais do que o pão e a água que outros prisioneiros receberam.

Mathilde foi interrogada por Hugo Bleicher, o mais temido oficial de contraespionagem da *Abwehr* na França. Em uma parte do diário dela, ele notou que ela iria se encontrar com um agente no restaurante Pam-Pam naquele dia.

"Vou acompanhá-la", disse Bleicher. "Eu estarei na sua organização; você vai me apresentar como tal e quando esse agente falar o suficiente, eu o prenderei. Trabalharemos assim, você e eu, e se você não tentar me enganar, pode ter certeza de que estará livre a partir dessa noite. Se você me trair, será imediatamente executada, sem julgamento. Salve sua pele e recupere sua liberdade. Você já fez o suficiente para ser morta várias vezes ocultando esse oficial polonês fugitivo e passando-o como seu primo, mais de um ano de espionagem e, certamente, atravessando a linha de demarcação clandestinamente e salvando ingleses: todas as coisas puníveis com a morte, e você sabe disso. É melhor você salvar a sua pele e começar a entender que a Inglaterra está derrotada. Você pode fazer um trabalho semelhante por 6.000 francos por mês. A Inglaterra sempre faz com que outras pessoas façam seu trabalho e nem sabe como pagá-las direito".

Mathilde seguiu o plano de Bleicher. Foi, ela disse, "uma reação puramente animal... Conquistar a confiança de Bleicher parecia o meio mais seguro de um dia ser capaz de fugir".

Eles foram de carro militar ao restaurante Pam-Pam, onde ela apresentou Bleicher como "um amigo de confiança". Quando eles saíram, Bleicher ofereceu uma carona ao contato, depois, disse ao agente que ele estava preso. VICTOIRE disse que o agente, normalmente pálido, ficou verde e, depois, lhe disse: "Que puta você é".

Depois, Bleicher levou Mathilde para almoçar.

"Você vê como é fácil?", ele disse. Um por vez, Mathilde dedurou todos os nomes dos envolvidos na rede.

No jantar daquela noite, Bleicher fez seu primeiro avanço sobre ela. Nas suas memórias, Mathilde explicou: "Bleicher falava alemão, gabando-se de seus sucessos e me dando um tapa na coxa, o que só o fez parecer mais repulsivo aos meus olhos. Não pude esconder meu nojo".

Harmer observou: "Conhecendo VICTOIRE, pode-se ter certeza de que a verdade era exatamente o contrário".

Até o final da semana, mais de 60 agentes e subagentes da *Interallié* haviam sido presos, muitas vezes, atraídos para uma armadilha por Mathilde. Houve consequências trágicas. A esposa de um agente que se recusou a falar se enforcou em sua cela depois que seus filhos foram levados.

Aparentemente, para sua própria segurança, Mathilde se mudou para a casa de Bleicher. Ele decidiu usá-la. Ela deveria enviar uma mensagem a Londres dizendo que ARMAND e VIOLETTE haviam sido presos, mas que ela tinha conseguido ficar com um dos rádios e poderia continuar enviando informações de seus principais agentes, que ainda estavam em liberdade. Seria, é claro, um material falso composto por Bleicher.

CAPÍTULO 17

O MAIOR ATO DE COVARDIA

Em seu relatório para o MI5, Mathilde afirmou que, nas três primeiras semanas, Bleicher foi o cavalheiro perfeito. Um abstêmio, ele tocava piano para ela à noite. Inevitavelmente, eles se tornaram amantes. Ela também admitiu dormir com Bleicher depois de uma noite nas celas.

"Eu tinha plena consciência do maior ato de covardia da minha vida, cometido em 19 de novembro com Bleicher", escreveu ela em sua autobiografia *I Was 'The Cat'*. "Foi uma covardia puramente animal, a reação de um corpo que havia sobrevivido à primeira noite na prisão, sofrera frio, sentia o hálito gelado da morte e, de repente, encontrou calor novamente em um abraço... Mesmo que fosse o abraço do inimigo. Eu me odiava por minha fraqueza e, como resultado de minha humilhação, odiei ainda mais os alemães. Naquela manhã, sob meu banho frio, jurei que um dia faria os alemães pagarem".

Garby-Czerniawski foi interrogado e maltratado, mas não torturado. Os nazistas estavam confiantes na vitória e Bleicher achou que o líder polonês poderia ser útil (Bleicher tinha uma reputação por sua habilidosa administração de agentes duplos).

Seis semanas depois, Renée Borni foi conduzida à cela de Garby-Czerniawski. Ela contou sobre a traição de Mathilde e a destruição da rede *Interallié*. No entanto, ela disse que os alemães comentaram que admiravam os métodos de Garby. Dizendo que ele "poderia explorar essa circunstância favorável", ela implorou para que ele não se matasse, pois ele já havia ameaçado fazê-lo.

Seguindo o conselho Reneé, Garby-Czerniawski ignorou Bleicher e contatou o comandante das forças alemãs na França ocupada, General Otto von Stülpnagel, que foi sucedido por seu primo, General Carl-Heinrich von Stülpnagel, em fevereiro de 1942.

Em sua primeira carta, Garby-Czerniawski escreveu: "Nenhuma colaboração que me fosse proposta poderia acontecer, a menos que eu estivesse convencido de que estava trabalhando para o bem da nação polonesa... Se a nação alemã tiver entre seus planos a reconstrução dos direitos da nação polonesa, somente neste caso, discussões sobre minha colaboração poderão ocorrer. Mesmo nesse caso, todas as conversas só poderiam ocorrer com um oficial do Estado Maior que reconhecesse esses problemas e que estivesse autorizado a discuti-los comigo".

Em uma segunda carta, ele apontou que, desde o início da guerra, a Grã-Bretanha fez promessas de apoio à Polônia que ela não era capaz de cumprir. Se os Aliados vencessem a guerra, a Polônia se encontraria sob o calcanhar da União Soviética - "considerando tudo, a melhor solução seria ficar sob a proteção cultural da Alemanha, já que a cultura alemã é preferível à cultura dos bárbaros". Ele se ofereceu para se tornar um agente duplo. Se os alemães o trouxessem para a Inglaterra, ele atuaria como espião da Alemanha.

Sua mãe morava na Polônia ocupada. Seu irmão era um prisioneiro de guerra. Sua amante e muitos de seus colegas da *Interallié* estavam com os alemães. Ele próprio sofreria a pena de morte se fosse processado. No entanto, ele disse que só trabalharia para os nazistas por razões ideológicas - que seria para o bem da Polônia. Os alemães acreditaram nele e o libertaram em 14 de julho de 1942, confiantes de que, se ele lhes desse informações falsas, eles seriam capazes de localizá-las e de ler as intenções britânicas em suas mensagens "no inverso".

Depois de recuperar suas forças, Garby-Czerniawski foi ensinado a construir um transmissor de rádio e, em seguida, entrou pela fronteira da França de Vichy com dois cristais para rádio escondidos nos saltos de seus sapatos. Ele entrou em contato com o serviço secreto polonês, que providenciou para que o MI6 o levasse pela Espanha ao longo da rota secreta usada por prisioneiros de guerra fugitivos. Ele foi acompanhado por Bleicher, que trouxera uma de suas amantes francesas para desfrutar de férias gratuitas no sul da França.

UM IDEALISTA FIRME

Enquanto isso, Mathilde havia se encontrado com Pierre de Vomécourt, codinome LUCAS, um oficial francês que se tornou o primeiro agente de SOE a entrar de paraquedas na França rendida. Quando o operador de

CAPÍTULO 17

rádio de De Vomécourt foi preso e fuzilado, ele não tinha mais como se comunicar com Londres e não tinha escolha a não ser entrar em contato com Mathilde.

"Gostei imediatamente de LUCAS", disse ela. "Ele era um idealista puro e firme, com muitas boas ideias, mas sem a motivação necessária para administrar uma organização, baixa resiliência e nenhum conhecimento de informações militares".

Ela convenceu Bleicher a deixá-la assumir o mesmo papel na organização de De Vomécourt que ela teve em *Interallié*; toda a inteligência que sua rede coletasse, passaria pelo *Abwehr* antes que uma versão editada fosse enviada para Londres. Para completar a armadilha nazista, ela e Vomécourt se tornaram amantes.

Quando Mathilde forneceu cartões de identidade e passes supostamente forjados e que eram, na verdade, genuínos, De Vomécourt a confrontou. Ela confessou que estava trabalhando para os alemães. Como o *Abwehr* sabia dele, De Vomécourt não teve outra opção senão fugir da França. Mathilde conseguiu convencer Bleicher a deixá-la ir com ele, para que pudesse continuar espionando para os nazistas na Inglaterra. O estratagema funcionou e, na noite de 12 de fevereiro de 1942, a Marinha Real enviou um barco com motor de torpedo para pegar o casal em uma pequena enseada na Bretanha.

Mathilde cedeu ao interrogatório pelos britânicos, dizendo que pretendia mudar de lado quando estivesse em solo britânico. No entanto, quando De Vomécourt retornou à França e logo foi preso, ela perdeu o pouco interesse que os alemães tinham nela. Quando Garby-Czerniawski chegou a Londres, em outubro daquele ano, todas as traições dela se tornaram conhecidas, ela foi enviada para Holloway e, depois, para a prisão de Aylesbury. De Vomécourt, que teve a sorte de ter sido tratado como prisioneiro de guerra e não como espião, passou o resto da guerra no castelo Colditz e sobreviveu.

Garby-Czerniawski foi interrogado pelos britânicos e poloneses. A princípio, eles aceitaram a história de sua fuga. No entanto, após seis semanas, ele entregou ao coronel Stanislaw Gano, da inteligência polonesa, um documento datilografado de 64 páginas, intitulado "O Grande Jogo". Nele,

ele confessou ter feito um acordo com o *Abwehr* e especificou os termos sob os quais concordara em assumir sua missão em Londres. Como prova de sua história, ele mostrou os cristais para rádio dentro dos seus sapatos.

Embora inicialmente o MI5 suspeitasse de alguma coisa, eles o recrutaram para o Sistema *Double Cross*, sob o codinome BRUTUS, e ele desempenhou um papel importante na operação de fraude pelos Aliados, antes dos desembarques do Dia D na Normandia, em 1944. Ele foi um dos principais agentes que passavam informações falsas, como parte do "Fortitude South", plano destinado a convencer a Alemanha de que os Aliados desembarcariam na área de Pas de Calais, diretamente através do Canal da Mancha, a sudeste da Inglaterra.

Após o fim da guerra, a Polônia caiu sob o controle da União Soviética. Garby-Czerniawski permaneceu na Grã-Bretanha e, após sua morte, em 1985, foi enterrado em um cemitério da RAF.

Após seis anos em prisões britânicas, Mathilde Carré foi extraditada para a França em janeiro de 1949, onde foi acusada de traição. No seu julgamento, 33 testemunhas a condenaram por dormir com o inimigo. Ela também foi condenada por ela mesma. O registro de seu diário, desde a primeira noite em que dormiu com Bleicher, foi lido no tribunal. Nele, ela dizia: "O que eu mais queria era uma boa refeição, um homem e, mais uma vez, o Réquiem de Mozart".

Considerada culpada, ela foi condenada à morte, mas sua sentença foi comutada para 20 anos. Após sua libertação, em 1954, ela foi contatada por Bleicher, então tabagista em Württemberg, que lhe pediu para colaborar em escrever um livro com ele. Mas, ela estava cansada de colaborações e, em vez disso, escreveu uma versão independente de suas experiências, *J'ai été 'La Chatte'* (*I Was 'The Cat'*), em 1959 - revisada como *On m'appelait la Chatte* (*I Was Called the Cat*), em 1975.

Ela morreu em 2007, com 98 anos.

CAPÍTULO 18

LOURA VENENOSA

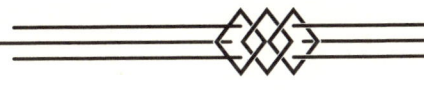

Stella Goldschlag nasceu em Berlim, em 1922, filha única de uma família judia assimilada. Sua experiência, juntamente com sua beleza e determinação implacável, fizeram dela uma arma importante nos esforços secretos dos nazistas para rastrear e capturar o povo judeu que se escondera durante a Segunda Guerra Mundial.

BELDADE ESCOLAR

Quando Hitler chegou ao poder, em 1933, os judeus não podiam frequentar as escolas estaduais. Por isso, Stella frequentou a Escola Goldschmidt, criada pela comunidade judaica local. O colega de classe e autor Peter Wyden, cuja família escapou da Alemanha nazista em 1937, a chamou de "traidora da Escola Goldschmidt" e a antítese de Anne Frank. Ela chamou muita atenção devido à sua forte aparência ariana.

"Stella era a Marilyn Monroe da escola: alta, esbelta, pernuda, tranquila, de olhos azuis claros, dentes saídos de um anúncio de pasta de dentes e pele bem pálida", disse Wyden. "Ela prendia o seu cabelo loiro reluzente em um penteado de coque, que parecia dançar sempre que ela se mexia. Sua postura era tão perfeita que exigia pouca imaginação para visualizá-la em cima de um pedestal, um monumento à beleza, embora distante no topo,

A bonita berlinense Stella Goldschlag foi única. Ela traiu seu povo. Em troca de uma garantia de que ela e seus pais seriam poupados dos campos, ela concordou em convencer os judeus untergetaucht ou "submersos" a saírem dos seus esconderijos, na capital alemã. Eles eram conhecidos coloquialmente como "U-boats".

silenciosa, isolada em sua posição - uma obra-prima, intocável, uma fantasia para um garoto pubescente e uma visão que eu nunca poderia esquecer".

O pai de Stella havia lutado na Primeira Guerra Mundial e era um alemão leal. Ele trabalhou na Gaumont, a empresa francesa de noticiário, mas perdeu o emprego quando os nazistas começaram a expurgar os judeus de posições de influência. Em 10 de novembro de 1938, Stella foi para casa mais cedo, da escola, para descobrir que seu pai havia se escondido. Aterrorizada, ela e a mãe passaram a noite com as luzes apagadas, rastejando com os pés cheios de meias, sem comida quente e com medo de dar descarga no banheiro. *Kristallnacht* - o massacre nazista que ocorreu na noite de 9 a 10 de novembro de 1938 - deixou as ruas cheias de cacos de vidro após ataques a lojas e empresas judaicas. A família Goldschlag tentou fugir do país, mas não conseguiu obter vistos.

Oportunidades para a sobrevivência dos judeus desapareceram rapidamente. Stella ganhava uma ninharia posando nua para as aulas da escola de arte, onde se matriculou para estudar design de moda. A colega Regina Gutermann disse: "Ela era tão bonita, como uma figura de Rubens. Sua caminhada era sexy e não parecia posar. Ela tinha uma voz doce - ela era chique".

Naturalmente, admiradores do sexo masculino assediavam suas aulas.

Eventualmente, Stella encontrou trabalho em uma fábrica de armamentos. Depois de 16 de setembro de 1941, os judeus foram forçados a usar uma estrela de Davi amarela costurada em suas roupas. Stella só usava no trabalho; outras vezes, ela se arriscava a ficar sem ela.

Aos 17 anos, tornou-se vocalista de uma banda liderada por seu namorado Manfred Kübler. Sua musa era Josephine Baker, mas sua carreira musical foi encurtada quando os nazistas denunciaram o jazz americano como decadente. A família Kübler já havia tentado escapar. Eles haviam sido passageiros da "Viagem dos Malditos", quando o transatlântico *St. Louis* foi recusado pela América e Cuba, e teve que retornar com seus refugiados judeus à Europa.

Stella e Manfred se casaram em outubro de 1941. Até então, as deportações de judeus em massa, na Europa, já haviam começado. Muitas pessoas cometeram suicídio ao invés de se renderem a um destino desconhecido.

CAPÍTULO 18

Em 27 de fevereiro de 1943, a *SS* cercou a fábrica onde Stella e sua mãe estavam empregadas. Enquanto os trabalhadores estavam sendo reunidos, as duas mulheres entraram no porão para se esconder. Elas esperaram lá até que o turno mudasse, depois, passaram por um guarda sonolento, mostrando a ele o verso de seus cartões de identificação, que não carregavam o "J" roxo de "*Jude*". Stella e sua mãe eram loiras e o guarda não suspeitou de nada. Tragicamente, Manfred não teve tanta sorte. Ele foi capturado, enviado para *Auschwitz* e nunca mais foi visto.

U-BOATS

A família Goldschlag, então, tornou-se "*U-boats*" - judeus que viveram ilegalmente e, secretamente, em Berlim. Um dia, na primavera de 1943, Stella encontrou outro *U-boat* chamado Guenther Rogoff, um grande admirador dela das aulas na escola de arte. Uma vez, ele a convenceu a posar para ele em uma aula particular, mas ela se recusou a tirar a roupa. Desta vez, quando eles se reconheceram na rua, ela concordou em voltar para o quarto que ele tinha alugado com um nome falso. No bonde, ela perguntou: "Você não está preocupado por estar sendo imprudente ao me levar de volta à sua casa?". Rogoff, rapidamente, percebeu o perigo em que estava se colocando e mudou de ideia.

Graças ao treinamento de Rogoff como artista, ele pôde se sustentar como *U-boat* forjando documentos vitais para os outros. Ele forjou uma carteira de identidade policial para Stella. Quando suas falsificações começaram a ser descobertas, ele usou suas habilidades para forjar documentos e fugir para a Suíça.

Stella conheceu outro belo falsário, um judeu chamado Rolf Isaaksohn, que se passava por Rolf von Jagow. Eles começaram a morar juntos, em um apartamento onde um outro homem judeu estava sendo protegido por sua esposa cristã. Seis pessoas moravam no apartamento, praticando o que chamavam de "vida silenciosa". Para evitar alertar os vizinhos, não mais do que três deles poderiam se mover ao mesmo tempo. Isso significava que Rolf e Stella passavam muito tempo juntos, na cama. Caso contrário, eles iam para lugares cheios, onde poderiam se manter em anonimato.

Depois de alguns meses, no entanto, essa estratégia falhou. Na hora do almoço, em 2 de julho de 1943, Stella estava esperando Rolf em um restaurante movimentado quando um conhecido judeu chamado Inge Lustig entrou e acenou para ela. Stella sorriu em reconhecimento - momento em que Inge se virou, fugiu, a Gestapo entrou correndo e agarrou Stella. Inge estava trabalhando como um *Greifer* ou "apanhador" - um judeu que procurava *U-boats* e os identificava à polícia.

Quando os oficiais da Gestapo examinaram os papéis de Stella, viram que era uma das falsificações de Rogoff e imaginaram que não teriam dificuldade em obter o paradeiro de Rogoff de uma jovem loira esbelta. Nem eles, nem Stella sabiam que Rogoff já havia fugido do país.

TORTURA

Na sede local da Gestapo, Stella foi mantida em uma cela solitária, onde não podia se sentar, nem se deitar devido ao chão estar inundado. Ela foi interrogada e espancada. Até esse ponto, sua aparência deslumbrante lhe havia dado poder sobre os homens, mas, agora, ela estava nas mãos de brutos sem objeções em espancá-la até ficar toda ensanguentada.

Em seu julgamento após a guerra, ela disse: "Eles chutaram minhas duas canelas até o ponto de ruptura e continuaram batendo no mesmo lugar na minha espinha. Eu sangrava da minha boca, orelhas e nariz, e não consegui comer por dias. Eles queriam me estrangular. Três vezes eles tiraram a trava de segurança de uma pistola e a colocaram contra minha têmpora. Totalmente dilacerada, fiquei deitada inconsciente no chão. Então, eles me chutaram com suas botas e eu desisti da minha vida".

Quando a Gestapo abandonou a tentativa de fazê-la falar, Stella foi enviada para uma prisão improvisada de mulheres, perto do aeroporto Tempelhof. Ela se queixou de uma dor de dente e seus guardas a levaram a um dentista cirurgião, onde ela conseguiu escapar da sala de espera. Ela foi ver seus pais, que estavam escondidos com amigos. Os três se mudaram para uma pensão em Kaiserallee, que disseram ser segura. Não era, e a Gestapo apareceu. Stella esteve livre por menos de 12 horas.

CAPÍTULO 18

Ela foi devolvida à prisão e espancada novamente, mas foi salva de ser deportada para um campo de extermínio por ser considerada uma fonte potencial de informação. Na noite de 23 de agosto de 1943, os Aliados começaram sua grande campanha de bombardeio contra Berlim. As fábricas em torno de Tempelhof eram um alvo e a prisão em que Stella estava sendo mantida foi atingida por bombas incendiárias. Os presos foram queimados vivos, alguns deles forçados a voltar às chamas por guardas armados. Mas, Stella conseguiu escapar, rastejando pelos escombros com uma húngara. No caos, elas fugiram para um parque próximo.

Os pais de Stella estavam sendo mantidos em um campo de transição, em torno do profanado cemitério judeu na Grosse Hamburger Strasse. Ela foi para lá e se entregou. Seus pais seriam deportados para Auschwitz, mas a chegada de Stella adiou o processo. Stella concordou em ajudar os "apanhadores" a caçar Guenther Rogoff na esperança de que seus pais fossem poupados.

Quando a procura se mostrou inútil, ela foi acusada de mentir e os três Goldschlags foram listados para Auschwitz. Em desespero, Stella usou seu charme e beleza para seduzir o comandante do campo *SS Hauptsturmführer*, Walter Dobberke, e seu vice *SS Rottenführer*, Felix Lachmuth: onde mais eles encontrariam uma judia loira, de olhos azuis e capaz de dizer onde os *U-boats estavam* se escondendo?

UM PACTO COM O DIABO

Stella concordou em se tornar uma apanhadora. Em troca, recebeu um quarto privado, um passe para deixar o acampamento a qualquer momento e permissão para não usar a Estrela de Davi. Enquanto isso, seus pais permaneceram na Grosse Hamburger Strasse como reféns.

Os *U-boats* conhecidos por Stella logo começaram a desaparecer e ela se tornou notória, ganhando o apelido de "Loura Venenosa". Embora fotos suas tenham circulado na comunidade dos *U-boats*, ela ainda conseguiu entregar um grande número de judeus, alguns acreditam que esse número possa chegar a milhares. Mas, apesar disso, os nazistas não cumpriram sua promessa. Depois de sete meses, ela foi informada de que seus pais não podiam mais ser impedidos de serem deportados. Eles foram enviados para o campo de concentração de Theresienstadt.

Nessa época, Rolf Isaaksohn também havia sido preso e, para se salvar, também se ofereceu para se tornar um apanhador. Rolf e Stella se casaram e foram à caça juntos. A excelente memória de Stella para nomes, endereços e datas mostrou-se inestimável para os nazistas e, apesar da deportação de seus pais, ela continuou a entregar judeus com grande zelo. Para se divertir em seu tempo livre, passava os fins de semana com os soldados da *Wehrmacht*, sem saber que estava cometendo *Rassenschande* - isto é, relações sexuais entre arianos e não arianos, que foram proibidas pelas leis de Nuremberg, em 1935.

À medida que os Aliados avançavam contra Berlim, Stella sabia que o fim estava chegando e se confortou com outros homens no *Jewish Hospital* (que estava sendo usado como um centro de coleta). Entre eles estavam dois irmãos chamados Hans e Heinz. Hans também estava dormindo com Greta, a enfermeira chefe da pediatria, que, por sua vez, estava dormindo com o Dr. Walter Lustig, diretor do *Jewish Hospital*. Outras enfermeiras competiam por benefícios dele.

Em setembro de 1944, um detento chamado Heino Meissl chegou ao campo. Ele estava vivendo ilegalmente e quando foi identificado por um apanhador, argumentou que não deveria ser deportado porque sua mãe era inteiramente ariana e seu pai, nascido em Praga, era apenas "meio judeu". Embora outros presos tenham avisado Meissl da infame traição de Stella, ele foi imediatamente atraído por ela. Ela tentou convencê-lo de que tinha mudado; embora não acreditasse nela, ele esperava que a influência dela na Gestapo o salvasse dos campos da morte.

Os dois se tornaram amantes, embora Stella ainda dividisse um quarto com Rolf. Ela conseguiu tirar Heino da lista de transporte e, em troca, esperava que ele fosse útil como testemunha de caráter, assim que os Aliados chegassem. Em fevereiro de 1945, Stella descobriu que estava grávida. Ela disse que a criança era de Heino e que ela o amava e queria se casar com ele. Mas, Heino queria que ela fizesse um aborto, disse que ela só queria

CAPÍTULO 18

ficar com a criança porque acreditava-se que as tropas soviéticas evitavam estuprar mulheres grávidas.

No entanto, ele ajudou Stella a fugir de Berlim e ela procurou refúgio na cidade comercial de Liebenwalde, na floresta de Brandemburgo. Lá, ela deu luz à sua filha, batizada Yvonne Meissl; mas, quando foi presa, a criança foi tirada dela e criada por uma família judia adotiva.

Julgada pelos soviéticos, Stella foi condenada a dez anos de trabalhos forçados e enviada a um antigo campo de concentração nazista. Após sua libertação, ela se mudou para Berlim Ocidental, onde foi julgada novamente. Ela foi condenada mais uma vez a dez anos, mas foi imediatamente libertada quando foram levados em consideração os dez anos que passara em um campo de trabalho soviético. Ela tentou estabelecer contato com sua filha, mas Yvonne não queria nada com ela.

Stella se casou mais três vezes, mas acabou suicidando-se, pulando pela janela de seu apartamento em Berlim, em 1994, aos 72 anos.

CAPÍTULO 19

NAZISTA CHIQUE

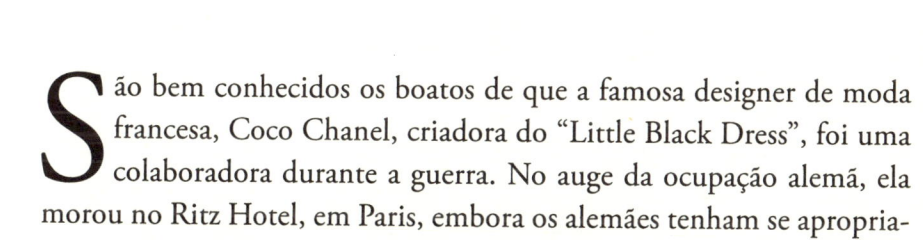

São bem conhecidos os boatos de que a famosa designer de moda francesa, Coco Chanel, criadora do "Little Black Dress", foi uma colaboradora durante a guerra. No auge da ocupação alemã, ela morou no Ritz Hotel, em Paris, embora os alemães tenham se apropriado dele para a moradia de nazistas seniores em suas visitas, incluindo Göring e Goebbels. Ela também assumiu, como seu amante, o oficial da *SS,* Hans Gunther von Dincklage, que trabalhou tanto para o *Abwehr* quanto para a Gestapo.

VINGANÇA

Quando Paris foi libertada, em agosto de 1944, a vingança foi feita naqueles que haviam colaborado. Muitos foram espancados e baleados. "Colaboradoras horizontais" - mulheres e garotas que dormiram com os alemães - foram arrastadas nuas de suas casas. Elas tiveram a cabeça raspada por cidadãos irados e algumas foram marcadas com a suástica.

Coco procurou atenuar sua posição oferecendo gratuitamente frascos de Chanel nº 5 a soldados americanos. Mesmo assim, os combatentes do *Les Forces Françaises de l'Intérieur,* que eram leais ao General da França Livre, Charles de Gaulle, levaram-na à sua sede para interrogatório. Ela foi

Coco Chanel foi de direita, homofóbica, antissemita e viciada em morfina. Ela também colaborou ativamente com os nazistas quando eles ocuparam Paris.

libertada graças à intervenção de Duff Cooper, embaixador britânico no governo provisório de De Gaulle, sob as instruções de Winston Churchill, que conhecia Chanel desde a década de 1920. Ela, então, procurou refúgio na Suíça, onde, mais tarde, se reuniu com von Dincklage.

Em 1949, ela foi chamada para testemunhar no julgamento do Barão Louis de Vaufreland, que foi posteriormente condenado a seis anos por colaboração. Chanel nunca foi acusada e, posteriormente, foi completamente reabilitada. Ela desenhou vestidos para a esposa do presidente francês Georges Pompidou. O próprio presidente inaugurou uma exposição sobre a vida e obra de Chanel, após sua morte, em 1972. Isso foi bastante notável. No entanto, mais tarde, foi descoberto que ela não apenas foi uma colaboradora, como também foi uma agente nazista que havia empreendido missões para os alemães.

GRANDES PROJETOS

Gabrielle Bonheur Chanel nasceu em 1883. Sua mãe morreu quando ela tinha 12 anos e ela foi enviada para um orfanato, onde aprendeu a costurar, mas não se contentava em ser simplesmente uma costureira. Ao sair, seis anos depois, ela complementou sua renda obtida com costura cantando em um café frequentado por oficiais da cavalaria. Lá, ela ganhou o apelido "Coco" - possivelmente de uma cantiga que cantou, ou talvez como uma abreviação de "cocotte", a gíria francesa para uma mulher sustentada por um amante.

Coco chamou a atenção do rico ex-oficial de cavalaria Étienne Balsan e ela se tornou sua amante, morando com ele em seu castelo e, possivelmente, dando à luz a seu filho. Em 1908, ela mudou sua afeição para o amigo de Balsan, o capitão e jogador de polo inglês, Arthur "Boy" Chapel, que a instalou em um apartamento em Paris e a ajudou a iniciar um negócio na fabricação de chapéus femininos. Quando Coco entrou para a moda feminina, ele financiou butiques para ela em Paris, Biarritz e Deauville. Ela abriu a Casa Chanel na 31 Rue Cambon, perto do Ritz, em Paris, onde se apresentou como designer e encontrou fama e fortuna durante a Primeira

CAPÍTULO 19

Guerra Mundial, criando roupas que libertavam os corpos das mulheres dos espartilhos restritivos.

Como aristocrata, Chapel dificilmente poderia se casar com uma mulher de passado humilde, como o de Coco. Em 1918, ele se casou com Lady Diana Wyndham, embora ele e Coco continuassem amantes. Em 1919, Chapel morreu em um acidente de carro, supostamente a caminho de se encontrar com Chanel. Depois de sua morte, quando o *Times* anunciou que havia deixado legados generosos, tanto para ela quanto para uma condessa italiana, Coco descobriu que ela não era sua única amante. Anos depois, no exílio na Suíça, ela disse ao biógrafo Paul Morand: "Sua morte foi um golpe terrível para mim. Ao perder Chapel, perdi tudo. O que se seguiu não foi uma vida de felicidade, devo dizer".

Coco desenvolveu Chanel Nº 5 com a ajuda de seu amante russo, grão--duque Dmitri Pavlovich, que a apresentou ao perfumista Ernest Beaux. Para comercializar a fragrância, ela montou a Parfums Chanel com os irmãos Wertheimer, Pierre e Paul, donos da casa de cosméticos Bourjois e que deram acesso às suas instalações de produção e grande rede de distribuição.

CORTEJANDO O ALTO ESCALÃO BRITÂNICO

Chanel continuou sua associação com a aristocracia britânica através da bem relacionada Vera Bate Lombardi, supostamente a filha ilegítima do marquês de Cambridge. Vera foi casada com Alberto Lombardi, um dos principais membros do Partido Fascista Italiano. Em 1923, ela apresentou Chanel ao duque de Westminster, iniciando um caso que duraria pelos próximos dez anos. Chanel também teve, entre seus amantes, o Príncipe de Gales, Lord Rothermere e vários políticos franceses. Misturando-se nesses círculos, ela conheceu o amigo de longa data do duque de Westminster, Winston Churchill, e foi caçar javalis no chalé do duque em Bordeaux.

Churchill ficou encantado com Coco. Em janeiro de 1928, ele escreveu para sua esposa Clementine: "A famosa Chanel apareceu e eu gostei muito dela - uma mulher muito capaz e agradável - uma das personalidades mais fortes que Benny [o duque de Westminster] já enfrentou. Ela caçou vigorosamente o dia inteiro, viajou de carro para Paris depois do jantar e, ainda hoje, está empenhada em passar e melhorar vestidos em infinitas quantidades de manequins... Com ela estava Vera Bate, née Arkwright".

Mais tarde, Winston escreveu a Clementine novamente, desta vez de Stack Lodge, na Escócia: "Chanel está aqui no lugar de Violet [segunda esposa do duque de Westminster]. Ela pesca da manhã até a noite e já matou 50 salmões (às vezes, pesando 24 libras). Ela é muito agradável - realmente um ser notável e forte, apta para governar um homem e um império. Benny está muito bem com ela e, eu acho, extremamente feliz por estar com um semelhante. A habilidade dela é contrabalancear o poder dele".

O duque de Westminster encorajou Coco a abrir uma casa de moda em Londres. A clientela logo incluiu a duquesa de York, que mais tarde se tornaria rainha como esposa de George VI. Mas, quando o duque convidou a princesa Stephanie von Hohenlohe para pescar com ele na Escócia, Coco logo buscou consolo com seu ex-amante, o poeta Pierre Reverdy, em Paris. Ela teve outros amantes entre os círculos intelectuais, incluindo entre suas conquistas o artista Pablo Picasso e o compositor Igor Stravinsky, admirador de Mussolini. Ela também se tornou usuária da droga do momento, a morfina. Chanel finalmente terminou com o duque de Westminster por causa de suas infidelidades e com Reverdy, porque ele, constantemente, a iludia.

UM MOTIVO DE PREOCUPAÇÃO?

Naturalmente, o *Sûreté*, o ramo de detetives da polícia francesa, vigiava os partidários de destaque da causa fascista; eles monitoraram as idas e vindas do duque de Westminster, Chanel, princesa Stephanie e Vera Lombardi e seu marido. A inteligência alemã já estava ativa na França. O Barão Hans Günther "*Spatz*" ("Pardal") von Dincklage passou dez anos como oficial de inteligência e conquistou a amizade do general Walther von Brauchitsch, que Hitler, mais tarde, nomearia comandante supremo do exército alemão. Com sua mãe inglesa e sua esposa semi-judia, Maximiliane ("Catsy"), von Dincklage era o agente secreto perfeito para o *Abwehr* enviar à Côte d'Azur. Seu charme e boa aparência atraíam homens e mulheres. Enquanto isso, Catsy seduziu dois oficiais da Marinha - o parceiro de tênis de von Dincklage, Charles Coton, e o engenheiro naval Pierre Gaillard, que forneceu informações estratégicas sobre a base naval francesa em Cap Blanc, Bizette, Tunísia. Os dois homens se tornariam os pilares mais importantes da rede de espionagem de von Dincklage no Mediterrâneo.

No verão de 1930, o grão-duque Dmitri apresentou Chanel ao produtor de cinema Samuel Goldwyn, que a convidou para visitar Hollywood. Na época, as criações de Coco estavam se tornando moda nos Estados Unidos graças à cobertura entusiasmada da revista *Vogue*. Chanel queria que sua amante bissexual, Marie "Misia" Sert, a acompanhasse, mas Misia estava envolvida em escândalo na época. Seu marido, José-Maria, se divorciou dela e fugiu com a princesa russa Roussadana "Roussy" Mdivani, a amante adolescente que ambos tinham compartilhado. Misia, sentindo-se deprimida, juntou-se à festa de Chanel a bordo do navio Norddeutscher Lloyd, SS *Europa*.

UMA ATITUDE CALEJADA

Com suas estrelas de cinema, drogas e devassidão sexual, Hollywood solicitou uma proposta a Chanel, mas ela achou seu estilo de design refinado demais para os figurinos necessários ao cinema. Ela voltou para casa no SS *Paris*, cuja lista de passageiros incluía a mãe de Franklin Roosevelt. De volta à Europa, Coco imediatamente procurou a hospitalidade do duque de Westminster que, como um fervoroso antissemita, aproveitou para doutriná-la. Ela alegou que os irmãos Wertheimer, que eram judeus, a haviam enganado e contratou o advogado René de Chambrun para processá-los.

Quando Hitler chegou ao poder, em 1933, von Dincklage foi transferido da Riviera para a embaixada alemã em Paris, com instruções para estabelecer uma nova rede de espionagem e produzir propaganda difamatória. No ano seguinte, Berlim emitiu ordens para que *Abwehr* recrutasse e treinasse novos agentes. Enquanto isso, o Bureau Deuxième francês se interessou por Dincklage, sua esposa e seus contatos.

Em 1934, Chanel mudou-se para o Ritz, cuja porta dos fundos ficava do outro lado da rua do salão onde ela ainda mantinha um apartamento. Na época, ela estava tendo um caso com o ilustrador e designer Paul Iribe. Ela lhe deu dinheiro para administrar um semanário fanático nacionalmente chamado *Le Témoin*, que descrevia a França como vítima de uma conspiração internacional de judeus. Quando Iribe desmaiou e morreu de um ataque cardíaco diante de seus olhos, enquanto jogava tênis em La Pausa, a vila de Chanel na Riviera, ela ficou arrasada.

Sendo Hitler agora visto como uma ameaça, a inteligência francesa atacou, principalmente, von Dincklage, e apontou-o publicamente como oficial da Gestapo. Três meses antes do anúncio das Leis de Nuremberg, Dincklage se divorciou de sua esposa judia. Ele passou o verão com sua amante inglesa e sua irmã em Toulon, onde havia uma grande base naval. Quando os detalhes de suas atividades de espionagem surgiram na imprensa, Dincklage procurou refúgio em Londres, embora sua rede de espionagem tenha sido deixada intacta na França. Ele até recrutou um novo membro - e amante - a amiga de Catsy, Baronne Hélène Dessoffy, filha de um oficial da marinha de alto escalão. Eles retornaram clandestinamente à França depois de serem expulsos da Tunísia por tentarem penetrar na base naval de Bizerte. Então, quando a França se mobilizou para a guerra, Dincklage buscou segurança na Suíça.

ABDICAÇÃO E GUERRA

A amizade de Churchill com Chanel continuou até a década de 1930. Durante a crise de abdicação, ele e seu filho Randolph, jantaram com Chanel e Jean Cocteau em sua suíte no Ritz. Cocteau lembrou como Winston ficou muito bêbado e, soluçando nos braços de Chanel, disse: "O rei não pode abdicar". Logo depois disso, Churchill ajudou a editar o discurso de abdicação do rei. No ano seguinte, Edward, então duque de Windsor e sua noiva, Wallis Simpson, uma cliente fiel de Chanel, ficaram em uma suíte vizinha após o retorno de sua visita a Hitler.

No início da Segunda Guerra Mundial, Chanel fechou seu salão, dizendo que a guerra não era um bom momento para a moda. Cerca de 3.000

CAPÍTULO 19

mulheres perderam o emprego, embora se acreditasse que Chanel as estivesse punindo por entrar em greve três anos antes. As autoridades estavam à procura de espiões em todos as partes. A última amante do duque de Windsor, uma francesa, era suspeita de espionagem e foi presa atravessando o Canal da Mancha. Vera Bate Lombardi estava sendo observada pela polícia secreta italiana, apesar de ter cidadania italiana e a Itália ainda não estar em guerra com a Grã-Bretanha. Enquanto isso, os jornais anunciavam que Chanel e Jean Cocteau estavam prestes a se casar, o que divertiu o amante de Cocteau, o ator Jean Marais. Churchill continuou suas visitas regulares à França, até ser nomeado primeiro-ministro, enquanto aqueles que podiam fazê-lo, saíam de Paris.

Enquanto von Dincklage relatava a preparação da Suíça para a guerra, as correspondências de Catsy e Hélène estavam sendo abertas. Hélène também foi interrogada por agentes franceses de contraespionagem. As duas mulheres foram presas, para grande consternação do marido de Hélène, Jacques. A contrainteligência suíça também prendeu von Dincklage, mas ele estava protegido por um passaporte diplomático. No entanto, eles relataram que ele fazia companhia a "mulheres de má reputação, viciadas em morfina e suspeitas de espionar para a Alemanha".

O governo de Berna pediu educadamente a von Dincklage para deixar o país. Quando o fez, descobriu-se que ele havia mantido dois agentes trabalhando, Hans Riesser e sua esposa Gilda. Hans era judeu, mas, quando foi preso, constatou-se que seu passaporte alemão não tinha o "J" obrigatório; essa omissão indicava que ele era um agente. Ele passou quatro anos em uma prisão suíça. Gilda conseguiu escapar através da fronteira para a França, onde continuou a trabalhar para O *Abwehr*.

Von Dincklage estava em Berlim quando os alemães invadiram os Países Baixos. Com Paris agora ameaçada, Chanel ficou no castelo de seu sobrinho André Palasse, em Corbère, perto da fronteira espanhola, onde se encontrava sua primeira amante, Étienne Balsan. Logo depois que ela chegou, chegaram as notícias de que André havia sido capturado e estava a caminho de um campo de prisioneiros de guerra na Alemanha. Chanel chorou com o anúncio da capitulação francesa, feita no rádio pelo marechal Pétain, em 17 de junho de 1940. No dia seguinte, a BBC transmitiu uma mensagem do general de Gaulle, de Londres, dizendo ao povo francês que as forças da França Livre haviam escapado para a Inglaterra e pretendiam continuar lutando.

A situação piorou para Chanel quando seu amigo Winston Churchill ordenou a destruição da frota francesa em Mers-el-Kébar, na Argélia, para que não caísse nas mãos dos alemães. Ela se dirigiu a Vichy, onde seu amigo Pierre Laval era chefe de governo sob Pétain, levando com ela a jornalista de moda Marie-Louise Bousquet, uma amiga íntima de Misia. Em Vichy, Chanel tentou garantir o retorno de seu sobrinho André, que agora estava doente – mas, sem sucesso. Então, ela se mudou para Paris, que agora estava enfeitada de suásticas.

PARIS EM TEMPO DE GUERRA

Naquele outono, von Dincklage, agora com 44 anos, retornou a Paris com outros nazistas de alto escalão e se mudaram para o Ritz que havia sido apreendido. Quando Chanel, de 57 anos, chegou, ela descobriu que suas coisas haviam sido removidas e sua suíte havia sido tomada. Von Dincklage providenciou para que ela alugasse uma suíte menor no sétimo andar da seção *Privatgast* (hóspede particular), reservada a *Ausländer* (estrangeiros) que eram amigos do Reich. Os dois foram vistos em vários lugares juntos e outros moradores disseram que ele a visitava em sua suíte todos os dias.

Enquanto parisienses comuns brigavam por restos de comida, von Dincklage jantava no Ritz ou no Maxim's, embora também houvesse jantares mais íntimos no apartamento de Chanel, na Rue Cambon. Os Serts estavam agora reunidos. José-Maria havia garantido o cargo de embaixador no Vaticano, embora ele permanecesse em Paris e recebesse comida da Espanha por mala diplomática. Ele divertia os hóspedes com histórias de espiões britânicos e americanos em Madri.

O circuito social em Paris continuou inabalável, com von Dincklage organizando eventos de gala para os "convidados" alemães. Chanel jantava com o embaixador alemão e o embaixador de Vichy em Paris e, durante estes eventos, faziam observações antissemitas cruéis. Enquanto os alemães e a elite

CAPÍTULO 19

francesa levavam uma vida extravagante, a ração para as pessoas comuns era reduzida para 1.200 calorias por dia, em média, metade do que um homem ou uma mulher que trabalhava precisava para ser saudável. Os idosos tinham que sobreviver com apenas 850 calorias. A carne só podia ser encontrada no mercado negro a preços ultrajantes. Até o vinho era escasso, pois 320 milhões de garrafas por ano eram enviadas para a Alemanha a preços fixos.

No início de 1941, von Dincklage viajou para Berlim com o Barão Louis de Vaufreland. Os dois se conheceram antes da guerra, quando von Dincklage era amante de Madame Esnault-Pelterie, esposa de um pioneiro da aviação francesa. Em Berlim, von Dincklage se encontrou com Hitler e Joseph Goebbels, que era seu chefe quando produzia propaganda difamatória na embaixada alemã em Paris, em 1944.

De Vaufreland recebeu uma missão no norte da África, onde organizou a prisão de lutadores da resistência gaullista em Casablanca. Voltando a Paris, von Dincklage estava, agora, sob as ordens diretas de Berlim. Ele recebeu o título *V-Mann*, que significava um agente de confiança ou intermediário. Seu número como agente era F-7667 e seu codinome PISCATORY. Em Paris, ele apresentou De Vaufreland a Chanel.

Chegou a notícia de que André Palasse havia contraído tuberculose. O *Abwehr* sabia que Chanel queria que seu sobrinho fosse libertado e disse que eles poderiam ajudar em troca de sua cooperação. Afinal, ela tinha bons contatos na Grã-Bretanha, França e Espanha. Como incentivo adicional, De Vaufreland sugeriu que ele poderia usar seus contatos alemães para obter o controle de Parfums Chanel dos Wertheimers. Seu chefe no *Abwehr*, Hermann Neubauer, concordou em ajudar Chanel com a libertação de André se ela fosse a Madri para uma pequena espionagem. Ela concordou e o *Abwehr* a recrutou como agente número F-7124, codinome WESTMINSTER.

UMA VISITA À ESPANHA

Em 5 de agosto de 1941, Chanel e Vaufreland deixaram Paris de trem. A polícia alemã na passagem da fronteira em Hendaye, nos Pirineus, recebeu um telegrama do serviço de contrainteligência estrangeira de *Abwehr*, dizendo-lhes: "Trate esses dois passageiros com consideração, conceda-lhes todas as acomodações e evite dar-lhes problemas".

Em Madri, Chanel se hospedou no Ritz. Os registros de suas atividades na Espanha desapareceram, mas ela teria participado de um jantar com o diplomata britânico e o agente do MI6 Brian Wallace, codinome RAMON, e sua esposa, onde ela descreveu a situação na França. Chanel e de Vaufreland voltaram a Paris para descobrir que André havia sido libertado. Então, De Vaufreland apresentou Chanel ao oficial nazista encarregado da "arianização" da propriedade judaica. Antes de fugir para os Estados Unidos, os Wertheimers haviam dado o controle da Parfums Chanel ao industrial Félix Amiot, que também fabricava aeronaves para os alemães. Após a guerra, Amiot devolveu a empresa aos Wertheimers para mitigar as acusações de colaboração.

Em Paris e na França ocupada, os judeus foram presos para deportação. Laval na Zona Livre também obedeceu. Lutadores de resistência franceses e comunistas livres começaram a atacar alemães e reféns franceses foram fuzilados em retaliação. Enquanto isso, Chanel esperava que Hitler prevalecesse e a livrasse dos Wertheimers para sempre.

Quando a América entrou na guerra, a revista *Life* publicou uma lista de colaboradores que incluía o advogado de Chanel, René de Chambrun. Também se referia à própria Chanel como uma 'colaboradora horizontal'. A confiança de Chanel em uma vitória alemã foi abalada pelos desembarques americanos em Marrocos e Argélia, e pelos britânicos que corriam para o oeste do Egito depois de vencer a Segunda Batalha de El Alamein, em novembro de 1942. Nesse Natal, as tropas alemãs se moveram para a Zona Livre, deixando Vichy impotente. Na Frente Oriental, o exército alemão havia resistido em Stalingrado, porém, se renderia em fevereiro de 1943. Na Itália, Mussolini cairia em julho daquele ano.

Ainda assim, Chanel não se arrependia. Uma observação que ela fez em um almoço na Côte d'Azur naquele verão - de que "a França tem o que merece" - foi relatada ao serviço de inteligência francês de De Gaulle, em Londres, que determinou sua punição. Os franceses também tinham um registro das atividades de von Dincklage e um colega de *Abwehr* sugeriu que ele buscasse segurança aceitando um posto em Istambul.

Mas, Chanel não deixou que isso acontecesse - ela tinha um plano que envolvia os dois viajando a Madri para procurar a ajuda de seu velho amigo, o embaixador britânico Sir Samuel Hoare, que ela conhecera através do duque de Westminster. Através desses dignitários britânicos, ela enviava uma mensagem a Churchill dizendo que alguns alemães importantes queriam abandonar Hitler e fazer as pazes. Ao mesmo tempo, von Dincklage se comunicava com a facção anti-Hitler em Berlim através da embaixada alemã na Espanha.

Primeiro von Dincklage viajou para Berlim para obter a aprovação da *Abwehr* para o plano. Os danos causados à cidade pelos bombardeiros aliados o convenceram de que a Alemanha estava condenada. Outros nazistas, incluindo Ribbentrop, Canaris, von Papen, Himmler e Schellenberg também estavam tentando encontrar uma maneira de terminar a guerra, enquanto Claus von Stauffenberg e outros oficiais da *Wehrmacht* já estavam planejando matar Hitler.

"VÍCIOS" LÉSBICOS

Ao fazer os arranjos com o conde Joseph von Ledebur-Wicheln, von Dincklage disse: "Primeiramente, o *Abwehr* teve que trazer para a França uma jovem italiana com quem Coco Chanel tinha ligações devido às suas relações lésbicas. A jovem deveria acompanhar Chanel em suas viagens à Península Ibérica e a Londres. Ledebur teria que fornecer passaportes e vistos para Chanel, a garota e Dincklage".

A garota, é claro, era Vera Bate Lombardi, presa na Itália. Uma investigação mais aprofundada de Ledebur com Fern Bedaux, esposa de um agente nazista, revelou que Chanel era viciada em drogas e que, "todas as noites, recebia Dincklage em seu quarto".

Ledebur examinou os registros de von Dincklage e descobriu que ele estava com problemas com a Gestapo, pois sua esposa era "meia-judia". Ele morou em Toulon com duas garotas inglesas, uma delas sua amante. Em 1938, ele interrompeu seu trabalho de espionagem na França porque havia sido "'queimado' pelo Deuxième Bureau francês".

Ele, então, foi à Suíça para trabalhar com o coronel Alexander Waag, chefe da *Abwehr*, que relatou: "Eu não poderia usar Dincklage porque ele queria muito dinheiro. Ele não tinha senso de propósito".

Quando Ledebur foi visitar von Dincklage, então um oficial de compras, ele o encontrou morando em "um apartamento sumptuoso e luxuosamente mobiliado na avenida Foch", que deveria ter sido entregue a um oficial mais antigo do *Abwehr*. Ledebur não quis se encontrar com Chanel e o *Abwehr* retirou seu apoio à viagem a Madri. Ledebur soube, mais tarde, que von Dincklage e Chanel haviam sido vistos em Hendaye, na fronteira espanhola, em janeiro de 1944, em uma viagem organizada pela *SS*. Eles foram recebidos pelo capitão da *SS*, Walter Kutschmann, ordenado por Schellenberg para ajudar Chanel em todos os aspectos e lhe entregaram uma grande quantia de dinheiro, em Madri.

Recusando ser derrotado por Ledebur, von Dincklage conseguiu que o seu companheiro de armas da Primeira Guerra Mundial, major Theodor Momm, explorasse outras opções. Momm conseguiu entrar em contato com Schellenberg e von Dincklage e Chanel foram trazidos para Berlim. Eles estavam alojados em uma casa de hóspedes em Wannsee, onde uma reunião que planejava o assassinato sistemático de judeus da Europa havia sido realizada em janeiro de 1942. Chanel conheceu Schellenberg no escritório principal de segurança do Reich, na Berkaer Strasse, que era uma casa de repouso judaica até ser tomada pela *SS*, em 1941. Na reunião, foi combinado que Vera Bate Lombardi deveria ser libertada do seu aprisionamento para se juntar ao que agora estava sendo chamado de Operação *Modellhut - Operation Model Hat*.

UMA VIRADA INESPERADA DE ACONTECIMENTOS

Depois que o novo governo italiano assinou um armistício com os Aliados, em 8 de setembro de 1943, os alemães ocuparam Roma. Em 12 de novembro, Vera foi presa como suspeita de espionagem britânica, mas graças à pressão de Schellenberg, foi libertada dez dias depois.

CAPÍTULO 19

De volta a Paris, von Dincklage providenciou para que Chanel recebesse um passaporte e um visto para a Espanha. O passaporte foi emitido pelas autoridades francesas, por ordem direta do *SS-Sturmbannführer* Karl Bömelburg, chefe da Gestapo na França. Enquanto isso, o serviço de inteligência estrangeira de Schellenberg arranjou os preparativos para Vera.

Em Madri, Chanel e Lombardi entravam no Ritz. Chanel, então, se encontrou com Sir Samuel Hoare e deu a Vera uma carta cujo conteúdo havia sido aprovado por Schellenberg. Com a ajuda de Hoare, Vera deveria levar essa carta para Londres e entregá-la a Churchill. Mas, Vera não concordou e denunciou todos os envolvidos - incluindo Chanel - às autoridades britânicas como agentes alemães.

Para acalmar a situação, Chanel escreveu outra carta que ela deu à embaixada para ser encaminhada a Churchill. Nela, explicou que tinha sido necessário "me dirigir a alguém bastante importante" para libertar Vera do aprisionamento - era por isso que seu passaporte italiano tinha um selo alemão.

Von Dincklage e Chanel retornaram a Paris e, depois, viajaram para Berlim para explicar por que sua missão fracassara. Vera permaneceu em Madri e escreveu para sua amiga Lady Ursula Filmer Sankey, filha do duque de Westminster, pedindo-lhe que levasse seu pai para entrar em contato com Churchill. Ela disse que sabia que os britânicos suspeitavam que ela era agente da SS por causa de seu envolvimento na missão de Chanel e temia que eles a impedissem de retornar a Roma, agora libertada.

Após o Dia D, em 6 de junho de 1944, as perspectivas de Chanel pareciam terríveis. Se os alemães se retirassem de Paris, a resistência certamente viria atrás dela. Von Dincklage também era um homem marcado. Quando o plano de von Stauffenberg para assassinar Hitler falhou, von Dincklage fugiu. Chanel deixou o Ritz e voltou para seu apartamento na Rue Cambon. Enquanto os Aliados se aproximavam de Paris, ela entrou em contato com Pierre Reverdy, que estava nesse momento com a Resistência, e pediu que ele procurasse Vaufreland, o único francês capaz de provar sua conexão com os nazistas. Reverdy o encontrou e foi preso no campo de Drancy, usado para abrigar judeus antes da deportação.

Paris foi libertada em 25 de agosto de 1944. Duas semanas depois, Chanel foi presa, mas os jovens combatentes da Resistência que a interrogaram não tinham registros de suas missões secretas. Ao voltar para seu apartamento na Rue Cambon, ela disse à neta Gabrielle Palasse: "Churchill me libertou".

Então, chegou uma mensagem do duque de Westminster dizendo-lhe para deixar a França. Em poucas horas, ela estava na sua limusine com seu motorista, a caminho de Lausanne. Pensa-se que Churchill tenha procurado proteger Chanel para o caso dela acusar os Windsors como colaboradores. Este era um assunto delicado. Anthony Blunt, então com o MI5, foi enviado secretamente a Schloss Friedrichshof para recuperar cartas sensíveis entre o duque de Windsor e Hitler, e outros nazistas importantes.

Temendo por sua própria segurança, Catsy von Dincklage se entregou à polícia e foi presa. Para garantir sua libertação, ela forneceu cartas de amigos que haviam trabalhado com ela em uma operação no mercado negro vendendo roupas íntimas femininas. Ela e seu ex-marido foram oficialmente banidos da França em 1947, embora ela tenha permanecido em Nice, aparentemente trabalhando para a Chanel.

DIAS FINAIS

Churchill estava se recuperando de uma doença na Tunísia quando a carta de Chanel chegou à Downing Street. Após retornar, Churchill interveio em nome de Vera, e no início de 1945, ela foi autorizada a retornar à Itália. Depois de se reunir novamente com o marido, ela escreveu agradecendo a Churchill.

Nos dias finais da guerra, von Dincklage providenciou para que o *Abwehr*, agora sob o comando de Schellenberg, conseguisse que uma empresa alemã desse permissão para ele viajar para a Suíça como seu representante. Mas, os suíços não haviam esquecido sua missão anterior de espionagem e recusaram a entrada. Ele, então, se escondeu na Alemanha e na Áustria, enquanto Chanel enviava dinheiro através de um soldado amigo. Então, von Dincklage entrou na Suíça para se encontrar com Chanel em Lausanne. Um advogado fez repetidos pedidos em seu nome para a cidadania de

CAPÍTULO 19

Liechtenstein, o que lhe daria o direito de entrar na Suíça. Mas, isso foi recusado pois von Dincklage havia sido banido da França em 1947. Eventualmente, ele deixou Lausanne para morar nas Ilhas Baleares.

Em maio de 1946, foi aberto um processo contra Chanel no Palais de Justice, em Paris, depois que documentos que listavam o agente de *Abwehr* número F-7124 e seu codinome WESTMINSTER foram encontrados em Berlim. No entanto, quando os relatórios de inteligência escritos por De Vaufreland foram descobertos, não havia nenhum arquivo da própria Chanel. Também não foi feita nenhuma conexão entre ela e a Operação *Modellhut*. Questionada sobre sua primeira viagem a Madri, ela disse que conheceu De Vaufreland por acaso no trem.

Chanel compareceu ao Palais de Justice em julho de 1949 para prestar depoimento no caso contra Vaufreland. Seu único contato com os alemães, segundo ela, fora pela via de Vaufreland, que se ofereceu para usar sua influência para libertar o sobrinho dela. Ela negou o testemunho juramentado de que De Vaufreland a apresentara ao seu controlador alemão. A ideia de que ela estivesse envolvida em uma missão de paz era claramente absurda, disse ela, e não havia recebido tratamento especial dos alemães no posto de fronteira em Hendaye.

Ela também negou ter pedido a ajuda de De Vaufreland para retirar a Parfums Chanel dos Wertheimers e alegou que sua viagem à Espanha fora para obter matérias-primas para a fabricação de perfumes. Sua segunda viagem a Madri e seu relacionamento com von Dincklage nunca foram mencionados.

Enquanto De Vaufreland era preso, Chanel voltava à Suíça em segurança. No entanto, os registros do tribunal observaram: "As respostas que Mademoiselle Chanel deu ao tribunal são enganosas. O tribunal decidirá se o caso dela deve ser continuado". Mas, outros julgamentos de crimes de guerra de nazistas mais sensacionais estavam sendo conduzidos na época e o caso de Vaufreland foi ignorado pela imprensa.

De Lausanne, Chanel usou seus milhões para comprar o silêncio de quem sabia de suas atividades em tempo de guerra com o *Abwehr* e as *SS*. Ela disponibilizou uma casa confortável na Suíça para o moribundo

Schellenberg, depois que ele foi libertado devido a problemas de saúde. Von Dincklage também recebeu um belo montante.

Quando Pierre Wertheimer retornou à França e retomou seu negócio de perfumes, Chanel teve que indenizá-lo, sabendo que, se ele a processasse, as conexões nazistas dela poderiam aparecer no tribunal. Estas conexões foram rapidamente esquecidas quando Chanel voltou à indústria da moda nos anos 50. Ela foi banhada de honras em todo o mundo. Um musical baseado em sua vida, Coco, estrelado por Katharine Hepburn, apareceu na Broadway em 1969.

Ela empregou François Mironnet, que lembrava o duque de Westminster, como seu jovem mordomo. Em junho de 1970, oito meses antes de sua morte, sua cliente Claude Pompidou, esposa do presidente francês Georges Pompidou, a convidou para jantar no Palais de l'Élysée. Chanel morreu no Ritz, em 10 de janeiro de 1971. Os documentos detalhando sua traição na guerra foram descobertos apenas em 1985 por um pesquisador soviético que trabalhava nos arquivos alemães.

CAPÍTULO 20

A ESPIÃ QUE SERIA RAINHA

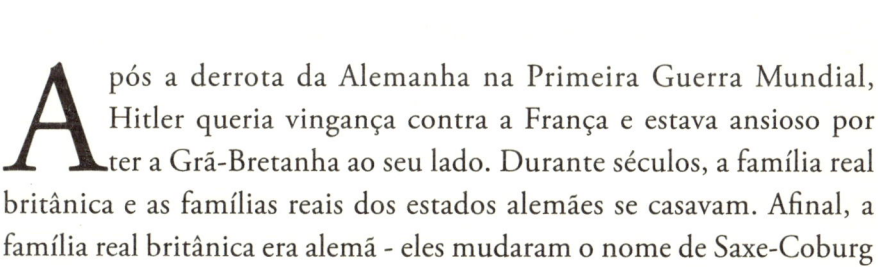

Após a derrota da Alemanha na Primeira Guerra Mundial, Hitler queria vingança contra a França e estava ansioso por ter a Grã-Bretanha ao seu lado. Durante séculos, a família real britânica e as famílias reais dos estados alemães se casavam. Afinal, a família real britânica era alemã - eles mudaram o nome de Saxe-Coburg e Gotha para Windsor durante a Primeira Guerra Mundial. O Kaiser deposto era neto da rainha Victoria e estava ao seu lado quando ela estava no leito de morte. Esse relacionamento especial não impediu a Grã-Bretanha de assinar a Entente Cordiale com a França, em 1904. Mas, isso novamente provou o poder da realeza: um dos principais arquitetos da Entente Cordiale fora Bertie, o Príncipe de Gales, mais tarde Edward VII.

Hitler estava ciente dessa história e ansioso para utilizar essa influência junto da família real britânica. Quando ele chegou ao poder, a rainha consorte era Maria de Teck (um assento ducal no Reino de Württemberg). E havia um príncipe de Gales elegível, que reinaria brevemente como Eduardo VIII em 1936. Claramente seria uma vantagem para a Alemanha se, como seu pai George V, Edward pudesse ser persuadido a se casar com uma princesa alemã. Antes da Primeira Guerra Mundial houve rumores de seu casamento com a princesa

Karoline Mathilde, de Schleswig-Holstein. Foi somente depois de mudar o nome da família real em 1917 que George V soube que seus filhos e herdeiros poderiam se casar com súditos britânicos em vez de com a realeza estrangeira.

A PREFERÊNCIA DE HITLER

Para Hitler, a candidata mais promissora era a princesa Friederike, filha do duque Ernest Augustus III, de Brunswick, e da duquesa Victoria Louise, da Prússia, filha única de Kaiser Wilhelm II. Como filha do chefe da casa de Hannover, ela estava nominalmente na 34ª posição do trono britânico se não tivesse sido aprovada a Lei de Privação de Títulos de 1917, que despojou membros de nações inimigas de suas posições sociais e títulos britânicos.

Hitler ficou especialmente encorajado pelo fato de seu pai, o duque Ernest Augustus, ser um doador proeminente do Partido Nazista e, muitas vezes, vestir o uniforme marrom de um *stormtrooper*. Seu irmão, também chamado Ernest Augustus, estava na *SS*, enquanto Friederike era membro do *Bund Deutscher Mädel* - a Liga das Garotas Alemãs, o ramo feminino da Juventude Hitlerista. Na escola, ela era conhecida como uma nazista fiel e apelidada de "sargento da Prússia".

Seus pais conheceram Hitler e discutiram a aproximação com a Grã-Bretanha. Mas, foi Hitler quem decidiu oferecer a mão de Friederike em casamento ao príncipe de Gales. Ribbentrop foi enviado para dar as boas notícias. No entanto, os pais de Friederike, que haviam acabado de voltar de visitar George V e Queen Mary na Inglaterra, ficaram chocados com a sugestão, pois Edward tinha 22 anos a mais do que a filha de 17 anos - a própria duquesa era candidata à mão dele.

"Meu marido e eu fomos surpreendidos", disse ela. "Algo assim nunca nos ocorreu, nem mesmo para reconciliação com a Inglaterra. Antes da Primeira Guerra Mundial, havia sido sugerido que eu me casasse com meu primo [o príncipe de Gales], que era dois anos mais novo, e agora estava sendo sugerido que minha filha deveria se casar com ele.

Princesa Friederike com seus pais, duque Ernest Augustus III, de Brunswick, e duquesa Victoria Louise, da Prússia.

CAPÍTULO 20

Dissemos a Hitler que, em nossa opinião, a grande diferença de idade entre o príncipe de Gales e Friederike por si só impedia essa perspectiva e que não estávamos preparados para pressionar nossa filha."

Embora essa tentativa de trazer o príncipe de Gales para o círculo nazista tenha fracassado, Hitler não parou de tentar. Enquanto isso, Friederike conheceu Paul, príncipe herdeiro da Grécia, nos Jogos Olímpicos de Berlim. Mesmo ele tendo 16 anos, eles se casaram dois anos depois. Foi sugerido que, se o príncipe de Gales se casasse com a princesa Friederike, a Segunda Guerra Mundial poderia nunca ter acontecido. Mas, em 1934, quando o plano estava em andamento, Edward já estava envolvido com Wallis Simpson.

ASSUNTOS REAIS

O príncipe de Gales não era rápido em abordar assuntos do coração. Ele descreveu as prostitutas que viu posar nuas em um bordel de Calais, que ele visitou durante a Primeira Guerra Mundial, como "completamente sujas e revoltantes". Apenas aos 25 anos de idade ele se envolveu com uma cortesã e socialite parisiense chamada Marguerite Alibert, conhecida no *demi-monde* como Maggie Meller. O caso terminou com o fim da guerra e após seu retorno à Inglaterra. Marguerite se tornou famosa após matar o marido, o aristocrata egípcio Ali Fahmy, no Savoy Hotel, em Londres. Graças à robusta defesa apresentada por seu célebre advogado, Edward Marshall Hall, ela foi absolvida de assassinato em Old Bailey. No julgamento, seu marido foi retratado como "um monstro da depravação e decadência do Oriente, cujos gostos sexuais eram indicativos de um sadismo amoral em relação à sua esposa europeia desamparada". Para garantir que o nome do príncipe de Gales não fosse mencionado como parte da evidência, o juiz proibiu convenientemente qualquer menção à história sexual de Marguerite.

De volta à Inglaterra, o príncipe começou a se encontrar com Lady Sybil Cadogan, mas logo se apaixonou por Marian Coke, uma mulher casada, 12 anos mais velha que ele. Ele costumava ter casos com mulheres casadas; uma de suas amantes de longa data foi Freda Dudley

Ward, esposa de um deputado liberal. Ela era meio americana e eles se conheceram durante um ataque a um Zeppelin, quando ela correu para uma casa onde ele estava jantando, para se esconder. O caso durou vários anos, apesar de ele ter tido muitos outros pelo caminho.

O príncipe de Gales era atraído pelas americanas: ele visitou os Estados Unidos várias vezes e se interessou por Audrey James, filha de um industrial americano. Ela recusou os avanços dele quando ainda estava solteira, mas, depois de se casar, ela sucumbiu.

Depois veio Lady Thelma Furness, filha de um diplomata americano. Quando o príncipe a conheceu, ela era uma divorciada que tinha se casado novamente. Aos 16 anos, ela fugiu com um homem mais velho, mas o casamento não durou. Quando ela ficou livre do primeiro marido, casou-se com o visconde Furness, famoso por seu amor ao conhaque e às mulheres.

Em 1930, Lady Furness acompanhou Edward em um safari no Quênia. Lá, ela disse, sentia "como se fôssemos as únicas pessoas no mundo". Em seu diário, ela registrou: "Este era o nosso Éden e estávamos sozinhos nele. Seus braços sobre mim eram a única realidade; suas palavras de amor, minha única ponte para a vida. Carregada na maré crescente de seu ardor, senti-me inexoravelmente varrida das amarras habituais de cautela. Toda noite, me sentia completamente possuída pelo nosso amor".

O caso terminou quando ela teve uma aventura amorosa com o príncipe Aly Khan, proprietário de um cavalo de corrida e líder dos muçulmanos ismaelitas. Mais tarde, Thelma reclamou abertamente do fraco desempenho sexual de Edward, escandalizando a sociedade chamando-o de "homenzinho". Outros haviam notado essa deficiência no príncipe. Enquanto estavam no Colégio Naval de Osborne, os outros cadetes brincavam dizendo que ele deveria ser chamado de "Sardinha" em vez de "Baleia".

Rumores como esse e sua possível bissexualidade eram abundantes. O escritor e crítico Lytton Strachey tentou cantá-lo uma vez na Galeria Tate, e quando percebeu quem ele era, saiu disfarçando. Mais tarde, Strachey escreveu lamentando a oportunidade perdida.

WALLIS SIMPSON

Foi quando Edward estava participando de uma festa em uma casa em Burrough Court, a sede de condado de Visconde e Lady Furness, que ele foi apresentado a Wallis Simpson e seu marido Ernest. De origem da Virginia, a Sra. Simpson nasceu em Baltimore. Seu primeiro marido, aviador da marinha, tenente Earl Winfield "Win" Spencer Jr, foi um alcoólatra e sádico que gostava de amarrá-la na cama e espancá-la. Ele teve muitos casos extraconjugais com homens e mulheres. Wallis, por sua vez, se lançou na cena diplomática de Washington DC e teve casos com o embaixador italiano e com um diplomata argentino que se dizia ser o melhor dançarino de tango da cidade.

Em uma lua de mel tardia, Win levou Wallis em uma viagem ao Extremo Oriente, onde juntos e/ou separados, visitaram os bordéis de Xangai e Hong Kong. Nessas famosas "casas de cantoria", dizia-se que Wallis havia aprendido as antigas artes eróticas do Fang-chung shu. Este é um método de união sexual que envolve, entre outras coisas, massagear óleo quente nos mamilos, estômago e parte interna das coxas de um parceiro. Somente quando o parceiro está totalmente relaxado os órgãos genitais são abordados. Dizem que os adeptos de Fang-chung shu são capazes de despertar até os parceiros mais desapaixonados, concentrando-se nos centros nervosos e escovando delicadamente a pele.

Apesar das crescentes habilidades de Wallis nas artes eróticas, seu casamento com Win ruiu. Isso a deixou livre para praticar suas novas técnicas em uma série de outros homens, incluindo um jovem americano chamado Robbie e o adido naval italiano, conde Galeazzo Ciano, que se casaria com a filha de Mussolini e se tornaria ministro das Relações Exteriores da Itália. Por volta dessa época, há rumores de que Wallis sofreu um aborto malfeito que a deixou incapaz de ter filhos.

Ela conheceu seu segundo marido, o corretor de navios anglo-americano Ernest Simpson, em Nova York. Simpson nasceu nos Estados Unidos, mas naturalizou-se como cidadão britânico quando ingressou no Coldstream Guards, durante a Primeira Guerra Mundial. Como Wallis, ele era casado, mas ambos rapidamente se divorciaram de seus respectivos parceiros, se casaram e se mudaram para Londres.

Após sua apresentação ao príncipe de Gales, Wallis e ele foram vistos com frequência com o marido de Wallis e Mary Raffray, amante de Ernest Simpson. Em 1934, o príncipe passou férias com Wallis em Biarritz. Como seu marido não pôde participar da festa, Wallis foi acompanhada por sua tia Bessie.

Em fevereiro de 1935, o príncipe foi fotografado com Wallis saindo de uma loja de lingerie, em Kitzbühel, perto de onde eles estavam desfrutando suas férias de esqui no Tirol austríaco. Em maio, as fofocas chegaram a Londres, dizendo que o príncipe havia dançado com a Sra. Simpson no jubileu de prata de seus pais.

VIZINHOS NAZISTAS

Embora os barões da imprensa conseguissem manter as notícias sobre o caso fora dos jornais britânicos, elas foram amplamente publicadas no exterior; isso deu a Hitler outra oportunidade. Ele sabia das tendências políticas dos Simpsons, e Sir Oswald Mosley, líder da União Britânica Fascista, era um visitante frequente de seu apartamento em Bryanston Court, onde podiam ser observados pela espiã favorita de Hitler, sua vizinha, a princesa Stephanie von Hohenlohe, que vivia no mesmo quarteirão.

Tanto o rei quanto o primeiro-ministro estavam preocupados com as atividades do príncipe, por isso chamaram a Scotland Yard. Consequentemente, o superintendente Albert Canning, um veterano do Ramo Especial, recebeu instruções para ficar de olho em Wallis Simpson. Ele argumentou que Wallis estava dividindo o seu tempo entre o príncipe e um vendedor de carros da Ford chamado Guy Marcus Trundle. Com a presença da princesa Stephanie, o MI5 estava preocupado com o fato de Bryanston Court estar abrigando um ninho de espiões nazistas, sendo Wallis Simpson um deles.

A princesa Stephanie participava do mesmo círculo social que o príncipe de Gales e Wallis Simpson. Ela era vociferante em relação ao Tratado de Versalhes, dizendo que era injusto e que as fronteiras naturais da Alemanha deveriam ser restauradas. Ela também argumentou que a

CAPÍTULO 20

Alemanha deveria poder construir suas forças armadas sem restrições pelo tratado diante da ameaça soviética. Seu principal objetivo era convencer o próprio príncipe - Hitler queria um rei pró-alemão no trono britânico e seria ainda melhor se ele tivesse um consorte pró-nazista ao seu lado.

Lady Emerald Cunard convidava regularmente o Príncipe de Gales e Wallis Simpson para jantar. Nancy Astor condenou Emerald por incentivar as tendências pró-nazistas do Príncipe de Gales, embora Lady Astor fosse uma admiradora própria de Hitler. Emerald também foi uma das principais patrocinadoras da princesa Stephanie.

Hitler enviou Ribbentrop para se inserir nessa discussão. Em um jantar oferecido por Lady Cunard, o jornalista da sociedade americana Chips Channon observou: "Muita fofoca sobre o príncipe de Gales e suas alegadas inclinações nazistas; ele é acusado de ter sido influenciado por Emerald Cunard, que está bastante *eprise* [apaixonado por] Herr Ribbentrop através da Sra. Simpson". Ele acrescentou: "Emerald estava tramando em nome da causa alemã, inspirada na covinha de Herr Ribbentrop".

Outro dos favoritos de Wallis, o embaixador alemão na Grã-Bretanha, Leopold von Hoesch, organizou um jantar para Ribbentrop e o príncipe. A noite correu bem, com o príncipe falando fluentemente alemão. Quando jovem, ele desfrutou de visitas frequentes ao país onde muitos de sua família ainda moravam.

"Afinal, ele é meio alemão", afirmou Ribbentrop a Hitler.

O príncipe discordou. "Toda gota de sangue em minhas veias é alemã", disse ele a Diana Mitford, esposa de Oswald Mosley e amiga de Hitler. Edward também professou admirar o nacional-socialismo porque isso havia feito muito para melhorar as oportunidades de emprego e moradia na Alemanha, e esses foram acontecimentos marcantes durante a Grande Depressão do início da década de 1930.

Dizia-se que o príncipe tinha pouco tempo para a França, que ele considerava um país fraco e degenerado, e ele era um forte oponente da União Soviética porque os bolcheviques haviam assassinado seu padrinho, o czar Nicolau II, e sua família. Ele disse ao embaixador austríaco: "Estamos em grande perigo com os comunistas daqui. Espero e acredito que nunca mais tenhamos que travar uma guerra, mas, se assim for, devemos estar do lado vencedor, e esse será alemão, não o francês". Qualquer guerra entre a Grã-Bretanha e a Alemanha, ele acreditava, daria vitória aos soviéticos.

O príncipe também tentou imitar seu avô, Edward VII, que como príncipe de Gales assumiu um papel importante em definir a política externa britânica. E, talvez, ele tivesse ainda mais ambições. Chips Channon não foi o único a observar que o príncipe estava seguindo "o caminho de um ditador e é pró-alemão. Não ficaria surpreso se ele visasse se tornar um ditador moderado - uma tarefa bastante difícil para um rei inglês".

CONVERSA NA MESA

No jantar, Ribbentrop prestou atenção especial à Sra. Simpson. Depois, ele começou a enviar para ela um buquê de 17 cravos todos os dias. O embaixador von Hoesch ficou intrigado com o significado do número 17. O primo do príncipe, o duque de Württemberg, um oponente dos nazistas que se tornou um monge beneditino, disse que 17 era o número de vezes que dormiram juntos. Ele também disse que o príncipe era impotente e apenas as artes orientais praticadas por Simpson podiam satisfazer seus desejos sexuais. Como o duque sabia desses fatos é um mistério, mas Hitler, mais tarde, questionou Ribbentrop sobre a natureza do caso entre Edward e Wallis.

O amigo da senhora Simpson, Oswald Mosley, apoiava o caso. Monarquista dedicado, ele usou o nome do príncipe ao pedir apoio financeiro entre as classes mais altas. No verão de 1935, seu clube fascista chamado *January Club*, foi reformado para *Windsor Club*.

Bruce Lockhart, um agente secreto britânico que fora diplomata em Moscou durante a revolução bolchevique, organizou uma reunião entre o príncipe e o neto do Kaiser, o príncipe Louis Ferdinand. Lockhart obser-

CAPÍTULO 20

vou: "O príncipe de Gales era bastante pró-Hitler e disse que não era da nossa conta interferir nos assuntos internos da Alemanha, seja judeu ou qualquer outra coisa, e acrescentou que os ditadores são muito populares hoje em dia e que, talvez, desejemos ter um na Inglaterra brevemente".

No jantar, Ribbentrop sugeriu que as relações anglo-alemãs poderiam melhorar se houvesse visitas de intercâmbio entre ex-soldados. O príncipe aceitou a ideia, dizendo aos veteranos, em uma reunião da Legião Britânica, no Albert Hall, em junho de 1935: "Sinto que não haveria um grupo de homens mais adequado para estender a mão da amizade aos alemães do que nós, ex-militares".

Os intercâmbios ocorreram, mas o príncipe foi criticado pelo rei por interferir em assuntos externos. O primo de Wallis estava hospedado em Bryanston Court na época e relatou que, ao voltar do Palácio de Buckingham, o príncipe estava "usando um capacete alemão e fazendo o passo de ganso, não consigo imaginar por qual motivo".

O PRÍNCIPE SE TORNA REI

Enquanto isso, Edward continuou compartilhando suas opiniões. Ele apoiou a invasão italiana da Abissínia, hoje Etiópia, com o argumento de que a eficiência fascista melhoraria sua economia medieval.

O jubileu de prata de George V, em 1935, viu um enorme influxo da realeza alemã, muitos dos quais eram membros do Partido Nazista. Alguns voltaram no ano seguinte para o funeral do rei. Hitler observou os arranjos sendo feitos pelo novo rei, Edward VIII, nos noticiários e observou que a Sra. Simpson aparecia no fundo. Ele também a viu em um noticiário que documentava suas férias, em um iate, no Mediterrâneo.

No funeral do rei, o primo de Edward, Carl Eduard, duque de Saxe-Coburg e Gotha, marchou atrás do caixão em uniforme nazista e usando o capacete de um *stormtrooper*; Hitler organizou um serviço comemorativo para o rei, em Berlim. Amigo de infância do novo rei, Carl Eduard era presidente da recém-formada Sociedade Anglo-alemã, que foi decididamente pró-nazista. Os espiões soviéticos Guy Burgess e Kim Philby se juntaram à SAA para ocultar suas prévias tendências comunistas. Quando Carl Eduard abordou o assunto das conversas entre Hitler e o primeiro-ministro Stanley Baldwin, Edward disse: "Quem é o rei aqui? Baldwin ou eu? Eu mesmo desejo conversar com Hitler e farei isso aqui ou na Alemanha".

O Embaixador von Hoesch observou: "Deveríamos confiar ao trono britânico um governante que entenda a Alemanha e que deseje ver boas relações estabelecidas entre a Alemanha e a Grã-Bretanha".

Para os britânicos, havia preocupações com a segurança. Em Fort Belvedere, a casa de campo de Edward VIII, documentos do governo desapareciam e papéis ultrassecretos eram deixados fora do lugar para que Wallis pudesse lê-los. O Ministério das Relações Exteriores tinha informações de que os códigos secretos usados pelas embaixadas britânicas haviam sido comprometidos. Edward discutia tudo com a Sra. Simpson e mostrava-lhe documentos governamentais. Segundo o subsecretário de Estado responsável por assuntos externos, Lord Vansittart, ela estava "no bolso de Ribbentrop". Informações sensíveis vazavam e as suspeitas apontavam para Wallis. O júnior de Vansittart no Ministério das Relações Exteriores, Ralph Wigram, escreveu um memorando ultrassecreto dizendo: "A Sra. S é muito próxima do [Embaixador von] Hoesch e, se quiser, ela tem acesso a todos os documentos secretos e do gabinete".

Robert Worth Bingham, embaixador dos EUA em Londres entre 1933 e 1937, relatou ao Presidente Roosevelt: "Muitas pessoas aqui suspeitam que a Sra. Simpson tenha sido paga na Alemanha". Enquanto isso, a costureira de Wallis, Anna Wolkoff, estava enviando informações roubadas aos nazistas através de um intermediário na embaixada italiana.

Em 7 de março de 1936, cinco semanas após o funeral de George V, Hitler enviou tropas alemãs para a Renânia desmilitarizada, violando o Tratado de Versalhes. A resposta britânica foi silenciada e Edward recebeu o crédito por isso. Ribbentrop disse a Hitler que o rei havia enviado "uma diretiva ao governo britânico para que, não importa como os detalhes do caso sejam tratados, complicações sérias não podem, em circunstância alguma, progredir". O arquiteto Albert Speer, um dos favoritos de Hitler, lembrou que o *Führer* deixou escapar um suspiro de alívio. "Finalmente", ele disse. "O rei da Inglaterra não vai intervir. Ele está cumprindo sua promessa."

Segundo o secretário de imprensa da embaixada alemã, o rei Edward ligou para o embaixador von Hoesch e disse: "Eu chamei o primeiro-ministro e o repreendi. Eu disse ao velho que abdicaria se ele fizesse guerra. Houve uma cena assustadora. Mas, você não precisa se preocupar. Não haverá guerra".

O embaixador alemão fez uma pequena dança e disse: "Eu consegui. Eu superei todos eles. Não haverá guerra... Nós conseguimos. É magnífico. Devo informar Berlim imediatamente".

Os nervos se acalmaram mais ainda, com uma outra visita de Carl Eduard e, em 20 de abril de 1936, aniversário de 47 anos de Hitler, Edward enviou ao *Führer* seus melhores desejos por telegrama. Então, quando o irlandês Jerome Brannigan brandiu um revólver carregado na direção do rei, quando ele estava andando em Constitution Hill, Hitler enviou um telegrama parabenizando Edward por sobreviver a um atentado à sua vida.

UM VERDADEIRO ESCÂNDALO REAL

Quando Ernest Simpson decidiu que queria se casar com Mary Raffray, ele discutiu o assunto com o rei, que disse que queria se casar com Wallis. Foi acertado que os Simpsons se divorciariam. Wallis ficou chocada quando ouviu a notícia - e o governo britânico também.

O primeiro-ministro Baldwin disse ao rei que, como chefe da Igreja da Inglaterra, ele não podia se casar com Wallis porque ela era divorciada. Ele teria que desistir dela ou abdicar. Com o apoio de Ribbentrop, que estava desesperado para manter Edward no trono, a princesa Stephanie sugeriu um casamento morganático, mas sua proposta foi rejeitada. Ribbentrop tentou enviar ao rei uma mensagem através do pró-alemão Lord Clive, dizendo que "o povo alemão estava atrás dele em sua luta".

Segundo a lei britânica da época, não era possível que um casal se divorciasse, a menos que um dos parceiros fosse pego em flagrante. Ernest Simpson, portanto, providenciou para que um detetive particular o descobrisse com Mary Raffray, juntos em um quarto de hotel. Wallis, então, o processou, pedindo divórcio; ela disse a Chips Channon que o divórcio ocorreu "por instigação de Ernest e não no desejo dela".

O curso já estava marcado. Quando as notícias foram publicadas na imprensa britânica, em 3 de dezembro de 1936, Edward decidiu abdicar. Wallis implorou para que não o fizesse, fugindo para a França para evitar a torrente de fofocas obscenas que certamente se seguiriam. Ela esteve certa em fazê-lo, pois os seus conhecidos estavam bem dispostos a oferecer suas versões dos escândalos.

Lady Ottoline Morrell, anfitriã do Grupo Bloomsbury, por exemplo, observou em seu diário que o rei "recebia injeções para se tornar mais viril, o que afetava sua cabeça e o tornava muito violento. Pobre homem, eles também dizem que ele tem bebido durante todas essas últimas semanas e assinou duas renúncias e as rasgou".

Havia especulações sobre porque um homem consideraria renunciar ao trono por uma mulher, e uma plebeia. Alan Don, capelão do arcebispo de Canterbury, disse que suspeitava que Edward era "sexualmente anormal, o que pode explicar a influência que a Sra. S. tem sobre ele". Outros especularam que o domínio sobre ele era o "Shanghai Squeeze" ou "Singapore Grip" que ela havia aprendido no Extremo Oriente. Uma piada barata sugeria que, embora as garotas de programa pudessem ganhar centavos dessa maneira, Wallis era tão competente que podia conseguir um soberano.

Mais tarde, o biógrafo oficial de Eduardo VIII, Philip Ziegler, observou que: "Deve ter havido algum tipo de relacionamento sadomasoquista... [Edward] apreciava o desprezo e os assédios que ela dava a ele". Aparentemente, ela batia nas juntas do punho dele, como um estudante travesso. Outros rumores sugeriam que ele tinha um fetiche por pés, e que Wallis explorou implacavelmente essa fraqueza. Ela também atuou como sua dominadora. Um dia, na frente dos amigos, ela se virou para Edward e disse: "Tire meus sapatos sujos e me traga outro par". Para surpresa de todos, ele fez.

O duque e a duquesa de Windsor se encontram com Adolf Hitler, o clímax de sua turnê na Alemanha, 1937.

Um mordomo renunciou depois de encontrar Edward de quatro, pintando as unhas dos pés de Wallis.

Havia boatos de cenas elaboradas de babá-criança representadas entre eles. Freda Dudley Ward comentou sobre esse lado de sua natureza: "Ele se tornou escravo de quem amava e ficou totalmente dependente dela", disse ela. "Era a natureza dele; ele era como um masoquista. Ele gostava de ser humilhado, degradado. Ele implorou por isso".

O rei não seria influenciado por fofocas. Em 10 de dezembro, ele assinou o texto "Instrumento de Abdicação" e, na noite seguinte, fez a famosa transmissão de rádio abdicando da coroa, dizendo: "Quero que vocês saibam que a decisão que tomei foi minha e somente minha. Isso foi uma coisa que eu tinha que julgar inteiramente sozinho. A outra pessoa muita mais preocupada tentou até o último momento me convencer a seguir um caminho diferente".

Enquanto seu irmão, o duque de York, sucedeu o trono como George VI, o recém-nomeado duque de Windsor partiu para a Áustria. Considerou-se melhor para o casal que se mantivesse separado até que o decreto absoluto da Sra. Simpson fosse publicado, em maio de 1937. Como duque real, Edward estava acorrentado politicamente. Ele não podia candidatar-se à Câmara dos Comuns nem falar sobre questões políticas na Câmara dos Lordes. Na notícia da abdicação, 500 camisas negras da União Britânica Fascista se reuniram do lado de fora do Palácio de Buckingham, dando a saudação fascista e gritando: "Queremos Edward".

A lealdade de Oswald Mosley era inabalável e ele condenou as táticas agressivas usadas para afastar Edward do trono. Seu jornal, o *Blackshirt*, exibiu a manchete: "Deixe o rei casar-se com a mulher de sua escolha". Houve até rumores de que ele estava elaborando uma lista de ministros fascistas para formar um governo sob um rei fascista.

Embora o rei tenha saído, o governo britânico não perdeu o interesse em seu consorte. Detetives que assistiam às atividades de Wallis no sul da França relataram que ela pretendia ir para a Alemanha - e Edward, certamente, a seguiria.

CAPÍTULO 20

Como Unity Mitford previu, Hitler ficou desconcertado com a abdicação - principalmente porque Ribbentrop havia lhe dito que o governo conservador seria derrotado e Edward permaneceria no trono como amigo da Alemanha. Naturalmente, sua abdicação tinha sido culpa dos bolcheviques, judeus e maçons. Hitler chegou a acreditar que Churchill, que apoiava o casamento do rei com Wallis Simpson, o havia feito apenas para expulsá-lo. A perspectiva de uma união anglo-alemã estava encerrada.

DESPOSSUÍDOS

Embora tenha deixado o país, Edward ainda tentou influenciar seu irmão através de cartas e telefonemas. Eventualmente, George parou de atender suas ligações. Enquanto isso, alguns no antigo círculo do duque de Windsor sustentavam que o novo rei não estava preparado para o cargo - ele não era glamouroso e extrovertido como Eduardo havia sido, e sofria de gagueira. Mas, o regime britânico se opunha totalmente ao retorno de Edward a qualquer função na vida pública. Um dos principais assessores do primeiro-ministro Neville Chamberlain, Sir Horace Wilson, escreveu sobre a Sra. Simpson: "Não se deve presumir que ela abandonou a esperança de se tornar rainha da Inglaterra. Sabe-se que ela tem ambição ilimitada, incluindo um desejo de interferir na política; ela entrou em contato com o movimento nazista e tem ideias definidas quanto à ditadura".

Por fim, foi decidido conceder ao duque um subsídio de 25.000 libras por ano (£ 1,7 milhão / $ 2,2 milhões hoje), que seria perdido se ele retornasse à Grã-Bretanha sem a permissão expressa do rei. Edward ficou furioso, mas George não cedeu. Não haveria casamento oficialmente sancionado e não seria anunciado na circular do Tribunal. Nenhum membro da família real foi autorizado a participar e a Igreja da Inglaterra proibiu qualquer ofício de seu clero, embora um padre desonesto tenha intervindo. George informou a Edward que sua esposa não teria o direito de compartilhar seu título ou posto. A Sra. Simpson nunca seria "Sua Alteza Real".

Quando seu primo jornalista, Newbold Noyes, publicou artigos nos Estados Unidos com parte de suas conversas, Wallis decidiu processar. Ela contratou o advogado parisiense Armand Grégoire, que foi descrito pelo serviço secreto francês como "um dos mais perigosos espiões nazistas". Ela finalmente desistiu do processo. Enquanto isso, Edward processou os editores de um livro chamado *Coronation Commentary*, que implicava que o casal foi íntimo antes de se casar. O caso foi resolvido fora do tribunal, com o duque recebendo um valor substancial por danos.

O casamento ocorreu em 3 de junho de 1937, no Château de Candé, de propriedade do empresário franco-americano Charles Bedaux. Depois que suas empresas alemãs foram confiscadas, em 1934, Bedaux alugou uma reserva em Berchtesgaden e começou a agradar a liderança nazista. Ele era amigo íntimo de Göring e era considerado um ativo de inteligência nazista. Ele se tornou consultor econômico do governo de Vichy, na França, e foi designado pelo setor de sabotagem do *Abwehr* para comandar uma missão de apoio para a captura de uma refinaria no Irã, antes de uma invasão alemã. Mas, depois das batalhas de El Alamein e Stalingrado, a operação foi cancelada. Em 1943, Bedaux foi preso na Argélia, supostamente supervisionando a construção de um oleoduto alemão. Transportado para os Estados Unidos, ele cometeu suicídio enquanto aguardava julgamento por traição e negócios com o inimigo.

O duque e a duquesa de Windsor passaram a lua-de-mel em Schloss Wasserleonburg, uma casa de campo na Áustria. Como o duque ficou inquieto e queria voltar à Grã-Bretanha para assumir um cargo oficial, o *Daily Express* de Beaverbrook fez campanha pelo retorno do casal. Mas, a família real britânica considerava Wallis uma quinta-colunista e era, geralmente, considerada uma espiã nazista. As opiniões pró-nazistas de Edward também começaram a incomodar o público britânico.

ANDANDO COM O INIMIGO

Os Windsors decidiram que iriam visitar a Alemanha. Bedaux contatou o líder da Frente Trabalhista Alemã, Robert Ley, para organizar a viagem.

CAPÍTULO 20

O acordo foi concluído quando o duque conheceu o amante da princesa Stephanie, Fritz Wiedemann, no Ritz Hotel, em Paris. Os arranjos foram feitos em segredo.

Enquanto isso, houve tentativas de convencer o duque a se tornar um ativista da paz. O executivo da IBM, Thomas J. Watson, concordou em patrocinar uma turnê dos Windsors nos EUA. O governo alemão era o segundo maior cliente da IBM. Watson conheceu Hitler, participou de um comício nazista e recebeu a Ordem da Águia Alemã.

Quando foi anunciada a visita dos Windsors aos alemães, Churchill e Beaverbrook viajaram a Paris para tentar dissuadi-los, mas não tiveram sucesso. A família real britânica estava consternada, temendo que Edward estivesse planejando um retorno com a ajuda de seus amigos pró-nazistas, mas não havia nada que eles pudessem fazer para interromper a viagem.

Quando os Windsors chegaram à estação Friedrichstrasse, em Berlim, em 11 de outubro de 1937, foram recebidos por Robert Ley, que estava acompanhado pelo terceiro secretário da embaixada britânica (os assessores sêniores foram aconselhados a ficar longe). O local estava enfeitado com Union Jacks, alternados de suásticas, enquanto a banda tocava "God Save the King" e a multidão gritava: "Heil Edward".

Guardados por membros da *SS*, os Windsors foram levados ao Hotel Kaiserhof, onde foram recebidos por nazistas cantando uma canção escrita por Joseph Goebbels. Eles foram, então, levados para a propriedade rural de Göring, onde foram recebidos por Benito Mussolini, o aviador pioneiro Charles Lindbergh, que simpatizava com os nazistas, e o ex-presidente americano Herbert Hoover, além do próprio Göring. A esposa de Göring observou, depois, que Wallis ficaria muito bem no trono da Inglaterra.

O duque e a duquesa fizeram *tours* a Munique, Nuremberg, Stuttgart e Dresden, e visitaram um campo de concentração aparentemente vazio que, segundo o que lhes informaram, seria um açougue. Eles conheceram Himmler, Rudolf Hess e Goebbels, e a duquesa se reuniu com Ribbentrop. Carl Eduard, duque de Saxe-Coburg e Gotha, e o resto da aristocracia alemã também compareceram a um jantar de gala no Grand Hotel, em Nuremberg.

Recebido por um guarda de honra da *SS Totenkopf* em uma escola de treinamento na Pomerânia, o duque fez uma saudação nazista. Ele fez uma segunda saudação quando conheceu Hitler no Berghof, em 22 de outubro. Todos, incluindo Hitler, se dirigiam à duquesa como "Sua Alteza Real". Ela disse que ficou impressionada com a "força interior" do líder alemão.

O duque teve uma conversa particular com Hitler, que durou 50 minutos. Então, eles tomaram chá. Depois, Hitler os escoltou até o carro e, mais uma vez, trocaram saudações com o duque. Quando eles partiram, Hitler observou que a duquesa seria uma boa rainha.

Um repórter do *New York Times* observou que o duque "demonstrou adequadamente que a abdicação roubou da Alemanha um amigo firme, se não um admirador devotado, no trono britânico". A viagem foi considerada um triunfo e confirmou que o duque admirava Hitler e era um simpatizante nazista.

MARGINALIZADO

Entusiasmado com seu último sucesso, Charles Bedaux planejou outra turnê, desta vez nos Estados Unidos, incluindo uma visita à Casa Branca. O objetivo era lançar o duque como embaixador da paz mundial, mas era simplesmente um disfarce para suas ambições nazistas. Bedaux disse que Hitler era um homem genial, o mundo inteiro estava se tornando fascista, e o duque de Windsor seria chamado de volta ao trono britânico como ditador.

No entanto, Bedaux não tinha noção de sua enorme impopularidade nos Estados Unidos. Quando começou a tomar providências, houve protestos. Para evitar problemas, Bedaux desapareceu do país e a turnê teve que ser cancelada.

Enquanto a Europa avançava inexoravelmente em direção à guerra, o duque de Windsor foi marginalizado, enquanto o duque de Kent se tornou o enviado não oficial da paz entre a Grã-Bretanha e a aristocracia

CAPÍTULO 20

alemã. A guerra eclodiu em 3 de setembro de 1939. No mês seguinte, circulou na Alemanha um boato de que George VI havia abdicado e Edward estava de volta ao trono pedindo paz. Mas, era uma ilusão.

Os Windsors estavam morando em uma vila alugada em Cap d'Antibes quando a guerra eclodiu. Eles planejaram viajar de volta para a Inglaterra no destroier HMS *Kelly*, que havia sido disponibilizado por Winston Churchill, agora *First lord* do almirantado. Em Londres, Churchill fez uma visita com o duque a uma sala secreta no porão, onde as posições das frotas britânica e inimiga eram registradas a cada hora. Lorde Balniel ficou horrorizado com a presença do duque, dizendo: "Ele é um tagarela irresponsável demais para receber informações confidenciais que serão repassadas a Wally à mesa do jantar. É aí que reside o perigo... Ele vai tagarelar e fofocar segredos de Estado sem perceber o perigo".

O duque foi designado para a Missão Militar Britânica na França como oficial de comunicação. Os franceses eram sensíveis às defesas e se recusaram a deixar que os Aliados inspecionassem a linha Maginot. No entanto, tudo estava a mostra ao duque, que viu a inadequação das defesas antitanque nas Ardenas.

Circunstancialmente, Edward voltava a Londres sem o conhecimento do rei. Ele ainda acreditava que poderia liderar um movimento internacional de paz, até que lhe foi alertado que, como a Grã-Bretanha estava em guerra, isso constituiria alta traição.

Ele ficou frustrado porque nenhum de seus relatórios sobre as defesas francesas causaram algum impacto. No entanto, os alemães, coincidentemente, se apossaram das informações e alteraram seus planos de invasão para enviar seus Panzers pelas Ardenas. Ficou claro que os Windsors poderiam ter sido a fonte dessa inteligência militar vital. Charles Bedaux jantava regularmente com o casal e ainda mantinha contato com Ribbentrop e o agente nazista Otto Abetz.

Bedaux também fazia frequentes viagens a seus escritórios em Haia, onde o embaixador alemão, o conde Julius von Zech-Burkersroda, identificou a fonte da inteligência militar que fornecia a Berlim como o duque de Windsor. Bedaux disse a Hitler que, nos jantares, a duquesa passava informações militares classificadas que ela coletara do marido.

Wallis não escondia suas simpatias. Quando a *Luftwaffe* sobrevoou cidades costeiras inglesas, ela disse à sua amiga Clare Boothe Luce: "Depois do que eles fizeram comigo, não posso dizer que sinto pena deles - uma nação inteira contra uma mulher solitária".

Segundo um relatório do FBI, a duquesa ainda estava em constante contato com Ribbentrop. "Por causa de sua alta posição oficial, a duquesa estava obtendo uma variedade de informações sobre as atividades do governo britânico e francês, que estava passando para os alemães", dizia o documento.

Quando o exército alemão invadiu o norte da França, os Windsors retornaram ao sul, porém, tiveram que fugir de uma invasão italiana da Côte d'Azur. Sem nenhum navio da Marinha Real disponível para evacuá-los, o casal teve que seguir de carro pela Espanha, onde o duque arriscava ser preso. No entanto, os jornais espanhóis informavam que o duque de Windsor havia retornado ao trono britânico e estava fazendo as pazes na Europa. Churchill estava tão aflito que ameaçou prender o duque se ele voltasse ao Reino Unido.

Em uma conversa com o general Juan Vigón, chefe do Estado-Maior espanhol, Hitler sugeriu que a Alemanha nazista "teria um interesse substancial se o duque e a duquesa pudessem ser atrasados tempo suficiente para fazer contatos secretos e conversações de paz". No entanto, essa conversa ocorreu três dias antes dos Windsors deixarem sua casa na França, indicando que havia um espião em seu acampamento dizendo a Berlim seus planos.

Ribbentrop mandou um telegrama para o embaixador alemão em Madri, perguntando se ele poderia convencer o governo espanhol a atrasar o duque e a duquesa, fazendo-os esperar algumas semanas antes de emitir vistos de saída. Após a evacuação britânica de Dunkirk, os alemães pareciam confiantes na vitória e acreditavam que poderiam usar o duque para liderar um governo colaboracionista como o do marechal Pétain, na França. O Ministério das Relações Exteriores alemão considerou Edward "o único inglês com quem Hitler negociaria quaisquer termos de paz, o líder em condições de discutir o destino da Inglaterra após a guerra".

CAPÍTULO 20

Durante a estadia dos Windsors em Madri, o duque entrou em contato com as embaixadas alemã e italiana, pedindo-lhes para proteger suas propriedades na França. Conversando com os aristocratas espanhóis pró-fascistas, ele deixou claro que acreditava que a Grã-Bretanha seria derrotada, e esse destino só poderia ser evitado com um processo de paz com a Alemanha. O casal expressou sentimentos semelhantes ao embaixador dos EUA. Suas palavras chegaram ao governo espanhol, que as transmitiu a Berlim.

POSTAGEM NO EXTERIOR

Apesar de tudo, em 2 de julho, os Windsors foram autorizados a deixar a Espanha. Eles dirigiram-se para Lisboa, onde um telegrama de Churchill os esperava. Ele informou ao duque que, como ele estava uniformizado, deveria obedecer às ordens e retornar à Grã-Bretanha o mais rápido possível. Furioso, Edward escreveu um rascunho de resposta, renunciando - mas Wallis o impediu. Na sua eventual resposta, ele reclamou, ironicamente, dos "métodos ditatoriais" de Churchill. O duque só se comunicava com a embaixada britânica em Portugal por correio, temendo que ele fosse preso se colocasse um pé dentro do país. O casal ficou com um empresário, Ricardo Espírito Santos Silva, leal ao ditador português António de Oliveira Salazar e amigo do embaixador alemão, Barão von Hoyningen-Huene.

Por fim, Churchill criou uma maneira de impedir que o duque e a duquesa causassem mais danos.

Ele nomeou Edward como governador das Bahamas; dessa maneira, o par problemático estaria fora do caminho, do outro lado do Atlântico. Churchill deixou os Windsors para fazer seus próprios arranjos de viagem. Enquanto isso, os alemães tentaram atraí-los de volta para a Espanha, dizendo-lhes que o governo britânico estava planejando assassinar o duque em Portugal.

Edward atrasou a viagem para as Bahamas. O barão von Hoyningen-Huene relatou a Ribbentrop: "Ele está convencido de que se tivesse permanecido no trono a guerra poderia ter sido evitada e se descreve como um firme defensor de um compromisso pacífico com a Alemanha. O duque acredita, com muita certeza, que o contínuo bombardeio pesado deixará a Inglaterra pronta para a paz".

Enquanto isso, os Windsors planejavam voltar para sua casa em Cap d'Antibes, para recolher seus pertences. Quando foi apontado que isso seria perigoso, eles cancelaram a viagem. Mas, a duquesa insistiu que ela precisaria do seu maiô verde-Nilo favorito nas Bahamas, então, um cônsul dos EUA foi enviado para buscá-lo no que era conhecido como "Operação Cleópatra Whim".

Enquanto os alemães se esforçavam para adiar sua partida, os Windsors fizeram planos de viajar para as Bahamas através dos Estados Unidos. No entanto, os britânicos temiam atrapalhar as eleições nos EUA e ameaçaram o duque com uma corte marcial. Edward, finalmente, concordou em ir diretamente para as Bahamas. Numa última tentativa, Hitler enviou Walter Schellenberg a Portugal para prender o casal - sequestrando-os, se necessário. Hitler disse a Schellenberg para conquistar a duquesa. "Ela tem grande influência sobre ele", disse ele.

Primeiro, Schellenberg tentou suborno e, quando isso falhou, ele disse ao duque que ele poderia ser assassinado nas Bahamas. Uma delegação da Grã-Bretanha chegou e avisou os Windsors que os alemães planejavam sequestrá-los. Quando lhes informaram sobre os planos de assassinato, a delegação britânica organizou um esquema de guarda-costas da Scotland Yard para viajar com os Windsors. Eles embarcaram em um navio de passageiros da American Export Lines, em 1º de agosto de 1940, enquanto Schellenberg assistia de binóculos, da embaixada alemã.

Nas Bahamas, a duquesa era repreendida enquanto o duque ainda recebia correspondência secreta da Alemanha via Ricardo Silva, em Lisboa, possivelmente, segundo a inteligência britânica, um agente nazista. Bedaux também estava em contato. O chefe europeu da General Motors, James Mooney, que também recebeu a Ordem da Águia Alemã, visitou os Windsors a bordo de um iate pertencente ao presidente pró-nazista da GM, Alfred P. Sloan, que era financiador do grupo antissemita Sentinelas da República. Mooney também esteve envolvido na iniciativa de paz de *backchannel* do ex-funcionário do MI6, Sir William Wiseman, com a Alemanha.

ALEGAÇÕES DE ESPIONAGEM

O diretor do FBI, J. Edgar Hoover, considerava a possibilidade de Wallis ser uma espiã nazista. O agente especial do FBI, Edward Tamm, foi designado para ficar de olho nela e descreveu como os britânicos a impediram de "estabelecer qualquer canal de comunicação com von Ribbentrop". Temia-se que ela estivesse escondendo mensagens nas roupas que enviava para lavar a seco em Nova York.

Tamm também informou que os Windsors eram amigos de Axel Wenner-Gren, outro agente alemão suspeito, de interesse do FBI. Quando a duquesa precisou de tratamento odontológico especializado em Miami, os Windsors foram autorizados a navegar para lá a bordo do iate de Wenner-Gren, *Southern Cross*. O duque se juntou ao presidente Roosevelt, que estava viajando pelo Caribe, para almoçar a bordo do USS *Tuscaloosa*. Eles conversaram sobre pesca. Mas, o assessor do presidente dos EUA, Harry Hopkins, disse a Churchill que a recente viagem de iate de Edward com um pró-nazista sueco não havia causado uma boa impressão.

De volta às Bahamas, o duque disse ao editor da revista *Liberty* e ao agente secreto do FBI Fulton Oursler: "Não haverá revolução na Alemanha e seria trágico para o mundo se Hitler fosse derrubado. Hitler é o líder certo e lógico do povo alemão. É uma pena que você nunca tenha conhecido Hitler, assim como é uma pena nunca ter conhecido Mussolini. Hitler é um homem muito bom... Você não pode matar 80 milhões de alemães e, como eles querem Hitler, como você pode forçá-los a uma revolução que eles não querem?".

Se os Estados Unidos não interviessem, alertou o duque, a guerra poderia continuar por 30 anos. Se Roosevelt se oferecesse para mediar a paz, o duque de Windsor faria uma declaração apoiando-o. Novamente, isso equivalia a traição.

Fulton Oursler tinha uma filha em idade escolar chamada April. Quando ele contou a Roosevelt o que o duque havia dito, o presidente respondeu: "Quando o insignificante Windsor diz que não acha que deve haver uma revolução na Alemanha, digo-lhe, Fulton, prefiro ter a opinião de April sobre isso do que a dele".

Roosevelt falou sobre o flerte de Wallis Simpson com Ribbentrop, as caixas vermelhas deixadas abertas em Fort Belvedere e a atitude casual do duque em relação aos planos secretos quando ele tinha sido empregado como oficial de comunicação na França. "Não tenho nada para provar o que vou dizer", disse Roosevelt, "mas sei que havia nove aparelhos de rádios de ondas curtas em Paris, constantemente enviando informações às tropas alemãs, e ninguém jamais foi capaz de tomar uma decisão sobre como tais informações precisas poderiam ter sido enviadas através dessas estações de rádios".

Embora ele falasse em ser um emissário de paz, o duque se cercou de simpatizantes nazistas e antissemitas. Ele, agora, era um garoto propaganda de isolacionistas americanos.

Quando o artigo da *Liberty* foi publicado, Goebbels observou que o duque parecia ter desistido de qualquer possibilidade de vitória britânica. Mas, ele instruiu seu ministério da propaganda a não usar as informações, a fim de não comprometer a credibilidade do duque aos olhos do povo britânico. Claramente, Goebbels ainda estava focado na possibilidade de Edward retornar ao trono.

Churchill ficou cada vez mais irritado com o comportamento do duque, avisando-o que seu amigo sueco Wenner-Gren era um "financiador internacional pró-alemão, com fortes tendências de apaziguamento e suspeito de estar em comunicação com o inimigo". Acreditava-se que ele acabara de criar um banco no México para transferir dinheiro para os nazistas. Churchill bloqueou uma visita que o duque pretendia fazer aos Estados Unidos, mesmo que fosse a convite de Roosevelt. Churchill disse que a entrevista em *Liberty* era "derrotista e pró-nazista e aprovava o objetivo isolacionista de manter os EUA fora da guerra".

Apesar dessas restrições, o duque não conseguiu manter seus pontos de vista para si mesmo. Ele disse à socialite americana Frazier Jelke

CAPÍTULO 20

que os Estados Unidos deveriam ficar de fora da guerra, dizendo: "É tarde demais para os EUA salvarem a democracia na Europa. É melhor guardá-la na América, para si mesma".

Pior, suspeitava-se que o duque e a duquesa estivessem conspirando com industriais americanos que queriam derrubar a democracia nos EUA e substituí-la pelo fascismo. Quando eles tiveram permissão para fazer outra visita particular a Miami, o casal foi seguido pelo FBI, que gravou seus telefonemas no Everglades Club, Palm Beach. Hoover relatou a Roosevelt que ele havia sido "avisado de que o duque de Windsor havia entrado em um acordo que, em substância, teria o efeito de, se a Alemanha fosse vitoriosa na guerra, Hermann Göring tomaria o controle do exército, derrubaria Hitler e, posteriormente, colocaria o Duque de Windsor como o rei da Inglaterra". A ideia de que o duque seria colocado de volta ao trono britânico se a Alemanha vencesse a guerra foi confirmada por várias fontes.

UMA MUDANÇA DE OPINIÃO

Eventualmente, o duque e a duquesa foram autorizados a fazer uma turnê oficial pela América, onde conheceram industriais pró-nazistas, incluindo Henry Ford. O embaixador britânico Lord Halifax se irritou com os custos das compras da duquesa e do transporte de até oito peças de bagagem.

O ataque a Pearl Harbor mudou tudo, especialmente após o naufrágio do navio de guerra HMS *Prince of Wales*, que recebeu o nome de Edward. O duque abandonou sua palestra derrotista e seus argumentos a favor do isolacionismo. Em breve, as Bahamas receberiam as bases de treinamento americanas e britânicas para tripulação aérea.

Agora, temia-se que um ataque surpresa nazista pudesse sequestrar o duque e a duquesa. Churchill enviou 200 homens do pelotão dos *Cameron Highlanders* para protegê-los e os EUA reforçaram as operações de reconhecimento e inteligência nas águas circundantes. Enquanto isso, Axel Wenner-Gren se viu em uma lista negra dos EUA.

Apesar dos Windsors não serem mais vistos como uma ameaça - jantando com Roosevelt e participando do Congresso para ouvir Churchill falar - sua correspondência ainda era censurada pelos americanos. No entanto, em Washington, Hoover fez uma visita à sede do FBI.

"Começo a pensar que sou Mata Hari", comentou a duquesa.

Embora outras estadias de maior prestígio tenham sido sugeridas para o duque, os Windsors permaneceram confinados nas Bahamas. Somente em setembro de 1944, quando a perspectiva de uma vitória alemã diminuiu, Churchill permitiu que ele renunciasse como governador. O duque e a duquesa só deixaram a ilha em 3 de maio de 1945, um dia após a rendição da guarnição de Berlim.

Depois que a guerra terminou, George VI enviou uma série de missões secretas à Alemanha para recuperar cartas, diários e documentos, incluindo o arquivo de Ribbentrop sobre os Windsors. Quando este foi recuperado, o duque solicitou uma audiência com seu irmão. Isso foi concedido, mas ainda não havia uma posição oficial sobre o duque. Enquanto isso, o governo britânico pediu aos Estados Unidos que destruíssem ou entregassem uma cópia em microfilme que possuíam do arquivo dos Windsors, dizendo, mais tarde, que o Ministério das Relações Exteriores havia destruído a outra única cópia. O secretário de Estado dos EUA, James F. Byrnes, recusou-se a destruir o arquivo, mas disse que "o Departamento de Estado tomará todas as precauções possíveis para impedir qualquer publicidade com relação aos documentos em sua posse relativos ao duque de Windsor, sem consulta prévia ao governo britânico".

Outras autoridades do Departamento de Estado acusaram os britânicos de alterar os registros históricos, destruindo documentos pertencentes ao duque e à duquesa. Isso era particularmente sensível, uma vez que muitas das provas dos julgamentos de Nuremberg, em novembro, viriam dos arquivos alemães.

Quando o Departamento de Estado começou a publicar os documentos alemães capturados em sua posse, os britânicos fizeram todo o possível para excluir o arquivo de Windsor – ou, pelo menos, "eliminá-lo" antes da publicação. Em 1953, Churchill estava de volta à Downing Street; ele escreveu a seu amigo presidente Eisenhower pedindo que ele parasse a publicação do arquivo, dizendo: "A importância histórica do episódio é insignificante, e as alegações se baseiam apenas nas afirmações de autoridades alemãs e pró-alemãs para aproveitar ao máximo qualquer coisa que pudessem obter".

Enquanto Eisenhower concordava, os principais historiadores se opuseram; no entanto, a publicação dos documentos foi adiada. Mas, os franceses haviam encontrado outros arquivos e a recém-criada República Federal da Alemanha - Alemanha Ocidental - estava pedindo seus arquivos de volta. A Grã-Bretanha concordou em devolver os documentos, desde que pudessem manter o arquivo de Windsor.

Em 1954, foram publicados alguns artigos sobre as atividades dos Windsors em 1940. O duque os considerou "bastante falsos". Quando o arquivo dos Windsors foi publicado em 1957, ele havia sido ofuscado pela publicação póstuma no ano anterior das memórias de Schellenberg e pela autobiografia da duquesa *The Heart Has Its Reasons*. O Ministério das Relações Exteriores convenceu a imprensa de que tramaram contra o duque, em vez do contrário. E o próprio duque declarou que os documentos que o envolviam eram "parte invenções e parte distorções grosseiras da verdade".

Os Windsors se estabeleceram em Paris, onde mantinham companhia com Sir Oswald e Lady Diana Mosley. A duquesa e Diana continuaram acreditando que o holocausto não teria sido necessário se tivesse sido permitido a Hitler deportar todos os judeus da Alemanha para a Grã-Bretanha e a América.

SOB O POLEGAR

Até o fim, o duque de Windsor foi o cão fiel de Wallis Simpson. Escândalos sexuais continuaram a seguir o casal pelo resto de suas vidas. Na década de 1950, espalharam-se rumores de que Wallis se cansara de seu amor nauseante e era vista na cidade com homens muito mais jovens. Alega-se que ela ficou com o herdeiro de Woolworth, Jimmy Donahue, um homossexual que Wallis aparentemente estava tentando converter. Ele se gabava de ter sexo oral com ela. Mas, outros alegavam que o duque estava dormindo com Donahue.

Noël Coward, que participava dos mesmos círculos sociais dos Windsors após a abdicação, explicou a situação. "Eu gosto de Jimmy", disse ele. "Ele é um pouco exagerado, mas é divertido. Eu gosto da duquesa; ela dorme com homens gays ou bissexuais, mas é isso que a torna simpática. O duque... Bem, embora ele finja não me odiar, ele o faz porque eu sou gay e ele é gay. No entanto, ao contrário dele, não finjo não ser gay. Aqui, ela tem como dormir com uma rainha e uma outra rica para trepar".

Lady Cynthia Gladwyn também observou o casal ducal. "Ela passa o tempo todo com jovens efeminados, em casas noturnas, até o amanhecer e manda o duque para casa mais cedo: 'Vá embora, mosquito'. Que maneira de abordar o outrora rei da Inglaterra", disse ela.

Quando Wallis falava, o duque fazia o que ela dizia. Como disse o cortesão veterano Ulick Alexander, o ex-rei era impulsionado pela "perversão sexual da auto-humilhação".

Em uma festa de aniversário promovida para Wallis pelo duque, no sul da França, após a guerra, a duquesa anunciou: "Uma vez, já tive a ambição de ser a rainha da Inglaterra". Depois de 1936, essa ideia só permaneceu como um presente de Hitler - que era, talvez, aos seus olhos, um motivo suficientemente bom para espionar para os nazistas.

BIBLIOGRAFIA

Bhaney, Jennifer Bowers, *Betrayer's Waltz: The Unlikely Bond Between Marie Valerie of Austria and Hitler's Princess-Spy*, McFarland & Company, Jefferson, North Carolina, 2017

Bloch, Michael, *The Duke of Windsor's War*, Weidenfeld and Nicolson, London, 1982

Bloch, Michael, *The Secret File of the Duke of Windsor*, Bantam Press, London, 1988

Carré, Mathilde-Lily, *I Was 'The Cat': The Truth about the Most Remarkable Woman Spy since Mata Hari – By Herself*, Souvenir Press, London, 1960

Clough, Bryan, *State Secrets: The Kent-Wolkoff Affair*, Hideaway Publications, Hove, East Sussex, 2005

Cochran, Charles B., *Showman Looks On*, J.M. Dent & Sons, London, 1941

Dallek, Robert, *John F. Kennedy: An Unfinished Life 1917-1963*, Allen Lane, London, 2003

Dodd, Martha, *My Years in Germany*, Gollancz, London, 1939

Farago, Ladislas, *The Game of Foxes*, Hodder and Stoughton, London, 1971

Farris, Scott, *Inga: Kennedy's Great Love, Hitler's Perfect Beauty, and J. Edgar Hoover's Prime Suspect*, Lyons Press, Guilford, Connecticut, 2016

Fromm, Bella, *Blood and Banquets: A Berlin Social Diary*, Geoffrey Bles, London, 1943

BIBLIOGRAFIA

Galante, Pierre, *Mademoiselle Chanel*, Henry Regnery Company, Chicago, 1973

Garby-Czerniawski, Roman, *The Big Network*, George Ronal, London, 1961

Gerwarth, Robert, *Hitler's Hangman: The Life of Heydrich*, Yale University Press, New Haven, 2011

Görtemaker, Heike B., *Eva Braun: Life with Hitler*, Alfred A. Knopf, New York, 2011

Hamilton, Nigel, *JYK: Reckless Youth*, Random House, New York, 1992

Hayward, James, *Myths & Legends of the Second World War*, Sutton Publishing, Stroud, Gloucestershire, 2003

Haste, Cate, *Nazi Women: Hitler's Seduction of a Nation*, Channel 4 Books, London, 2001

Hersh, Seymour, *The Dark Side of Camelot*, HarperCollins Publishers, London, 1997

Hutton, Robert, *Agent Jack: The True Story of MI5's Secret Nazi Hunter*, Weidenfeld & Nicolson, London, 2018

Kahn, David, *Hitler's Spies: German Military Intelligence in World War II*, Da Capo Press, Boston, 2000

Knopp, Guido, *Hitler's Women – And Marlene*, Sutton Publishing, Stroud, Gloucestershire, 2003

Larson, Erik, *In the Garden of Beasts*, Transworld Publishers, London, 2011

Lepage, Jean-Denis G.G., *An Illustrated Dictionary of the Third Reich*, McFarland & Company, Jefferson, North Carolina, 2014

Macintyre, Ben, *Double Cross: The True Story of the D-Day Spies*, Bloomsbury Publishing, London, 2012

Mazzeo, Tilar J., *The Secret History of Chanel No. 5: The Intimate History of the World's Most Famous Perfume*, HarperCollins, New York, 2010

Merrilees, William, *The Short Arm of the Law: The Memoirs of William Merrilees OBE*, John Long, London, 1966

Moon, Tom, *Loyal and Lethal Ladies of Espionage*, iUniverse.com, Lincoln, New England, 2000

Morton, Andrew, *17 Carnations: The Windsors, the Nazis and the Cover-up*, Michael O'Mara Books, London, 2015

Morton, Andrew, *Wallis in Love: The Untold Passion of the Duchess of Windsor*, Michael O'Mara Books, London, 2018

Murphy, Sean, *Letting the Side Down: British Traitors of the Second World War*, Sutton Publishing, Stroud, Gloucestershire, 2003

Norden, Peter, *Madam Kitty*, Abelard-Schman, London, 1973

O'Connor, Brian, *Operation Lena and Hitler's Plots to Blow Up Britain*, Amberley Publishing, Stroud, Gloucestershire, 2017

Paine, Lauran, *Mathilde Carré, Double Agent*, Robert Hale & Company, London, 1976

Perret, Geoffrey, *Jack: A Life Like No Other*, Random House, New York, 2002

Richelson, Jeffery T., *A Century of Spies: Intelligence in the Twentieth Century*, Oxford University Press, Oxford, 1995

Root, Neil, *Twentieth-Century Spies*, Summersdale Publishers, Chichester, 2010

Schad, Martha, *Hitler's Spy Princess*, Sutton Publishing, Stroud, 2004

Schellenberg, Walter, *The Memoirs of Hitler's Spymaster*, André Deutsch, London, 2006

Seale, Adrian, *The Spy Beside the Sea: The Extraordinary Wartime Story of Dorothy O'Grady*, The History Press, Stroud, Gloucester, 2012

Sergueiev, Lily, *Secret Service Rendered*, William Kimber and Co, London, 1968

Singer, Kurt, *The World's Greatest Women Spies*, W.H. Allen, London, 1951

Stephenson, Jill, *Women in Nazi Germany*, Pearson Education, London, 2001

Tate, Tim, *Hitler's British Traitors: The Secret History of Spies, Saboteurs and Fifth Columnists*, Icon Books, London, 2018

Theoharis, Athan, ed., *From the Secret Files of J. Edgar Hoover*, Ivan R. Dee, Chicago, 1991

Tommasini, Anthony, *Virgil Thomson: Composer on the Aisle*, W.W. Norton & Company, New York, 1997

Tremain, David, *Double Agent Victoire: Mathilde Carré and the Interallié Network*, The History Press, Stroud, Gloucestershire, 2018

Vaughan, Hal, *Sleeping with the Enemy: Coco Chanel, Nazi Agent*, Chatto & Windus, London, 2011

Weinstein, Allen and Vassiliev, Alexander, *The Haunted Wood: Soviet Espionage in America – the Stalin Era*, Random House, New York, 1999

Weitz, John, *Joachim Von Ribbentrop: Hitler's Diplomat*, Weidenfeld and Nicolson, London, 1992

West, Nigel, ed. *The Guy Liddell Diaries: MI5's Director of Counter-Espionage in World War II, Volume 1 1939–1942*, Routledge, Abingdon, Oxfordshire, 2005

Wighton, Charles and Peis, Gunter, *Hitler's Spies and Saboteurs: The Sensational Story of Nazi Espionage in the United States and Other Allied Nations*, Tandem Books, New York, 1972

Wighton, Charles and Peis, Gunter, *They Spied on England: Based on the German Secret Service War Diary of General von Lahousen*, Odhams Press, London, 1958

Willetts, Paul, *Rendezvous at the Russian Tea Rooms: The Spyhunter, the Fashion Designer and the Man from Moscow*, Constable, London, 2016

Wilson, Jim, *Nazi Princess: Hitler, Lord Rothermere and Princess Stephanie von Hohenlohe*, The History Press, Stroud, 2011

Wyden, Peter, *Stella*, Simon & Schuster, New York, 1992

Young, Gordon, *The Cat With Two Faces*, Beacon Books, London, 1958

ÍNDICE REMISSIVO

Abetz, Otto 32, 250
Adrienne 11/-20
Alexander, Ulrich 259
Alfonso XIII, Rei 40
Allen, Barbara 77
Amiot, Félix 223
Amor, Marjorie 78, 87, 88
Arden, Elizabeth 146
Arvad, Inga 141-56
Astor, Major 155
Astor, Nancy 36, 41, 238
Astor, Waldorf 36
Aubertin, René 192, 196
Augustus, Ernest 232
Baker, Josephine 9
Baldwin, Stanley 41, 241
Balsan, Étienne 215, 220
Barkley, Alben W. 188
Baron, Cabo 97, 101
Baruch, Bernard 153
Beaux, Ernest 216
Beaverbrook, Lord 40, 247-8
Bedaux, Charles 247, 249-50
Bedaux, Fern 224
Beekman, Gustave 185, 187
Bérard, Armand 133
Berle, Adolf 172
Bethlen, Conde 31
Biddle, Francis 67
Bingham, Robert Worth 241
Birgelen, Georg von 173
Bleicher, Hugo 198
Blok, Nils 152
Blunt, Anthony 227
Bodenschatz, Major-General 55
Boehmler, Lucy 175-6, 181, 184

Bömelburg, Karl 226
Boothby, Robert 155
Boothe Luce, Clare 251
Borchardt, Paul T. 180
Borni, Renée 194, 197, 200
Boss, Hugo 13
Bothamley, Margaret 79
Bousquet, Marie-Louise 221
Brand, Robert 36
Brannigan, Jerome 242
Brauchitsch, Walther von 217
Braun, Eva 39, 43, 46, 70
Braun, Gretl 46
Brooks, Colin 57
Bukhartsev, Emir 138
Bund americano-alemão 10, 44, 62, 177
Burgess, Guy 240
Byrnes, James F. 257
Cadett, Thomas Tucker-Edwardes 158
Canaris, Wilhelm 23, 167
Canning, Albert 237
Carol de Romênia, Rei 117
Carré, Mathilde 191, 203
Carré, Maurice 191
Carver, John Lewis 131
Chamberlain, Neville 42, 83, 246
Chambrun, Charles de 123
Chambrun, René de 218, 223
Chanel, Coco 24, 29, 213, 224
Channon, Chips 238-39, 243
Chapel, Arthur 'Boy' 215
Château-Thierry, Duquesa de 108
Chesterton, A. K. 75

Christensen, Winding 107
Chrysler, Walter P. 37
Churchill, Randolph 219
Churchill, Winston 24, 36, 42, 57, 83, 95, 215-21, 250
Ciano, Gian Galeazzo 18, 236
Cliveden 35-6
Cochran, Charles B. 9
Cocteau, Jean 219
Colloredo-Mansfield, Rudolf 27
Coraboeuf, Jean 121
Coraboeuf, Madeleine 121
Correa, Mathias F. 179, 184
Costenza, Condessa 109, 116
Coton, Charles 218
Cottenham, Lord 80
Coward, Noël 259
Crockett, Alice 61
Cunard, Emerald 238
Danischewsky, Irene 77, 85
Delbrück, Max 133
Deloach, Cartha 156
Dessoffy, Hélène 219
Dessoffy, Jacques 220
Deterding, Henri 78
d'Ette, Gaston 162-5
Diaghilev, Sergei 30
Diels, Rudolf 135
Dierks, Hilmar 107-8
Dietrich, Joseph 'Sepp' 21
Dincklage, Hans Gunther von 213, 217
Dincklage, Maximiliane von 'Catsy' 217
Dirksen, Herbert von 48, 51
Dirksen, Viktoria von 51

ÍNDICE REMISSIVO

Dmitri, Grão-duque 216
Dodd, Martha 33, 131–40
Dodd, William E. 44, 131
Domvile, Sir Barry 36
Don, Alan 243
Donahue, Jimmy 259
Donald, John 112
Donovan, William 154
Drücke, Karl 108
Dubrow, Angelica 161, 165
Duquesne, Frederick 168
Earle, George Howard 117
Eden, Anthony 42
Eduard, Carl 40, 240-2
Edvardson, Gunnar 115
Edward VII, Rei 242
Ehrhardt, Ludwig 66
Eisenhower, Dwight D. 258
Elberfeld, William 187
Erleigh, Lord 158
Esnault-Pelterie, Madame 222
Evans, Mary Aurora 167
Faber, Per 148
Farago, Ladislas 105-6
Fejos, Paul 141, 143, 148
Ferdinand, Louis 240
Field, Barry 96
Fischer, Louis 133
Flügge, Wilhelm von 53
Fontanges, Magda de 121–24
Ford, Henry 36, 62, 256
Foxworth, Percy 65
Franco, Francisco 21, 161
François-Poncer, André 47
Franz, Friedrich 28
Friedemann, William 174
Friederike, Princesa 232–4
Froehlich, Rene 181
Fromm, Bella 50, 58
Gaillard, Pierre 218
Gallacher, Willie 41
Gandy, Helen 150
Gano, Stanislaw 197, 202
Garby-Czerniawski, Roman 192-203
Garthwaite, Sir William 30
Geddes, John 112
George V, Rei 231-2, 240-1
George VI, Rei 41, 48, 217, 245, 257
Gizycki, Josef 27
Gladwyn, Cynthia 259

Goebbels, Joseph 9, 21, 39, 43, 46, 125-7, 130, 140, 143, 146-7, 213, 222, 248, 255
Goebbels, Magda 125
Goldschlag, Stella 207–210
Goldwyn, Samuel 218
Gömbös, Gyula 33
Göring, Hermann 9, 42-3, 47–8, 54-5, 78, 136, 143, 197, 213, 247-8, 256
Göring, Ilse 136
Gowen, Franklin 85
Greenfield, Albert Monroe 71
Grégoire, Armand 247
Grieve, Bob 112
Gundy, John Murton 30
Gutermann, Regina 207
Gyssling, Georg 66
Halifax, Lord 9, 36, 46-9, 256
Hammond, Ogden 170-4
Hanfstaengl, Ernst 'Putzi' von 34, 132-5
Harmer, Christopher 198
Harmsworth, Esmond 30-1
Haushofer, Karl 125, 127, 180
Hess, Rudolf 125, 143, 180, 248
Heydrich, Reinhard 11, 13, 18-9
Himmler, Heinrich 9, 11, 38, 54, 62, 79, 106, 127, 179, 224, 248
Hinchley-Cooke, William 114
Hitler, Adolf 17, 145, 215
quer Inglaterra como aliada 232-4
e o Duque e a Duquesa de Windsor 43, 245-59
e Henriette Niederauer 7
e Inga Arvad 141, 143, 147
e Martha Dodd 132-3
e Stephanie Juliane von Hohenlohe 9, 34–5, 38-9, 40–3, 45–9, 51, 53, 55–6
Hoare, Samuel 224, 226
Hoesch, Leopold von 238–39, 241-2
Hohenlohe, Franz von 51, 54, 62, 64, 66, 69
Hohenlohe, Stephanie Juliane von 9, 133
na Inglaterra 46–8, 54–5
e Cliveden 36–7
e Coco Chanel 220

e o Duque e a Duquesa de Windsor 40–42, 238, 242
vida pregressa de 26–9
primeiro casamento e divórcio 29, 30
e Hitler 9, 34–5, 38–9, 40-3, 45–9, 51, 53, 55–6
e Lord Rothermere 31–4, 42–3
arquivo do MI5 52–3
vida pós-guerra 69, 70-1
rumores sobre 37–8
e Schloss Leopoldskron 49–52
durante Segunda Guerra Mundial 57–69
viagem na Europa 30–31
Nos Estados Unidos 37, 43–6
Hohenlohe-WaldenbergSchillingfürst, Franziska Maria Anna 29
Hohenlohe-WaldenbergSchillingfürst, Friedrich Franz von 28–9, 30
Hohenzollern, Louis Ferdinand 133
Hoover, Herbert 248
Hoover, J. Edgar 62–9, 70, 80, 150–4, 169, 172, 174-5, 248, 254
Hopkins, Harry 254
Horthy, Almirante 30-1
Hoyningen-Huene, Baron von 252
Hughes, James 80, 88
Huidekoper, Page 144
Hunter, Samuel A.D. 155
Huntley, June 79
Ignatieff, Sergei 106
Ilovaiskaya, Tatyana Alexandrovna 77
Ingersoll, Ralph 46
Ingram, Marie Louise Augusta 97–9, 100-3
Isaaksohn, Rolf 208, 211
Ivanov, Yevgeny 35, 158
Jackson, Derek 83
Jackson, Pamela 83
James, Henry 151
Jelke, Frazier 254
Joel, Sally 30

ÍNDICE REMISSIVO

Johnson, Herschel V. 83, 85
Johnson, Lyndon B. 156
Joubert, Fritz 169
Joyce, William (Lord Haw-Haw) 75, 80, 81, 86, 88
Kaltenbrunner, Ernst 118-9
Keeler, Christine 35, 158, 160
Kell, Vernon 77-8
Kemp, Wayne 174
Kennedy, Bobby 156
Kennedy, John F. 82, 141, 145-7, 150-5, 156-7
Kennedy, Joseph 81-6, 145, 152, 154
Kennedy, Kathleen 145
Kent, Tyler Gatewood 74, 76, 79, 80-87, 145
Kieboom, Charles van den 92, 94
Killinger, Manfred von 56
Kingman, Howard 152
Kitchener, Lord 168-9, 170-1
Klein, Gisela 158-9, 160-2
Knatchbull-Hugessen, Hughe 119
Knight, Maxwell 74, 76, 78, 79, 80, 83-5
Kommer, Rudolf 51, 61
Kray, Ronnie 155
Krock, Arthur 145
Kruse, Jack 53-5
Kübler, Manfred 207, 208
Kuehn, Bernard 127, 128, 129
Kuehn, Friedel 127-9
Kuehn, Hans 127-8
Kuehn, Leopold 129
Kuehn, Susie Ruth 125-9
Kuranda, Ludmilla 25, 36, 63, 67
Kuranda, Olga 55
Kuranda, Robert 27
Kutschmann, Walter 225
Ladd, D.M. 69
Lahousen, Erwin von 109, 115
Lammers, Hans-Heinrich 34
Lang, Herman W. 175
Langer, Walter C. 69
Laval, Pierre 221
Ledebur-Wicheln, Joseph von 224
Leibowitz, Samuel S. 186
Levetzow, Magnus von 143
Ley, Robert 247

Liddell, Guy 82, 84
Lindbergh, Charles 62, 248
Lockhart, Bruce 240
Lombardi, Vera Bate 210-7, 219, 223-5
Long, Breckinridge 69
Luciano, Lucky 189
Ludwig, Kurt Frederick 178-9, 180-5, 182, 184, 186
Ludwig, Maximilian Eugen 28
Lupescu, Magda 117
Lustig, Walter 214
Mackay, Cyril 160
Mackenzie, William Herbert 108, 113
Macmillan, Harold 155
Marais, Jean 222
Marigliano, Francisco 83
Martin, Alice 36
Martin, Arthur 160
Martin, John C. 36
Martineau, Hubert 172
Mary of Teck, Princess 232
Masaryk, Jan 47
Mayer, Helen Paulina 181, 185
Mayo, Lady 108-9
McCoy, Tim 155, 157
McGuire, Matthew F. 65
McKee, Sam 154
Mdivani, Roussadana 221
Mehnert, Klaus 67
Meier, Carl 92
Meissl, Heino 214
Meissl, Yvonne 214
Mercieaux, Jean 193
Messersmith, George 133, 135
Metternich, Franziska 27
Mironnet, François 230
Mitford, Diana 82, 239, 256
Mitford, Pamela 82
Mitford, Unity 37-8, 41, 48, 82, 244
Momm, Theodor 227
Monte, Duke del 83-4
Moon, Tom 103, 105
Mooney, James 252
Morrell, Ottoline 243
Mosley, Oswald 34, 78, 81, 85, 87, 99, 100, 238, 239, 240-8, 244, 256
Mueller, Karl Victor 182-7
Munck, Hélène de 79, 80, 83, 86

Mussolini, Benito 18, 22, 33, 121, 123-4, 149, 236, 248
Nebe, Arthur 16
Neubauer, Hermann 222
Neurath, Konstantin von 148
Newkirk, Raymond 174
Nicholson, Christabel 81
Nicholson, Wilmor 81, 84
Niederauer, Henriette (La Jana) 7-8
Nieuwenhuys, Jean 75, 80
Northcliffe, Lord 31
Noyes, Newbold 247
Oeler, Wally 41-2, 44-5
O'Grady, Dorothy Pamela 89, 90-6, 115
O'Grady, Vincent 91-5
Okuda, Otojiro 128
Osten, Lina von 11, 13
Osten, Ulrich von der 177, 179, 180-1, 183
Oursler, Fulton 254
Oxford, Lady 36
Pagel, Hans Helmut 181
Palasse, André 220, 222, 227
Papen, Franz von 118
Patterson, Cissy 150
Pavovich, Dmitri 29, 216
Perfect, Peter 112
Petter, Robert 108, 110-1, 113-6
Philby, Kim 241
Picasso, Pablo 217
Pompidou, Claude 229
Pompidou, Georges 229
Profumo, John 35, 157-9
Quesada, Fernando 162, 163
Raffray, Mary 237, 242-3
Ramsay, Archibald Maule 'Jock' 75-6, 78-9, 81-2, 87
Rashleigh, Cecil 99
Redesdale, Lord and Lady 39, 42, 85
Reichert, Wolfgang 17
Reinhardt, Max 37, 50-1
Reverdy, Pierre 217, 226
Reznicek, Felicitas von 61
Ribbentrop, Joachim von 18, 21, 23, 35-6, 41-2, 47-8, 53-4, 71, 224, 232, 238, 239, 240-2, 246, 248, 250-2
Riefenstahl, Leni 143

ÍNDICE REMISSIVO

Riesser, Gilda 220
Riesser, Hans 220
Ritter, Hans W. 170
Ritter, Nikolaus 103, 107–8, 167, 169
Rogoff, Guenther 208, 210
Ronnie, Art 155
Roosevelt, Franklin D. 63, 65-6, 68-9, 77-8, 81-2, 84, 87, 117, 119, 120, 132, 139, 149, 150-1, 153-4, 172, 218, 241, 254
Rostin, Andre 30
Rothermere, Lord 9, 30–9, 40, 43, 48, 52–6
Ruark, Robert 71
Ruesch, Hans 173
Runciman, Lord 52
Salazar, António 252
Salon Kitty 9, 11–24
Salvator da Áustria, Franz 28-9
Sandel, Hermann 169
Sandstede, Gottfried 66
Schalburg, Christian von 106
Schalburg, Vera von 103-9, 110-7
Schellenberg, Walter 11-9, 22-5, 63, 224
Scherbatow, Kyril 78
Schifter, Rudolph 173
Schlick, Reverendo 68
Schlosser, Frederick Edward 181
Schmidt, Kitty 9, 10-9, 20-4
Schofield, Lemuel 64, 66-7
Schwarz, Karl 16, 17, 21-4
Searle, Adrian 96
Sebold, William 168-9, 171-5
Selby, Welford 32
Sert, José-Maria 218, 221
Sert, Maria 218, 221
Shaw, George Bernard 35-6
Shivers, Robert 129
Sikorski, Wladyslaw 197
Silva, Ricardo Espírito Santos 252-3
Simpson, Ernest 232, 236, 242
Simpson, John 110
Simpson, Wallis 9, 31–2, 40-2 72, 222, 235–9, 240–8
Sloan, Alfred P. 253
Smirnoff, Nicholas 81, 84
Snowden, Ethel 46
Snowden, Lord 46

Sonneman, Emmy 147
Speer, Albert 41, 241
Spencer, Earl Winfield 236
Squire, George 90
Squire, Pamela 90
Stalin, Josef 119
Stein, Lilly Barbara Carola 167–9, 170-4
Stern, Alfred 139
Stoffl, Anna 57
Stokowski, Leopold 51
Stoughton, Claude 168
Straus, Herbert N. 71
Stravinsky, Igor 217
Stülpnagel, Otto von 200
Suñer, Ramón Serrano 21
Swift, William 97, 99, 101
Tamm, Edward 254
Thimig, Helene 50
Thomson, Virgil 186
Tibbett, Lawrence 44
Tolson, Clyde 150
Trundle, Guy Marcus 238
Udet, Ernst 132, 172
União Britânica Fascista 10, 78, 97, 237
Ustinov, Peter 116
Valtin, Jan 65
Vanderbilt, Kathy 30, 36
Vansittart, Lord 241
Vaufreland, Louis de 215, 222, 226, 228
Victoria, Rainha 231
Vigón, Juan 251
Vinogradov, Boris 138
Vomécourt, Pierre de 201
Vorres, Anastasios Damianos 30
Waag, Alexander 225
Waldrop, Frank 144, 146
Wallace, Brian 223
Walsh, David Ignatius 188
Ward, Freda Dudley 245
Warden, John 30
Watson, Thomas J. 248
Watts, Archibald 97, 99, 101
Weiner, Max 25
Wenner-Gren, Axel 143, 148-9, 254-5
Wernikowski, Romuald 173
Wertheimer, Paul 216, 218, 222-3, 228
Wertheimer, Pierre 216, 218, 222-3, 228

West, Nigel 109
Westminster, Duque de 216–17, 218, 225, 226
Weustenfeld, Else 168–9, 170, 172, 173
White, John 146
Wiedemann, Anna-Luise 44, 50–1, 53, 62, 70
Wiedemann, Fritz 33, 41, 43–5, 46–8, 50–1, 54, 61-2, 64, 67, 133, 167
Wigram, Ralph 241
Wiley, Henry A. 153
Wilhelm, Príncipe herdeiro 33
Wilhelm II, Kaiser 33
Wilson, Horace 246
Wilson, Roger 18–19, 21–2
Winchell, Walter 151, 187, 189
Windsor, Duque de 9, 31–2, 39–41, 43, 143, 219, 227, 245-6, 249, 250-1
Winegard, Edward 160
Wiseman, William 63, 69, 254
Wittman, Erno 56
Wlodarczyk, Janusz 196
Wolfe, Thomas 131
Wolkoff, Alexander 77
Wolkoff, Anna 73–9, 80-7, 242
Wolkoff, Nikolai 73
Wolkoff, Vera 73
Württemberg, Duque de 239
Wyden, Peter 205
Wyndham, Diana 216
Zech-Burkersroda, Julius von 250
Ziegler, Philip 243
Zuber, Charles 188-9